De plume et d'audace

Femmes de la Nouvelle-France

essai

Données de catalogage avant publication

Théry, Chantal
De plume et d'audace : femmes de la Nouvelle-France

Comprend des réf. bibliogr.

ISBN 13 : 978-2-89031-569-3
ISBN 10 : 2-89031-569-X

1. Canada - Histoire - Jusqu'à 1763 (Nouvelle-France). 2. Canada - Mœurs et coutumes - Jusqu'à 1763. 3. Femmes - Canada - Conditions sociales - 17e siècle. 4. Femmes - Canada - Conditions sociales - 18e siècle. 5. Écrits de femmes québécois. I. Titre.

FC305.T43 2006 971.01 C2006-941011-9

Nous remercions le Conseil des Arts du Canada ainsi que la Société de développement des entreprises culturelles du Québec de l'aide apportée à notre programme de publication. Nous reconnaissons également l'aide financière du gouvernement du Canada par l'entremise du Programme d'aide au développement de l'industrie de l'édition (PADIÉ) pour nos activités d'édition.
Gouvernement du Québec – Programme de crédit d'impôt pour l'édition de livres – Gestion SODEC

Mise en pages : Nadia Roy
Maquette de la couverture : Raymond Martin
Illustration : Musée des Ursulines de Québec

Les Éditions du Cerf
29, boulevard de La Tour-Maubourg
75340 Paris Cedex 07
ISBN 10 : 2-204-08245-7
ISBN 13 : 978-2-204-08245-7

Les Éditions Triptyque
ISBN 10 : 2-89031-569-X
ISBN 13 : 978-2-89031-569-3
Dépôt légal : B.N.Q. et B.N.C., 3e trimestre 2006
Imprimé au Canada

2200, rue Marie-Anne Est
Montréal (Québec) H2H 1N1
Tél. et téléc. : (514) 597-1666
Courriel : triptyque@editiontriptyque.com
Site Internet : www.triptyque.qc.ca

Chantal Théry

De plume et d'audace

Femmes de la Nouvelle-France

essai

Triptyque / *cerf*

À mes aïeules

Élise Déracinois Louÿ
Andréa Louÿ Théry
Suzanne Doco de Cooman

L'histoire des historiens n'est plus une ni unifiée, mais se compose d'une multiplicité d'histoires partielles, de chronologies hétérogènes et de récits contradictoires. Elle n'a plus ce sens unique que les philosophies totalisantes de l'histoire lui voyaient depuis Hegel. L'histoire est une construction, un récit qui, comme tel, met en scène le présent aussi bien que le passé ; son texte fait partie de la littérature.

Antoine Compagnon, *Le démon de la théorie*

Car manifestement l'on a vu de nombreuses femmes témoigner de ce courage, de cette force et audace à entreprendre et à mener à bien les tâches les plus nobles que l'on relève d'ordinaire chez les conquérants et les hommes de guerre les plus célèbres, ceux mêmes dont les livres font tant de cas.

Christine de Pizan, *Le livre de la Cité des Dames*

Il serait infiniment regrettable que les femmes écrivissent comme des hommes ou vécussent comme des hommes, car si deux sexes sont tout à fait insuffisants quand on songe à l'étendue et à la diversité du monde, comment nous en tirerions-nous avec un seul ?

Virginia Woolf, *Une chambre à soi*

INTRODUCTION

Un comédien français passionné, seul sur scène dans un théâtre du Vieux-Québec, effectuait en 1981 une traversée du temps, de l'espace et des sexes en incarnant une religieuse du XVIIe siècle, française d'origine et canadienne par choix. À partir d'extraits de la correspondance de l'ursuline Marie Guyart de l'Incarnation – née à Tours en 1599 et décédée à Québec en 1672 –, Marcel Bozonnet[1] rappelait, ou révélait à son public, un parcours exceptionnel et des textes aussi riches que ceux d'une contemporaine de la Tourangelle missionnaire, l'épistolière Marie de Sévigné (1626-1696).

Faute de pouvoir s'approprier les genres littéraires canoniques, bien des femmes de plume ont – sous couvert de faire œuvre utile – investi le genre de l'essai (correspondances, journaux, écrits spirituels, relations, annales, etc.). Heureusement prises entre l'Histoire et l'histoire personnelle, ces formes libres leur ont permis de décrire leur milieu, de témoigner, d'exprimer leurs sentiments et leurs idées, d'exercer leurs dons d'écrivaines. Nous avons tenté dans ce livre d'étudier plus particulièrement les représentations et les perceptions de femmes – Françaises, Canadiennes, Amérindiennes – à l'époque de la Nouvelle-France. Récits et discours se révèlent de précieux outils : aptes à mesurer comment les influences et les contraintes de l'ancien et du nouveau milieu, naturel et social, les nouvelles pratiques de vie et de travail transforment l'image de soi et la perception du monde ; à traduire la mutation culturelle provoquée par le passage de l'Ancien au Nouveau Monde

Lire les écrivaines de la Nouvelle-France, c'est ouvrir une fenêtre sur notre matrimoine littéraire et culturel, tenter de comprendre ce qui les a incitées à prendre la plume, entre humilité et héroïsation, tradition et innovation. Ces écrivaines, ce sont les ursulines Marie Guyart de l'Incarnation, de Québec, Marie-Madeleine Hachard de Saint-Stanislas et Marie Tranchepain de Saint-Augustin, de La Nouvelle-Orléans ; les hospitalières des Hôtels-Dieu : Jeanne-Françoise Juchereau de Saint-Ignace et Marie-Andrée Regnard Duplessis de Sainte-Hélène, de Québec, et Marie Morin, de Montréal ; ainsi que la laïque Élisabeth Bégon. Il reste, certes, à traiter des pionnières et des missionnaires de l'Acadie[2], à faire une part plus grande à Marguerite Bourgeoys, Jeanne Mance ou Marguerite d'Youville et, du côté de la Nouvelle-Espagne, à évoquer plus longuement que je ne l'ai fait la contemporaine de Marie de l'Incarnation, la Mexicaine sœur Juana Inès de la Cruz[3]. Les femmes de la Nouvelle-France, laïques surtout, nous ont laissé peu de textes, à moins que leurs écrits ne soient pas parvenus jusqu'à nous... Afin de leur rendre justice et de les faire découvrir sous des aspects inattendus, nous prenons le parti de citer longuement leurs textes et de nous démarquer d'une analyse littéraire, plus théorique, qui laisse, le plus souvent, à peine entrevoir les œuvres[4].

Dans le projet de société, de colonisation et d'évangélisation de la Nouvelle-France, la part des femmes – dont l'aventure se limitait souvent aux frontières d'une microsociété – est aujourd'hui appréciée selon les critères de la nouvelle histoire et de l'histoire des femmes. Les textes de nos écrivaines sont devenus aussi importants que les récits de découverte ou de conversion de leurs confrères masculins et les analyses différentielles qu'ils suscitent, aussi nécessaires qu'éclairantes.

La plupart des textes de nos auteures ont été partiellement étudiés et cités pour leur valeur historique, documentaire ou hagiographique. Spécialiste de la Nouvelle-France, l'historienne Dominique Deslandres estime que ses confrères « ont fait peu de cas de la mission des femmes en général et de celle de Marie de l'Incarnation en particulier » ; déconcertés « devant l'expression du mysticisme féminin », jugé accessoire, « peu compatible avec une "étude historique sérieuse" », ils ont eu tendance à écarter textes et auteures, à jeter trop vite « l'enfant avec l'eau du bain »[5]...

Une analyse comparée des textes d'hommes et de femmes permet de mieux apprécier les activités et les enjeux respectifs, les rapports entre micro et macrosociété, la part de subjectivité et d'objectivité, les modes de perception et les valeurs, les relations interculturelles et les jeux de pouvoir. Le rapport que le jésuite Paul Le Jeune, en « soldat du Christ », entretient avec le nouveau pays, les Amérindiens, les femmes, la langue, diffère de ceux qu'instaurent, par exemple, l'humble disciple de saint François, le frère récollet Gabriel Sagard, ou nos auteures. Toute leur vie, les femmes missionnaires, femmes de caractère et d'idées, supérieures et gestionnaires de couvent, devront justifier le bien-fondé de leur vocation, de leur présence et de leur travail, défendre leurs points de vue, réclamer, voire dénoncer... Des différences et des divergences apparaissent, implicitement ou explicitement, entre hommes et femmes, entre femmes aussi.

En règle générale, les religieuses arrivent au Canada ou en Louisiane sans billet de retour, avec la ferme intention d'y demeurer. Le sentiment d'appartenance à la Nouvelle-France, l'identité canadienne se tissent petit à petit, entre sentiment d'exil, adaptation au nouveau pays et défense de ce dernier. L'arrachement à des communautés et à des êtres chers demeurés de l'autre côté de l'Atlantique et les échanges qui se développent de part et d'autre permettent de comprendre certains aspects de l'expérience migrante.

Les images du Barbare et de la Barbarie données avant leur départ ne correspondent pas à la réalité, et l'Autre, en définitive, diffère peu de soi. Sensibles à l'originalité de la culture amérindienne, loin d'exacerber les différences et les oppositions entre les races, elles envisagent la possibilité d'une « nation mixte », franco-amérindienne, et valorisent à maintes reprises les droits et les compétences des « Sauvagesses », des figures amérindiennes respectées, des modèles dignes d'être copiés.

Dans sa *Relation* de 1633, le jésuite Paul Le Jeune fait appel, pour soigner ou enseigner au Canada, à des femmes fortes, des « amazones ». Il ignorait que le mot ferait fortune. Les religieuses se l'approprieront volontiers et l'appliqueront aussi aux Canadiennes, valorisant les compétences des femmes, revendiquant plus de considération et d'autonomie. L'expérience particulière des femmes missionnaires et des pionnières, confrontées à des situations, des responsabilités et des tâches inusitées, interpellées par une culture amérindienne qui conjugue différemment masculinité et féminité, a certainement constitué une échappatoire à l'insidieux clivage des sexes et permis de critiquer la répartition duelle et hiérarchisée des attributs et des rôles. Les missionnaires ont trouvé en Nouvelle-France et dans leurs communautés – si austères qu'elles aient été – une liberté et un espace d'identification différent qui leur ont permis de développer de véritables entreprises (hôpitaux, écoles, services sociaux...), de faire preuve d'initiatives, d'aptitudes et de qualités qu'on ne porte habituellement pas au compte des femmes.

Nous avons toutes les raisons de croire que la force de caractère et la combativité, l'audace et la témérité habitaient ces religieuses avant les missions de la Contre-Réforme catholique et que la vocation missionnaire a constitué leur mode et leur espace autorisés. L'appel des « terres étrangères », du « bout du monde », signifiait sans doute que l'on était prête à aller au bout de soi-même.

L'entreprise de relecture des textes des femmes de la Nouvelle-France nous force à nous départir de nos préjugés sur les religieuses. Il s'agit de percevoir – derrière les discours conservateurs et respectueux à l'égard de la hiérarchie, les aspects hagiographiques et mystiques, les manifestations d'oblation de soi et de mortification – leurs ambivalences et leurs contradictions, leurs résistances et leurs dissidences, des visions originales, d'astucieuses constructions narratives et discursives qui rendent compte de la réalité mais jonglent aussi avec l'imaginaire, le pouvoir, l'humour et les mots.

La vitalité des recherches[6], la diversité et la qualité de nombreux ouvrages publiés ces dernières années sur la Nouvelle-France ont facilité notre tâche. La fortune littéraire et culturelle des « figures héroïques » de la Nouvelle-France, l'intérêt renouvelé pour le roman historique ne cessent par ailleurs de confirmer la richesse de l'histoire canadienne et de ses textes : des vies de femmes, des parcours inusités au féminin ont été repris et transformés dans des textes de fiction ou portés à l'écran. Lectrices et lecteurs, chercheures et chercheurs d'aujourd'hui ne manqueront pas de faire se croiser passé et présent, tout en poursuivant les analyses selon leurs approches et leur quête de savoir.

NOTES

[1] Aujourd'hui administrateur général de la Comédie-Française à Paris.

[2] Telle cette missionnaire laïque, madame de Brice qui, dès 1644, faisait l'école aux petites Amérindiennes à Port-Royal.

[3] Le septième Festival de films et de vidéos de femmes de Montréal nous a permis de voir, en juin 1991, le film de l'Argentine Maria Luisa Bemberg, *I, the Worst of All,* consacré à cette religieuse mexicaine du XVIIe siècle (1648 ?-1695). Poète espagnole de talent et essayiste, Sor Juana Inès de la Cruz est l'auteure de la *Respuesta a Sor Filotea* (1691), un essai – aux accents féministes – sous forme de lettre, inspiré de François de Sales. Dans *La poésie mexicaine,* anthologie publiée en 1989 (Montréal, Écrits des Forges / Le Castor Astral), Claude Beausoleil esquisse d'ailleurs un parallèle entre Juana Inès de la Cruz et Marie de l'Incarnation.

[4] « Nous sommes fort conscient de la longueur de ces extraits. Nous les avons quand même transcrits, croyant qu'il nous était impossible d'être plus précis (sans plagier !) et surtout aussi savoureux. Nous nous proposons d'ailleurs, lorsque nous le croirons justifié par la valeur du texte et l'importance de l'auteur, de récidiver... », notait l'historien Robert Lahaise, en 1973 (« L'Hôtel-Dieu du Vieux-Montréal (1642-1681) », dans *L'Hôtel-Dieu de Montréal 1642-1973,* Montréal, Hurtubise HMH (Les Cahiers du Québec-Histoire), p. 24, note 51.

[5] Dominique Deslandres, « Qu'est-ce qui faisait courir Marie Guyart ? Essai d'ethnohistoire d'une mystique d'après sa correspondance », dans *Laval théologique et philosophique,* vol. 53, n° 2 (juin 1997), p. 285-286. Des historiens, Michel de Certeau par exemple, et des historiennes, le groupe Clio, Natalie Zemon Davies, Marie-Florine Bruneau, Élisabeth Dufourcq ou Françoise Deroy-Pineau, entre autres, ont heureusement, avec compétence et brio, repris le dossier en main.

[6] Mes premières recherches ont été amorcées grâce à des subventions accordées par le Conseil de recherches en sciences humaines du Canada. Je tiens aussi à remercier mes assistantes et assistant de recherche : Marie-Christine Pioffet, Jeanne Bovet, Isabelle l'Italien-Savard et, tout particulièrement, Louis Bilodeau et Christine Paquette.
Ce livre est composé de textes nouveaux et de textes déjà publiés sous forme d'articles de revues ou de chapitres de livres. La plupart des textes ont été remaniés pour réorganiser la matière, éviter les répétitions et intégrer de nouvelles données de recherche et d'analyse. La liste des articles publiés figure à la

fin de cet ouvrage. Je tiens à remercier ceux et celles qui ont favorisé ces premières parutions et stimulé mes recherches et, tout particulièrement, Réal Ouellet, spécialiste de la Nouvelle-France, qui m'a encouragée à étudier ce corpus.

CORPUS ET ABRÉVIATIONS

ÁVILA, Thérèse d' (Ávila, 1515 - Alba de Tormes, 1582)
Les fondations, Prologue, dans *Œuvres complètes*, t. 1, Paris, les Éditions du Cerf, 1995.

PAD — *Pensées sur l'amour de Dieu*, dans *Œuvres complètes*, t. 1, Paris, les Éditions du Cerf, 1995, p. 897-952.

BÉGON, Élisabeth (Montréal, 1696 - Rochefort, 1755)

LCF — *Lettres au cher fils* (1748-1753), éditées par Nicole Deschamps, Montréal, Hurtubise HMH, 1972. Réédition : Montréal, Boréal (Compact classique, 59), 1994.

BOURGEOYS, Marguerite (Troyes, 1620 - Montréal, 1700)

ÉMB — *Les écrits de mère Bourgeoys. Autobiographie et testament spirituel*, Montréal, Congrégation de Notre-Dame, 1964.

CRUZ, Juana Inès de la (San Miguel de Nepantla, 1651 ? - Mexico, 1695)
Respuesta a Sor Filotea, traduction française par Alberto G. Salceda, dans Marie-Cécile BÉNASSY-BERLING, *Humanisme de Juana Inés de la Cruz. La femme et la culture au 17e siècle*, Paris, Publications de la Sorbonne, 1982.

CUILLERIER, Véronique
Annales de l'Hôtel-Dieu de Montréal 1725-1747, éditées par Ghislaine Legendre, Montréal, Département de linguistique et philologie, Université de Montréal, 1978.

GUYART DE L'INCARNATION, Marie (Tours, 1599 - Québec, 1672)

C — *Correspondance*, éditée et annotée par dom Guy-Marie Oury, Abbaye Saint-Pierre, Solesmes, 1971.

C&R — *Constitutions et Règlements des Premières Ursulines de Québec, 1647*, édition préparée par sœur Gabrielle Lapointe, Québec, Monastère des Ursulines de Québec, 1974.

R 1633 *Écrits spirituels et historiques* : tome I (Tours, *Relation de 1633*).
R 1654 *Écrits spirituels et historiques* : tome II (Québec, *Relation de 1654*). Édités par dom Claude Martin, réédités par dom Albert Jamet, Québec, Les Ursulines de Québec, 1985.

HACHARD DE SAINT-STANISLAS, Marie-Madeleine (Rouen, 1704 ? - La Nouvelle-Orléans, 1760)
MMH *Relation du voyage des dames religieuses ursulines de Roüen à la Nouvelle Orleans [...]*, Rouen, Antoine le Prévost, 1728.

LES PÈRES JÉSUITES
RJ *Relations des Jésuites en Nouvelle-France* (1611-1672), Montréal, les Éditions du Jour, 1972, 6 t.

JUCHEREAU de Saint-Ignace, Jeanne-Françoise (Québec, 1650-1723)
REGNARD DUPLESSIS de Sainte-Hélène, Marie-Andrée (Paris, 1687- Québec, 1760)
AHDQ *Les Annales de l'Hôtel-Dieu de Québec, 1636-1716*, Hôtel-Dieu de Québec, 1939.

LEGARDEUR de RÉPENTIGNY, Marie-Joseph (mère de la Visitation)
Relation de ce qui s'est passé au Siège de Québec, et de la prise du Canada ; par une Religieuse de l'Hôpital-Général de Québec ; adressée à une Communauté de son Ordre en France [1765], dans *Collection de Mémoires et de Relations sur l'histoire ancienne du Canada*, Québec, Imprimerie de William Cowan et fils, 1840, p. 1-14.

Mandements des Evêques de Québec, par Mgr H. TÊTU et l'abbé C.-O. GAGNON, t. 1, Québec, Imprimerie Générale A. Coté et Cie, 1887.

MARTIN, Claude (dom) (Tours, 1619 - Marmoutier, 1696)
V *La vie de la vénérable mère Marie de l'Incarnation*, Sablé-sur-Sarthe, Solesmes, 1981 [1677].

MORIN, Marie (Québec, 1649 - Montréal, 1730)
AHDM *Histoire simple et véritable. Annales de l'Hôtel-Dieu de Montréal, 1659-1725*, édition critique de Ghislaine Legendre, Montréal, Presses de l'Université de Montréal, 1979.

PORLIER, Catherine
Annales de l'Hôtel-Dieu de Montréal 1755-1757, éditées par Ghislaine Legendre, Montréal, Département de linguistique et philologie, Université de Montréal, 1978.

REGNARD DUPLESSIS de Sainte-Hélène, Marie-Andrée
Lettres, 1718-1758, *Revue canadienne*, 12, 1875.

SAGARD, Gabriel
GV *Le Grand Voyage du pays des Hurons (1623-1624)*, Paris, Denys Moreau, 1632.
Réédition : texte établi par Réal Ouellet, introduction et notes par Réal Ouellet et Jacques Warwick, Montréal, Leméac, Bibliothèque québécoise (BQ), 1990.

TRANCHEPAIN DE SAINT-AUGUSTIN, Marie (Rouen ? - La Nouvelle-Orléans, 1733)
AC Correspondance administrative, dans Étienne Taillemite, *Correspondance à l'arrivée en provenance de la Louisiane*, 2 t., les archives de la Marine, Archives des Colonies [*AC*, C^{13a} 10 à 37 (1726-1753)], Archives nationales de Paris et Centre des archives d'outre-mer à Aix-en-Provence.

Chapitre 1

Amazones du grand Dieu en Nouvelle-France : dans la balançoire de la rhétorique jésuite

Dans sa *relation* de 1633, le père jésuite Paul Le Jeune invitait des âmes de bonne volonté de l'« Ancienne France » à fonder un séminaire de filles et un hôpital au Canada. L'invitation n'était pas particulièrement adroite et encore moins exempte de propos culpabilisants. Les futures donatrices, « ces Dames dans Paris qui emploient tous les ans plus de dix mille francs en leurs menus plaisirs », « ne rougiroient pas de honte au jour qu'elles paroistront devant Dieu, pour rendre compte des biens dont il les a faits œconomes ; cela est bien plus aisé à dire qu'à executer » (*RJ* 1633 : 14), écrivait-il ; et en 1635, toujours pessimiste et dans la même veine : « Helas mon Dieu ! si les excés, si les superfluitez de quelques Dames de France s'employoient à cet œuvre si sainct, quelle grande benediction feroient-elles fondre sur leur famille. » (*RJ* 1635 : 2)

Six ans plus tard, trois ursulines et trois hospitalières débarquent à Québec. Quel accueil Le Jeune leur réserve-t-il ? à quels emplois les destine-t-il ? quelles solidarités vont-ils développer ? et que se passe-t-il entre son appel de 1633 et l'arrivée des religieuses en 1639 ?

Le Jeune ne s'adressait pas à des religieuses mais plutôt à « quelque bonne famille », à « quelque bonne veufve courageuse, accompagnée de deux braves filles » (*RJ* 1633 : 14) ou à « quelque brave maistresse [...] avec quelques Compagnes animées de pareil courage » (*RJ* 1634 : 12). Il les encourageait en ces termes :

> Plaise à sa divine Majesté d'en inspirer quelques unes, pour une si noble entreprise, et leur fasse perdre l'apprehension que la foiblesse de leur sexe leur pourroit causer, pour avoir à traverser tant de mers, et vivre parmy des Barbares.
> A ce dernier voyage, des femmes enceintes sont venuës, et ont aisément surmonté ces difficultez, comme avoient faict d'autres auparavant. (*RJ* 1634 : 12)

En 1635, il s'étonne « qu'un grand nombre de filles Religieuses, consacrées à nostre Seigneur, veulent estre de la partie, surmontans la crainte naturelle à leur sexe, pour venir secourir les pauvres filles et les pauvres femmes des Sauvages » (*RJ* 1635 : 2) ; même réflexion les deux années suivantes :

> Si je m'engage plus avant dans les sentimens de devotion qu'une infinité d'ames sainctes, qu'un tres-grand nombre mesme de Religieuses nous tesmoignent avoir pour l'amplification de la foy en la Nouvelle France, je passeray de beaucoup la juste grandeur d'un Chapitre [...]. Les Carmélites sont toutes en feu ; les Ursulines, remplies de zele ; les Religieuses de la Visitation n'ont point de paroles assez significatives pour témoigner de leur ardeur [...] et les Hospitalières crient qu'on les passe dès l'année prochaine. (*RJ* 1636 : 6)
> Je ne diray rien des meres Ursulines, elles m'escrivent avec un tel feu, et en si grand nombre, que [...] il se trouveroit dix maistresses pour une escholière. Le sexe, l'âge, les maladies, les coliques tres-sensibles n'empeschent point le sacrifice qu'elles font à Dieu de leurs personnes. (*RJ* 1637 : 5)

Résigné et comblé au-delà de ses attentes, il ne lui restait plus à espérer que quelque brave Dame de Paris veuille enfin « donne[r] un Passeport à ces Amazones du grand Dieu » (*RJ* 1635 : 2-3). Le résumé de la *Relation* de 1639 annonce enfin « la venuë des Religieuses », mais perdue derrière « la naissance d'un Dauphin, les affections et les presents de nostre grand Roy pour nos Sauvages, les soings de Monseigneur le Cardinal pour ces contrées », etc. Le chapitre premier commence par une note décevante envoyée par un premier vaisseau : « [...] le papier, ne disant mot de la naissance de Monseigneur le Dauphin, arrestoit le cours de nostre joye [...] nous attendions un enfant de benediction et de miracle ; nous croyons tous que les dons de Dieu seraient parfaits et que nous aurions un Prince. » (*RJ* 1639 : 2) La déconvenue est de courte durée : « Enfin, les vents se rendans favorables à nos desirs, nous apprismes que le Ciel nous avait donné un Dauphin. » Que la fête commence : « la joye s'estoit desja emparée de nos cœurs », écrit un Le Jeune singulièrement exubérant :

> [...] on chante le *Te Deum laudamus*, on prepare des feux de rejoüyssance, on fait voler des feux au Ciel, tomber des pluyes d'or, briller des estoilles [...] le Canon fait un grand tonnerre dans les Echos de nos grands bois [...]. Ces pauvres Sauvages, n'ayans jamais rien vu de semblable, croyoient que l'empire des François s'étendoit jusques à la Sphere du feu, et que nous faisions de cét Element tout ce qui nous venoit en pensée (*Ibid.*).

Le Jeune ne date pas cet événement et l'on pourrait en déduire que les religieuses ne sont toujours pas arrivées, d'autant qu'il ajoute à ce déploiement merveilleux de quoi faire passer les Sauvages « au delà de l'estonnement » en laissant entendre que

> Monseign. le Cardinal contribuoit puissamment à l'entretien des Ouvriers Evangeliques [...] ; jamais [les Sauvages] n'auroient peu croire qu'on peut rencontrer sur la terre, des hommes qui voulussent faire des despenses pour les secourir au bout du monde, sans autre interest que le bien de leurs âmes et de la gloire de nostre Seigneur.

Cette fête est toute à la gloire de l'enfant mâle « de bénédiction et de miracle », du Cardinal, du Roi, des Ouvriers évangéliques et des hommes de bonne volonté. Mais l'ursuline Cécile de Sainte-Croix est plus précise : « Le soir de nostre venue, on fit les fœux de joye pour la nessance de Monsieur le Dauphin. [M. le Gouverneur] obtint du révérend Père Vimont que nous y assistations. » (*C* Appendice I : 956) L'événement est bien daté : « [nous] arisvames à Kébec sur les huict heures du matin, jour de Saint-Pierre-ès-liens », soit le 1er août. Après la grande nouvelle de la naissance du Dauphin et la fête du « tous pour un », l'annonce au chapitre II – notez l'ordre – « qu'une barque alloit surgir à Kébec, portant un College de Jésuites, une maison d'Hospitalières et un Couvent d'Ursulines » (*RJ* 1639 : 8) apparaît « quasi comme un songe » et un écho bien ténu des festivités royales :

> Monsieur le Gouverneur les receut avec tout l'accueil possible ; nous les conduisismes à la Chapelle, on chanta le *Te Deum laudamus*, le canon retentit de tous costez, on benit le Ciel et la terre, et puis on les conduit aux maisons destinées pour elles [...]. Le lendemain on les mene en la Residence de Sillery, où se retirent les Sauvages.

Le récit des hospitalières est un peu moins succinct :

> Monsieur le gouverneur depêcha une chaloupe qu'il fit tapisser, et l'envoya au devant de nous. Elle se trouva chargée de six Jésuites, six Religieuses, Madame de la Pelterie, ses deux servantes et la nôtre [...]. Nous arrivâmes le premier jour d'aoust 1639, sur les sept a huit heures du matin. [...] le peuple [...] par de grandes acclamations marquoit une réjoüissance publique. Monsieur le Gouverneur nous reçut avec toutes les démonstrations de bienveillance possible. Il nous temoigna combien il nous avoit souhaitées [...]. Il fit faire plusieurs décharges de canon pour nous faire honneur, et nous mena a leglise des Reverends Peres Jesuites [...]. Il nous fit servir a dejeûner. (*AHDQ*: 18-19)

En 1744, dans son *Histoire Générale de la Nouvelle-France*, l'historien jésuite François-Xavier de Charlevoix décrira l'arrivée en ces termes :

> Le jour de l'arrivée de tant de Personnes si ardemment désirées fut pour toute la Ville un jour de Fête, tous les travaux cesserent, & les Boutiques furent fermées. Le Gouvernement reçut ces heroïnes sur le Rivage, à la tête de ses Troupes, qui étoient sous les armes, & au bruit du canon : après les premiers complimens, il les mena, au milieu des acclamations du peuple, à l'Eglise, où le *Te Deum* fut chanté, en actions de graces. / Ces saintes Filles de leur côté, & leur généreuse Conductrice, voulurent dans le premier transport de leur joye, baiser cette terre, après laquelle elles avoient si longtems soupiré, qu'elles se promettoient bien d'arroser de leurs sueurs, & qu'elles ne desesperoient pas même teindre de leur sang. Les François mêlés avec les Sauvages, les Infidèles même confondus avec les Chrétiens, ne se lassoient point, & continuerent plusieurs jours à faire tout retentir de leurs cris d'allegresse, & donnerent mille bénédictions a celui, qui seul

> peut inspirer tant de force & de courage aux personnes les plus foibles. (Livre V : 207-208)

Les *Relations* sont, en partie, des écrits de propagande et Paul Le Jeune n'a de cesse de marquer son respect selon le protocole de l'époque et d'attirer sur la Nouvelle-France, dont la survie en dépend, le regard bienveillant et les dons généreux du roi et des grands du royaume. Quand les religieuses signalent qu'elles obtiennent « le consentement de Monseigneur l'archevêque de Rouen », ou de celui de Tours, on retrouve sous la plume hyperbolique de Le Jeune : « Il n'est pas croyable comme [Madame de la Pelterie] fut bien receuë de Monseigneur l'Illustrissime et Reverendissime Archevesque de Tours [...] la Nouvelle France luy aura à tout jamais de tres-particulieres obligations. » (*RJ* 1639 : 7)

Toujours en l'honneur du dauphin, du roi et de la reine, Le Jeune termine son chapitre premier par le récit de la procession organisée « le jour dédié à la glorieuse et triomphante Assomption de la sainte Vierge » qui doit marquer publiquement que les nations sauvages reconnaissent le roi « pour leur vrai et légitime monarque » et la Vierge, « comme la Dame et Protectrice de sa couronne et de tous ses Estats ». Le Sauvage de cérémonie, miraculeusement rentré sain et sauf de France, est le fils du capitaine Jouënchou. En tête de la procession, le père, ambassadeur de sa nation, le fils et trois compagnons d'autres nations revêtus de magnifiques habits offerts par le souverain vont témoigner de leur allégeance à Dieu, au roi et de leurs aptitudes à la francisation. Dans la foule, après les hommes Sauvages, on découvre une figurante inattendue : « la fondatrice des Ursulines tenant à ses costez trois ou quatre filles Sauvages vestuës à la françoise ». La procession respecte l'ordre strict imposé par les jésuites : les hommes d'abord, les femmes ensuite, les Sauvages devant, les Français derrière et le clergé au milieu en guise de trait d'union symbolique. Un clergé tout masculin puisque, en ce 15 août, les religieuses sont déjà cloîtrées. Le Jeune écrivait après la visite du 2 à Sillery : « Ces visites bientost passées, on dresse des Autels dans les Chapelles de leurs maisons, on y va dire la saincte Messe, et ces bonnes filles se renferment dans leur closture. » (*Ibid.* : 8-9) Pressé, semble-t-il, de ne pas les voir plus longtemps figurer sur la photo de famille au point de gommer le 3 août où les hospitalières se rendent sur leurs terres, et les ursulines à Nostre-Dame des Anges, la résidence des jésuites ; ces dernières iront aussi, le jeudi 4, inspecter un terrain pour leur futur bâtiment et ressortiront le vendredi 5 puis le samedi 6 pour aller à la messe...

Cécile de Sainte-Croix dépeint en ses termes le jour de l'Assomption : « une prossession généralle des François et Sauvages » dans laquelle « Madame de la Pelterie servoit de capitainesse au fames sauvages ; elle marchoit en teste avec 2 de nos pettites séminaristes à ces costez » (*C*: 957). Ce titre de « capitainesse » tranche sur le discours de Le Jeune pour qui, par exemple, la foule des Françaises vient en fin de procession « sans autre ordre que celuy de l'humilité ». Le terme de « capitainesse » sera maintes fois repris, nous le verrons, avec fierté plutôt que par humilité ; en 1646, Marie de l'Incarnation présentera sa plus ancienne « séminariste » comme « la Doyenne » et « la capitainesse » de sa troupe de jeunes néophytes (*C*: 286).

Singulièrement, Marie de l'Incarnation n'est pas nommée dans la *Relation* de 1639. Nous apprenons que madame de la Peltrie est accompagnée d'une ursuline du couvent de Dieppe, « la Mère Cecile de la Croix » et, de Tours, de la « fille de M. de Savonniere seigneur de la Troche, et de Sainct Germain en Anjou » [Mère Marie de Saint-Joseph] et d'une « Ursuline de sa cognoissance fort vertueuse et tres-zelée, qui depuis longtemps soûpiroit apres la Nouvelle France ». La correspondance et les relations de Marie de l'Incarnation nous en apprennent heureusement plus : dès 1635, elle exprime ouvertement son intention d'aller au Canada et, l'année suivante, elle écrit au père Le Jeune : « Je vous diray que si telle est la volonté de Dieu, qu'il n'y a rien en ce monde qui m'en puisse empescher, quand mesme je devrois estre engloutie des ondes en chemin. » (*C*: 60) Fin 1638, elle reçoit une réponse... peu encourageante : le r. père Le Jeune « [...] ne me parle en aucune manière du Canada, mais il me fait une grande lettre aussi humiliante que la première » (*C*: 67). Dans *La Vie* de sa mère, Marie Guyart de l'Incarnation, dom Claude Martin précise que le père Le Jeune « crût, ou plûtôt feignit de croire qu'il y avoit de l'excez [...] qu'il étoit à craindre qu'il n'y eut quelque présomption en sa conduite de vouloir prétendre avec tant d'ardeur à un dessein si élevé au dessus des personnes de son sexe » (V : 337).

Le père Dinet, rapporte aussi Marie de l'Incarnation, « estime que Notre Seigneur ne me veut en Canada que d'affection, et qu'il croit que je ne verray jamais la nouvelle France que du Ciel » (*C* 1635 : 49). Que, malgré les rebuffades, cette « tres-zelée » effrontée ait enfin réussi à venir au Canada, que les ursulines arrivent par surprise alors que Le Jeune, en 1637, souhaite que les hospitalières passent les premières et que les ursulines de Paris aient l'avantage, a dû grandement le contrarier. Le 17 janvier 1639, Marie note :

> [...] le R. Père Provincial des Jésuites [Étienne Binet], qui comme je croi, est engagé de paroles, ou du moins d'affection à nos Révérendes Mères de Paris, nous traverse sans sçavoir que nous le sachions. [...] d'autant que ces Révérendes Mères font vœu d'instruire, ce que nous ne faisons pas, ces Révérends Pères disent que leur Réglement est meilleur que le nôtre [...]. (*C*: 72)

Marie de l'Incarnation fera sien le « vœu d'instruire » mais refusera toute sa vie de se plier aux règles plus strictes des ursulines de Paris, établissant, comme nous le verrons, grâce à la collaboration du père jésuite Jérôme Lalemant, un *modus vivendi* entre les règles de Tours et de Paris propre à Québec.

Lorsque les ursulines arrivent à Québec, l'idée maîtresse de Le Jeune, c'est « l'arrêt des Sauvages », leur sédentarisation, qui dépend d'un ensemble « lié [...] d'un même nœud » : « l'hôpital, le séminaire des petits garçons, et le séminaire des petites filles Sauvages » (*RJ* 1639 : 11), le défrichage, les plantations et la construction de maisons. Dans une harangue que lui adressent personnellement deux capitaines Sauvages le soir de la procession du 1er août, Le Jeune dit rapporter l'intervention de l'un, incrédule et méfiant : « Je viendray voir si tu dis vray, et si tu as des hommes pour nous ayder à cultiver la terre, afin que nous ne soyons plus comme les bestes qui vont chercher leur vie dans les bois. » (*Ibid.* : 9)

Cette remarque constitue bien pour Le Jeune un appel outre-Atlantique à des défricheurs, des agriculteurs, des charpentiers, des maçons et... des fonds. Si ses demandes sont justifiées, les femmes font bien souvent les frais de son argumentation... Ainsi, quand le père Vimont, impatient, déplore que, faute de secours temporel, Satan tienne ces pauvres âmes sous son empire, madame de la

Peltrie promet de faire de son mieux pour les secourir : « Mon Pere, me dit-elle, assurés-les que si je les pouvais ayder de mes propres bras, je le ferois de bon cœur, je tascheray de planter quelque chose pour eux. » La réponse est attendue : « Ces bons Sauvages entendans son discours, se mirent à rire, disans que les bleds qui seroient faits par des bras si foibles, seroient trop tardifs. La conclusion fut qu'on feroit un effort pour les secourir au printemps. » (*Ibid.* : 5) Mais Paul Le Jeune, enclin à sous-estimer et à dénigrer les ressources et la force des femmes, françaises et amérindiennes, se contredit souvent, emporté par la rhétorique du moment, ce qui permet, globalement, de mieux saisir la réalité : à un Sauvage qui se refuse à ne prendre qu'une seule femme, de peur d'être réduit à une vie misérable si elle le quitte, Le Jeune prête en effet l'argument suivant : « [...] attendu que ce sont les femmes en nostre païs qui sement, qui plantent et qui cultivent la terre, et qui nourrissent leurs maris. » (*RJ* 1638 : 23-24) Lorsque Le Jeune fait dire à madame de la Peltrie : « je n'ay gueres amené d'hommes de travail », il tient peu compte de ceux qu'elle a et se garde de mentionner à nouveau les six ouvriers envoyés dès 1636 par madame de Combalet, duchesse d'Aiguillon, pour défricher et installer l'hôpital ; en 1639, les hospitalières en dénombrent huit à leurs gages. Quatre ans plus tard, elles faisaient construire trois maisons pour les Sauvages. Les mots que Paul Le Jeune met cette fois-ci dans la bouche de Madeleine de la Peltrie : « Hélas que les dépenses d'une seule collation de Paris, et d'un seul ballet qui ne dure que deux ou trois heures, sauveroient d'âmes en ce pays-cy ! » rappellent les lignes de 1633 qu'il adressait aux marraines du futur séminaire de filles... Le Jeune tourne en dérision la proposition de madame de la Peltrie, pour susciter les dons de la France, mais aussi pour faire bonne figure auprès des Sauvages et soigner son crédit qu'il sent menacé par ces nouvelles arrivées :

> Je les consolay merveilleusement, quand je leur dis que le Capitaine qui avoit commencé la Residence de Sainct Joseph, avoit donné dequoy entretenir tousjours six ouvriers pour eux, et que même après sa mort, les ouvriers ne laisseroient pas de travailler : ils ne pouvoient pas comprendre comment cela se pouvoit faire, ny pourquoy ces ouvriers n'alloient pas prendre tout à la fois l'argent qu'il laissoit pour eux, ny comme un homme mort pouvoit faire travailler des hommes

> vivans : car ils ne sçavent que c'est de laisser des rentes ny des revenus. (*RJ* 1639 : 5)

Même mort, un homme vaut toujours plus qu'une femme… Les rapports de pouvoir et d'émulation sont évidents et les religieuses veillent aussi à leur réputation :

> La première fois que nous vismes des Sauvages, raconte Cécile de Sainte-Croix, ce fust en cor estant à quelque lieues de Tadoussac. Ces Sauvages [...] de Miskou [...] estoient estonnez et réjouis [...] de ce qui ce voioit des filles aussi bien que des hommes, lesquelles se consacroient à Dieu – et du depuis ils nous sont venus voirs à Kébec–. [Le capitaine] nous dit de rechef que, sy nous voulions aller en son païs, il ne nous lerroit manquer de rien. (*C* 1639 : 954)
> Ce qui attiroit davantage leur admiration, c'est qu'on leur disoit que nous n'avions point d'hommes et que nous étions vierges : ils ne pouvoient le comprendre, et ne se lassoient point d'en temoigner leur surprise. (*AHDQ* 1639 : 20)

Le Jeune n'hésitera pas à tempérer par des astuces argumentatives (où suppôts de Satan et de Dieu se confondent étrangement) l'admiration des Amérindiens – et, ne l'oublions pas, des lecteurs et des lectrices des *Relations* – à l'égard de ses consœurs :

> Un certain sorcier ou plustost charlatan [...] voulut prouver par nostre doctrine que nous leur causions la mort: Les François enseignent, disoit-il, que la première femme qui fut jamais a introduit la mort dedans le monde : [...] les femmes de leur pays sont capables de ceste malice [...] si le peu qu'ils ont desja fait venir a tant tué de monde, celles qu'on attend perdront tout le reste. (Le Diable sentoit desja la venuë des Hospitalieres et des Ursulines). (*RJ* 1639 : 12)

Mais les Amérindiens se presseront aussi aux grilles des religieuses et les deux sexes seront indifféremment soignés par les hospitalières. En 1636, Le Jeune annonçait en termes très élogieux l'hôpital qu'une grande Dame [la duchesse d'Aiguillon] allait faire dresser,

> où on recevroit tous leurs malades, qu'on les coucheroit dans de bons lits, qu'on les nourriroit delicatement, qu'on leur donneroit des mede-

> cines et des onguens necessaires pour les guerir et qu'on ne leur en demanderoit aucune recompense [...] je cognois par leurs souris, qu'ils ne croiront point ce miracle que par leurs yeux. (*RJ* 1636 : 6)

Malgré cette attrayante et charitable peinture, l'hôpital intéresse Le Jeune moins parce qu'il est le lieu où l'on soigne les corps que parce qu'il recèle une moisson de mourants à baptiser : il retiendra donc tout particulièrement les témoignages du type de celui rapporté par le père Le Quen sur ce pieux Sauvage qui « regardoit la vie comme une prison, et la mort comme un passage à la vraye liberté » (*RJ* 1639 : 10). Inquiet pourtant de voir la santé, la vie même de ses petits séminaristes menacées, Le Jeune se radoucit, prend le parti de la vie, ouvre son cœur, assouplit ses méthodes : il avoue être tenté par la « loi d'amour et de charité [qui] l'emporte par-dessus toutes les considérations humaines » et nous confie, contre toute attente, que « ceux qui travaillent au salut des âmes, ont des tendresses pour leurs néophytes, aussi bien que des mères », qu'on ne « mène pas [les séminaristes] par la crainte », qu'il faut leur « donner la liberté de se recréer » et « prendre son temps pour les ranger par amour » (*RJ* 1639 : 41). Paul Le Jeune, confronté par l'arrivée et les méthodes des religieuses, semble à présent vouloir se prévaloir de la même veine maternante. Marie de l'Incarnation décrit d'ailleurs métaphoriquement l'accueil réservé aux petites Amérindiennes comme une véritable naissance :

> Quand on nous les donne elles sont nues comme un ver, et il les faut laver depuis la tête jusqu'aux pieds, à cause de la graisse dont leurs parens les oignent par tout le corps. (*C* 1640 : 97)

Fort de son séjour en Nouvelle-France depuis 1632 et de sa connaissance de la culture et du milieu, Le Jeune s'empresse d'affirmer la supériorité des mères spirituelles sur les mères amérindiennes (la nature est bien mauvaise conseillère) sans soupçonner cependant que le culte de la Vierge, par exemple, au croisement des sensibilités et des cultures, pouvait se transformer en culte de Vierge à l'enfant et, nous le verrons, « ensauvager » la pédagogie française... Quand les hospitalières rapportent avec plaisir le témoignage d'une Amérindienne qui imaginait tendrement allaiter l'enfant Jésus en donnant le sein à sa petite fille *(AHDQ* 1664 : 130), Paul Le Jeune substitue au lait maternel – en le survalorisant – le lait de sa parole : « *Lac potum vobis dedi*, on leur donne du lait à boire comme les enfants. » (*RJ* 1639 : 16) Mais, à l'inverse de Marie de l'Incarnation qui voudrait, dit-elle, « faire sortir [s]on cœur par [s]a langue pour dire à [s]es chers Néophytes ce qu'il sent de l'amour de Dieu et de Jésus » (*C* 1641 : 125), Paul Le Jeune tient, en règle générale, à communiquer pour « manier » et « réduire sous l'empire de Dieu », à associer thématiquement sa parole autoritaire au son du canon qui « redoubl[e] ses foudres et ses tonnerres » et donne « une sainte frayeur à ces pauvres Sauvages ».

Le Jeune, craignant manifestement que les religieuses ne soient une charge pour la communauté naissante de la Nouvelle-France, tentait de les exhorter à une « sainte patience »...

> Mais il faut que je donne cét advis en passant à toutes ces bonnes Filles, qu'elles se donnent bien de garde de presser leur depart, qu'elles n'ayent icy une bonne Maison, bien bastie et bien rentée, autrement elles seroient à charge à nos François, et feroient peu de choses pour ces Peuples. Les hommes se tirent bien mieux des difficultez ; mais pour des Religieuses, il leur faut une bonne Maison, quelques terres défrichées et un bon revenu pour se pouvoir nourrir, et soulager la pauvreté des femmes et des filles Sauvages. (*RJ* 1635 : 2)
> [...] elles pourroient avoir trop de precipitation, si elles passoient sans qu'on leur donnast advis que le Païs est en estat de les recevoir. Chaques choses ont leur temps. Dieu prend le sien quand il luy plaist ; c'est celuy qu'il faut attendre en patience et en douceur. (*RJ* 1636 : 7)

Le grand tort de Marie de l'Incarnation et de Madeleine de la Peltrie, c'est de n'avoir pas attendu l'autorisation du supérieur jésuite, de n'avoir écouté que leur détermination et leur interprétation personnelle du temps de Dieu, d'avoir surtout compté sur leurs propres forces et leurs ressources. Le « C'a donc été cette Année » qui ouvre le chapitre II sur l'arrivée des religieuses et « leur employ en Nouvelle-France » sonne rétrospectivement comme un glas à la lecture du chapitre IX sur le séminaire des Sauvages. Le Jeune dit en clair qu'il est en fait plus profitable d'enseigner les adultes – « les vieilles souches » – que les enfants – « les jeunes plantes » –, que la parole de ces derniers a moins de poids et que les petits séminaristes supportent mal l'internat. En 1639, Le Jeune a changé d'avis sur la nécessité d'un séminaire de filles et ses plans sont tout autres : il lancera l'année suivante son projet des missions volantes à la poursuite, par monts et par vaux, de ses nomades, ses « oyseaux de passage »... En 1640, l'implicite devient explicite, très explicite, et Le Jeune, qui doit encore, contre son gré, accueillir deux hospitalières et deux ursulines et rédiger la *Relation*[1], adresse « deux mots à une infinité de Religieuses, qui bruslent d'un desir de suivre celles qui sont passées » :

> Ce n'est pas tout d'estre envoyées de la France, il faut estre appelées de la nouvelle, pour faire icy plus de fruict que de bruit. Les filles ne scauroient penetrer dans les Nations plus éloignées et plus peuplées ; il en est venu tres-suffisamment pour les occupations qu'elles peuvent avoir dans un païs qui ne fait que naistre. Celles à qui l'humilité, l'obeyssance et l'appel leur ont donné des patentes, ont esté receuës à bras ouverts des Anges gardiens de ces contrées ; [...] un plus grand nombre n'est pas de saison ; le païs se faisant tous les jours ouvrira en son temps la porte aux autres. Il faut pour le present bander tous nos nerfs pour arrester les Sauvages [...] sans cela il n'y a point d'occupation en ces contrées pour les Religieuses, notamment pour les Ursulines. Il n'en est pas de mesme pour nous autres, car nous penetrons és nations sedentaires, où les filles n'ont aucun accès, tant pour l'éloignement de nos Français qui les conservent, que pour l'horreur des chemins et pour les grands travaux et dangers qui surpassent leur sexe. (*RJ* 1640 : 4-5)

Ces « deux mots », dignes d'une anthologie, aux formules aussi poétiques que frappantes, vitrioliques et dissuasifs à souhait, laissent clairement entendre que les premières filles missionnaires ont fait trop de bruit pour le peu de fruits récoltés et que la tâche des Anges gardiens jésuites – ces anges rivaux dont les bras sont, en fait, à peine ouverts – prime sur toutes les autres. Malgré ses réticences, voire son opposition, ses appréhensions et ses préjugés à l'égard du sexe dit faible, Le Jeune – sous le coup de l'étonnement sans doute – porte certaines qualités au crédit de ses presque consœurs : « La vertu anime puissamment un cœur, ces bonnes filles qui en autre temps auroient tremblé dans un basteau dessus la Seine, se mocquoient de la mort [...] il importe peu qu'on meure sur la terre ou dans les eaux, pourveu qu'on meure avec Dieu. » (*RJ* 1640 : 2) « Ce pauvre peuple admiroit la genereuse constance de ces jeunes Amazones, qui malgré l'Ocean viennent chercher le salut de ces barbares en ces derniers confins du monde. » (*Ibid.*: 4)

Une épidémie de petite vérole ayant sévi pendant l'hiver, les hospitalières n'ont pas chômé et Le Jeune dit, bien à la légère, qu'elles « ont passé l'année dans une profonde paix » et qu'elles n'ont pas besoin de nouveaux bras ! Dans le chapitre XI, « De l'Hospital », il dépeint pourtant la situation dans toute son ampleur :

> A peine estoient elles descendües du vaisseau, qu'elles se virent accablées de malades ; la salle de l'Hospital estant trop petite, il fallut dresser des cabanes en leur jardin [...] il leur fallut couper en deux et en trois une partie des couvertures et des draps qu'elles avoient apportés [...] ; en un mot, au lieu de prendre un peu de repos et de se rafraîchir des grandes incommoditez qu'elles avoient souffertes sur la mer, elles se virent si chargées et si occupées, que nous eusmes peur de les perdre et leur hospital dès sa première naissance. Les malades abordoient de tous costez en tel nombre, leur puanteur estoit si insupportable [...] que je ne sçay comme ces bonnes filles, qui n'avoient quasi pas le loisir de prendre un petit de sommeil, resisterent à tous ces travaux. [...] Bref depuis le mois d'Aoust jusques au mois de May, il est entré plus de cent malades à l'hospital ; plus de deux cens pauvres Sauvages y ont esté soulagez [...]. (*Ibid.* : 38-39)

Dans le chapitre XII, consacré au séminaire des mères ursulines, il ne tarit pas d'éloges et cite plusieurs extraits des lettres envoyées par les religieuses relatant leurs rapports avec les dix-huit petites Amérindiennes déjà hébergées et instruites de la religion. L'année passée a-t-elle porté ses fruits, changé sa perception ? Il n'en reste pas moins que Marie de l'Incarnation devra, toute sa vie, défendre leur crédibilité, justifier le bien-fondé de leur présence en Nouvelle-France, faire taire les médisances, rectifier les faits, contrer les préférences qui instaurent des rivalités (Paris / province, hospitalières / ursulines, etc.) et, en dernier ressort, s'en remettre à la clairvoyance et à la justice divines :

> [...] si l'on dit que nous sommes icy inutiles, parce que la relation ne parle point de nous, il faut dire que Monseigneur notre Prélat est inutile, que son séminaire est inutile, que le Séminaire des Révérends Pères est inutile [...] et enfin que les Mères Hospitalières sont inutiles, parce que les relations ne disent rien de tout cela. Et cependant c'est ce qui fait le soutien, la force, et l'honneur même de tout le païs. [...] (lorsqu'on envoye les exemplaires de la relation d'ici) l'on en retranche en France beaucoup de choses. M.C. (Sébastien Cramoisy) qui imprime la relation [...] aime fort les Hospitalières d'ici [...] ; notre clôture couvre tout, et il est difficile de parler de ce qu'on ne voit pas. Il en est tout autrement des Mères Hospitalières [...]. Mais enfin elles et nous attendons la récompense de nos services de celui qui pénètre dans les lieux les plus cachez, et qui voit aussi clair dans les ténèbres que dans les lumières cela nous suffit. (*C* 1668 : 803)

La problématique « sédentaires / nomades » allait prendre, dans la colonie de la Nouvelle-France, différents aspects, susciter des vues et des projets divergents, créer des tensions, des rivalités, et faire couler beaucoup d'encre. En 1664, Marie de l'Incarnation réitérait et valorisait son mandat, l'importance de son rôle en Nouvelle-France, et osait, dans le projet jésuite des « missions volantes », se présenter comme une associée à part entière :

> Il est vray qu'encore que notre clôture ne me permette pas de suivre les ouvriers de l'Evangile dans les Nations qui se découvrent tous les jours : étant néanmoins incorporée comme je suis, à cette nouvelle Eglise, notre Seigneur m'aiant fait l'honneur de m'y appeler, il me lie si fortement d'esprit avec eux, qu'il me semble que je les suis par tout, et que je travaille avec eux en de si riches et si nobles conquêtes. (*C* : 734-735)

Sous la rhétorique des éloges de commande, malgré la présence de quelques élans du cœur, d'un peu d'estime et de reconnaissance, l'implicite du discours de Paul Le Jeune trahit bien un accueil plutôt tiède. Dom Guy-Marie Oury nous le confirmait récemment :

> De la part des autorités centrales de la Compagnie de Jésus à Rome, les deux fondations féminines en Nouvelle-France, Hospitalières et Ursulines, sont considérées presque comme une catastrophe. La correspondance romaine ne laisse là-dessus aucun doute. Elle a été mise

> au jour par le P. Georges Bottereau. L'annonce qui en est faite au général, le P. Mutius Vitelleschi, attire une réponse maussade : « À peine nos Pères ont-ils mis pour de bon la faux à la moisson des âmes là-bas, qu'on leur demande d'en être retirés ou du moins distraits par cette occupation étrangère, lente et minutieuse ! » (Lettre au P. Étienne Binet, 29 mars 1639). À quelque temps de là, il juge le départ en mission des religieuses « prématuré » ; [la mission] lui cause, dit-il, beaucoup de soucis et il la déplore ; il met pour condition que les religieuses aient leurs propres aumôniers et que les Jésuites soient déchargés de leur soin (Lettre au même du 15 juin 1639)[2].

Guy-Marie Oury précise que les pères Vimont et Binet ont tenté, en vain, de s'opposer au projet des femmes missionnaires – que les pères Poncet et de la Haye favorisaient –, l'influence de la duchesse d'Aiguillon et de son oncle, le cardinal Richelieu, ayant été prépondérante. Le père Vitelleschi, à la suite d'une intervention de Richelieu, s'adoucira en 1640 et prescrira au père Vimont d'accorder une partie de leur soutien aux femmes missionnaires[3]. L'avenir allait prouver que Le Jeune et Vimont avaient tort de sous-estimer le sens des responsabilités et de l'autonomie, le courage et la détermination à vivre comme des « Canadoises » qui chevillaient l'âme des femmes missionnaires : « Pour moy, encore que Monseigneur l'Archevesque de Tours m'ait envoyé une obédience pour m'en retourner, si je le désire, écrivait Marie de l'Incarnation en 1655, il n'y a rien ce me semble sous le ciel, qui soit capable de m'ébranler ny de me faire sortir de mon centre, c'est ainsi que j'appelle le Canada. » (*C* : 569) Pari tenu, mission accomplie.

NOTES

[1] Déchargé en 1640 du fardeau de la supériorité, Le Jeune pensait être aussi délivré des soins de la Relation. Mais le nouveau supérieur de Québec – le père Barthelemy Vimont – lui demandera d'assumer cette tâche jusqu'en 1641.

[2] Dom Guy-Marie Oury, o.s.b., *Les Ursulines de Québec*, 1639-1953, Sillery, Septentrion, 1999, p. 40.

[3] Dom Oury écrit sans ambages : « [...] après quoi les Jésuites, sous un autre général moins intransigeant et moins autoritaire que le P. Vitelleschi, acceptèrent d'assurer le service religieux des Ursulines. En effet, la mort du P. Vitelleschi (†1645) qui était opposé vigoureusement à tout ministère habituel auprès des religieuses [...] et n'avait permis que le ministère occasionnel des exercices spirituels (qu'il se réservait d'autoriser dans chaque cas, sur demande expresse à lui adressée), allait détendre l'atmosphère à Québec, de même que l'expiration du mandat du P. Vimont qui avait la charge d'appliquer les consignes rigoureuses du général. » (*Ibid.* : 49)

Chapitre 2

Un jésuite et un récollet parmi les femmes : Paul Le Jeune et Gabriel Sagard chez les Sauvages du Canada

Si le père jésuite Le Jeune avoue, de prime abord, ne se sentir « aucune affection particulière pour les Sauvages » (*RJ* 1632 : 6), l'Autre par excellence, la Sauvagesse, l'intéresse moins encore. Son affection et sa compassion grandissant au fil des jours ne l'empêchent cependant pas de percevoir l'humanité amérindienne moins à travers ses différences que ses résistances, ses inadéquations au projet de colonisation et d'évangélisation : dans la triade de figures résistantes et de paroles discordantes qui vont incarner le Mal – à savoir le sorcier, le truchement et la femme –, la troisième incarnation ne manque pas de tenir une place de choix dans les premiers textes de la Nouvelle-France. Qu'on en juge ici par *Le Grand Voyage du pays des Hurons* du frère récollet Gabriel Sagard, paru en 1632[1], et les cinq premières *Relations* du père jésuite Paul Le Jeune, de 1632 à 1636[2].

Dans les récits amérindiens de la genèse du monde rapportés par Sagard et Le Jeune, les variantes autour de la figure de la Grande Mère nous donnent quelques indices préliminaires. Aataentsic, la grand-mère du créateur, tombée du ciel, apparaît comme une méchante femme qui mange les hommes et gâte souvent ce que son petit-fils fait de bien... Sagard précise que, chez les Souriquois, le père n'était « pas trop bon » non plus... (*GV*: 228-229) Dans l'un des récits de la Création consignés par Le Jeune, préoccupé, à la suite du père Brébeuf, par « ce que pensent les Hurons de leur origine », Aataentsic apparaît sous les attributs plus marqués d'une vieille « Megere », prompte à se déguiser et à se métamorphoser à volonté – sous la forme, par exemple, d'une belle jeune fille parée, avec collier et bracelets de porcelaine –, que l'on peut rencontrer « souvent bien bourrée » aux festins et aux danses qui se font dans les villages et qui n'hésite pas à attenter à la vie des hommes... Aataentsic a deux petits-fils, les jumeaux Iouskeha et Tawiscaron, l'un bon, l'autre mauvais. Les Amérindiens se sentent fort redevables à l'égard d'Iouskeha qui fait échec aux projets malfaisants de sa grand-mère et de son frère Tawiscaron, le guerrier : il délivre le monde de la sécheresse en faisant une incision sous l'aisselle d'une grosse grenouille qui retenait toutes les eaux de la terre et n'en donnait qu'au compte-gouttes, libère les animaux du monde enfermés jusque-là dans une caverne, fait pousser les plantes qui nourriront les humains, leur apprend le secret du feu (grâce à son alliée la Grande Tortue), etc. (*RJ* 1636 : 102-103). Le soleil, personnifié par Iouskeha, s'oppose à la lune, incarnée par Aataentsic. Le premier « a soin des vivans et des choses qui concernent la vie », la seconde « a soin des âmes [des défunts] » (*RJ* 1635 : 34). Bruce Trigger, dans *Les Enfants de Aataentsic*, présente ce mythe de la création et l'analyse comme l'image inversée de la réalité humaine[3]. Il conclut son magistral essai sur les Hurons par ces lignes :

> Lorsque les personnes en cause proviennent de cultures et de traditions différentes, les risques de malentendu et d'erreur sont multipliés, et les actes les mieux intentionnés s'avèrent souvent désavantageux, voire désastreux pour toutes les personnes concernées. Ce mélange de créativité et de destructivité n'est pas seulement le propre des Hurons ou des jésuites, mais de tous les humains, et c'est ainsi que nous sommes tous, en quelque sorte, les enfants d'Aataentsic. (*Les Enfants de Aataentsic* : 841)[4]

Le Jeune, qui n'a évidemment pas la même distance critique, et autocritique, se complaît dans la description d'un féminin menaçant, excessif, multiforme et trompeur comme l'eau-de-feu, frivole et inconséquent, gorgé de nourriture ou d'eau-de-vie, coupable d'assécher ou de brûler le monde, à l'image aussi de la femme du Manitou : « une vraye diablesse » ayant plus de malice que son diable de mari, « cause de toutes les maladies qui sont au monde, c'est elle qui tuë les hommes » jusque-là immortels ; elle

> se repaist de leur chair, les rongeant interieurement, ce qui faict qu'on les voit amaigrir en leurs maladies : elle a une robe des plus beaux cheveux des hommes et des femmes qu'elle tuë, elle paroist quelquefois comme un feu ; on l'entend bien bruire comme une flamme, mais on ne sçauroit distinguer son langage [...] on ne peut s'en défendre, car on ne la voit pas. (*RJ* 1634 : 16)

Le Jeune ne peut s'empêcher de retrouver des éléments communs aux récits de la genèse biblique et de la création des Amérindiens et les figures d'Ève, de Lilith ou de Pandore resurgissent : « [...] un certain Sauvage [montagnais] avoit receu du Messou le don d'immortalité dans un petit pacquet, avec une grande recommandation de ne le point ouvrir [...] mais sa femme, curieuse et incrédule, voulut voir ce qu'il y avoit dans ce présent : l'ayant déployé, tout s'envola, et depuis les Sauvages ont esté sujets à la mort. » (*RJ* 1634 : 13) Le Jeune perçoit la culture et la réalité amérindiennes à travers son prisme culturel et idéologique : les mythes et les stéréotypes qu'il pensait avoir laissés de l'autre côté de l'océan, les vices, tel le libertinage qu'il se réjouissait de ne pas trouver en débarquant, l'ont suivi pas à pas, jusque dans les bois malins...

Si nous quittons les mythes pour entrer, si j'ose dire, dans le vif de la réalité, la première image féminine que le missionnaire jésuite voit justement à son arrivée à Tadoussac, c'est celle de filles et de femmes dont la cruauté le stupéfie, qui torturent les prisonniers de multiples façons, soufflent sur les flammes ; ces « furies », dira-t-il plus loin, « s'enyvrent et crient comme des enragées ». À Québec, il préfère ne pas assister au supplice de prisonniers iroquois – « je n'aurois peu supporter cette cruauté diabolique », dit-il – mais il donne aux lecteurs et lectrices de la *Relation* force détails :

> Vous eussiez veu ces femmes enragées, crians, hurlans, leur appliquer des feux aux parties les plus sensibles et les plus vergogneuses, les

> piquer avec des aleines, les mordre à belles dents, comme des furies, leur fendre la chair avec des cousteaux : bref exercer tout ce que la rage peut suggerer à une femme. (*RJ* 1632 : 10)

La parole toute fraternelle de l'Indien Manitougatche, « Ce bon homme dit que les Sauvages ne font pas bien, qu'il veut estre notre frere et vivre comme nous » (*RJ* 1632 : 11), et l'attitude des « pauvres Sauvages », « desja las de leurs miseres », qui « tendent les bras pour estre assistez » (*Ibid.* : 6), effaceront quelque peu la vision infernale précédente et raffermiront ses espoirs.

Si Le Jeune avoue, l'année suivante, que le Sauvage, bien que conscient de sa condition de misère et d'errance, « a de la peine de quitter la liberté blasmable [...] pour s'arrester sous le joug de la loy de Dieu », il ne doute cependant plus que la faim pressante et la foi naissante ne le fassent enfin sortir des bois : la conversion fonde son efficace sur la protection contre la mal-faim et la mal-mort. La courte scène de l'enfant nègre recueilli par l'unique grande famille restée à Québec sous l'occupation anglaise (entre 1629 et 1632) – d'abord composée de Louis Hébert et de Marie Rollet, arrivés dès 1617 – constitue bien une iconographie édifiante : désireux d'acquérir les grands bienfaits que le baptême est censé conférer, assuré qu'il ne sera pas écorché vif pour devenir aussi blanc que les Français baptisés, il voit cependant son bonheur différé faute de savoir bien parler français et de pouvoir apprendre le catéchisme ; l'enfant repart en pleurs, refuse de reprendre la petite couverture dont il ne se séparait jamais et décrète : « moy point baptisé, point couverture » (*RJ* 1632 : 13), laissant clairement entendre que sa précieuse couverture n'est plus rien au regard de la protection que pouvait lui conférer le baptême[5].

Contre les ennemis, la mal-mort et la mal-faim, le Montagnais Manitougatche tente de trouver refuge près du fort en s'adressant aux pères jésuites :

> [...] nous luy respondismes que luy et ses fils seroient les très-bien venus, mais que les filles et femmes ne couchoient point dans nos maisons, voire mesme qu'elles n'y entroient point en France et

> qu'aussi-tost que nous serions fermez, que la porte ne leur seroit plus ouverte. (*RJ* 1633 : 6)

Vade retro... À plusieurs reprises, Le Jeune utilisera le procédé commode qui consiste à faire dénoncer par le Sauvage lui-même la figure féminine comme l'incarnation du mal, de l'imprévoyance. Inquiets de voir l'Indien « manger en un mois toutes les provisions d'une année », les pères accueillent celui qui veut vivre avec eux « comme frère », qui « voudroit entrer en communauté de tout », mais lui en font la remontrance :

> Il est vray que ce bon homme voit bien que ceste procédure n'est pas bonne : et quand je luy represente qu'il ne fait pas bien, prodiguant ses vivres en peu de temps : ce n'est pas moy, dit-il, qui fais cela, c'est ma femme. (*RJ* 1633 : 20)

Le procès du féminin s'accompagne d'un raffermissement de la fraternité masculine, d'un rapport d'amour et de force filial. Le Jeune est heureux de rapporter le témoignage d'un jeune Sauvage, pourtant très attaché à sa sœur, morte avant le baptême :

> Si ma sœur est damnée, ce n'est pas la faute de Dieu, car il est tout bon, et n'a pas manqué de luy donner les moyens necessaires pour se sauver ; c'est donc elle qui a failly de son costé : or puis qu'elle a refusé l'amitié de Dieu, je ne la veux plus aymer, car je ne veux point avoir d'autres amis que les amis de Dieu ; je suis de son party. Depuis ce temps il perdit entierement la memoire de cette sœur qu'il avoit tant cherie. (*RJ* 1639 : 31)

ou l'apologie des jésuites par Samuel de Champlain devant le grand conseil des Hurons : « Ce sont nos Peres, leur disoit-il, nous les aimons plus que nos enfans et que nous-mesmes : on fait grand estat d'eux en France [...] » (*RJ* 1633 : 36), un Champlain, ô ironie, que l'on sait plus attaché, en fait, aux récollets, systématiquement discrédités et évincés par les jésuites[6]...

La Sauvagesse existe surtout, aux yeux des jésuites, à travers son rapport hiérarchisé aux maris et aux enfants de sexe mâle. Le Jeune envisage donc de dresser des séminaires pour les petits garçons

« bien esveillez et fort gentils », d'instruire « le pere par le moyen des enfans », afin de sortir au plus vite ces peuples errants de la barbarie (*RJ* 1632 : 6). Le moyen efficace utilisé pour se voir confier ces enfants consiste moins à se mettre au diapason de la vie, de l'Autre, qu'à faire échec à la faim et à la mort par le baptême : il fait office dc passeport pour l'éternité si l'enfant moribond meurt, et de signature d'un contrat par lequel les parents, reconnaissants pour la santé recouvrée de leur garçon, laissent aux Pères le soin de l'instruire et de l'élever. Le Jeune cite avec plaisir le cas d'une Amérindienne qui lui confie spontanément son fils contre la volonté de sa nation opposée à ce qu'on donne des enfants aux Français, et qui reproche au Capitaine amérindien son incapacité à le nourrir et à l'élever (*RJ* 1633 : 12). Qu'elle desserve les uns ou les autres, l'Amérindienne demeure celle par qui le mal arrive. Le Jeune, bien que ironique, rapporte fièrement aussi que les mères le tiendront bientôt « pour medecin des petits enfans, car elles me disent desja leurs maladies, mais nous sommes appointés bien contraires : ils pensent seulement aux corps, et nous à l'ame » (*Ibid.* : 34).

Les femmes et les mères, avant tout chargées du soin et de l'entretien du corps, des servilités toutes terrestres, seront bien sûr – nous le verrons dans les rapports de Le Jeune au quotidien et à la nourriture – les figures les plus éloignées de l'âme. Le missionnaire se résignera cependant, au début, à gagner au « pain de l'Évangile » les premiers élèves de la classe de catéchisme par le bon point alimentaire d'une « escuellée de pois » : dehors, toujours, les mères viennent « escouter par la fenêtre » (*RJ* 1633 : 23). Le père sait qu'elles le font par curiosité, mais aussi par crainte qu'on ne châtie ou ne leur enlève leurs enfants ; loin d'être ému – comme le seront le frère Sagard et, plus tard, les jésuites Lafitau et Charlevoix – par l'amour et l'admirable patience des Amérindiennes à l'égard de leurs enfants, il préconise au contraire de les séparer, non sans avoir au préalable condamné le défaut d'obéissance :

> Pour les enfans de ce païs-cy, il les faudra envoyer là haut : La raison est que les Sauvages empeschent leur instruction, ils ne sçauroient supporter qu'on chastie un enfant, quoy qu'il fasse. Ils n'ont qu'une simple reprehension. (*RJ* 1633 : 25)

Le Jeune se moque de Madeleine de la Peltrie, qui, à peine arrivée,

> ne rencontrait petite fille Sauvage qu'elle n'embrassât et ne baisât, avec des signes d'amour si doux et si forts, que ces pauvres Barbares en restaient d'autant plus étonnés et plus édifiés, qu'ils sont froids en leur rencontre [...] sans prendre garde si ces petits enfants sauvages étaient sales ou non, ni sans demander si c'était la coutume du pays. (*RJ* 1639 : 8)

Mais il note par ailleurs plus loin – en le dénigrant et en l'animalisant – à quel point « les Sauvages aiment uniquement leurs enfants ; ils ressemblent au Singe, ils les étouffent pour les embrasser trop étroitement » (*ibid.* : 18).

Paul Le Jeune « prévoi[t] qu'il est tout à fait necessaire, d'instruire les filles aussi bien que les garçons » et avoue ne pouvoir faire « rien ou fort peu, si quelque bonne famille n'a soin de ce sexe » ; mais il l'explique ainsi...

> [...] car les garçons que nous aurons élevez en la cognoissance de Dieu venans à se marier à des filles ou femmes Sauvages accoustumées à courre dans les bois, leurs maris seront obligez de les suivre, et ainsi retomber dans la barbarie, ou bien de les quitter, qui seroit un autre mal fort dangereux. (*RJ* 1633 : 14)[7]

La Sauvagesse des bois malins ressemble souvent à Aataentsic qui gâte tout ce qu'Iouskeha fait de bien :

> Si [ce sauvage chrétien] estoit secondé, il se tireroit bien-tost de la misere commune à ces barbares ; mais il a fait rencontre d'une femme de fort peu de conduite ; le secours qu'on lui donne maintenant le fera reüssir. Il admire nos façons de faire. (*RJ* 1639 : 21)
> [...] il fit des merveilles au commencement ; mais en fin les femmes, qui ont dépravé le cœur de Salomon, le penserent perdre. (*Ibid.* : 36)

Le Jeune, qui espérait ici se voir confier un enfant, n'aura de cesse de saper son autorité, de hiérarchiser les rôles et les sexes :

> Les femmes ont icy un grand pouvoir : qu'un homme vous promette quelque chose, s'il ne tient pas sa promesse, il pense s'estre bien excusé, quand il vous a dit que sa femme ne l'a pas voulu. Je luy dis donc qu'il estoit le maistre et qu'en France les femmes ne commandoient point à leur mari. Cela est bien, dit-il, mais pour mon fils je suis assez sçavant pour l'instruire, je luy apprendray à haranguer [...]. (*RJ* 1633 : 21)

La tâche du missionnaire sera d'autant plus malaisée que la cellule unifamiliale française a peu de rapports avec la vie communautaire amérindienne, la souplesse des liens, la facilité du divorce, la sexualité libre, etc.[8] L'indistinction et la promiscuité du masculin et du féminin, le fait que l'habillement et la parure empêchent de distinguer nettement les deux sexes répugnent de toute évidence au père Le Jeune : « Une chose me semble plus qu'intolerable, c'est qu'on est pesle-mesle, fille, femme, homme, garçons, tous ensemble dans un trou enfumé. » (*RJ* 1633 : 19) Ce « trou » noir, trop sexualisé, infernal et menaçant, est aussi une bouche d'ombre, un gouffre originel. Paul Le Jeune mentionne à deux reprises avoir rêvé ou échappé à la noyade en ces termes :

> [...] au milieu des vagues et par advanture dans l'espaisseur d'une nuict très obscure, j'avois quelque consolation [...] m'imaginant que là où il y auroit moins de la creature, qu'il y auroit plus du Createur et que ce seroit là proprement mourir de sa main. (*RJ* 1632 : 2)

Dûment opposée au Créateur, la « créature », féminine, nocturne, symbolise en fait le versant humain, vivant et charnel, nourricier et quotidien, pulsionnel et festif de l'existence. De son côté, le frère récollet Gabriel Sagard s'applique à décrire toutes les manifestations de la vie quotidienne :

> [...] il est maintenant temps que je commence à [...] traicter plus amplement (du pays de nos Hurons), et de la façon de faire de ses habitans, non à la manière de certaines personnes, lesquelles décrivans leurs histoires, ne disent ordinairement que les choses principales, et les enrichissent encore tellement, que quand on en vient à l'expérience, on n'y voit plus la face de l'autheur : car j'écris non seulement les choses principales, comme elles sont, mais aussi les moindres et

plus petites, avec la mesme naïfveté et simplicité que j'ay accoutumé. (*GV*: 80)

L'humble disciple de saint François, plus ethnologue que propagandiste de la foi, est longtemps passé – est-il besoin de le dire ? – pour un naïf, intéressé aux détails, à ce qui est accessoire, un rapporteur peu fiable, un hurluberlu plus attiré par la beauté de l'oiseau-mouche, les fines herbes de son petit jardin ou les mœurs amérindiennes, que par une activité missionnaire stricte et efficace.

Gabriel Sagard n'hésite pas à observer les femmes, à s'asseoir à leurs côtés, à prendre « plaisir à leurs petites façons de faire » (*GV* : 47), à louer leurs ressources inventives, à prendre des photos couleur, quand Le Jeune brûlerait plutôt sa pellicule... Pour ce dernier, les peintures sur les « faces de caresme prenant » des barbares sont dues aux « folles imaginations de leurs femmes qui sont les peintres de ce pays-cy », « grifonnent [...] tout ce qui leur vient en fantaisie » (*RJ* 1634), quand Sagard admire l'art de s'embellir des femmes et des hommes, leur visage « peint de diverses couleurs en huile, fort joliment »... Le Jeune aurait peine à voir comme Sagard, dans les jeunes Honqueronons, des « Nymphes, tant elles sont bien accomodées et des Biches, tant elles sont legeres du pied » (*GV*: 355) ; il admire plutôt « de grands hommes [...] dignes de compassion », des Hurons « bien faits, d'une riche taille, hauts, puissans, d'une bonne paste, d'un corps bien fourny » (*RJ* 1633 : 43).

Sagard observe attentivement les ouvrages « dignes d'admiration » des femmes : « les unes à matachier et peinturer leurs robes, et les autres à coudre leurs escuelles d'escorce, et faire plusieurs autres petites jolivetey avec des pointes de porcs-épics, teintés en rouge cramoisi » (*GV*: 47), « des nattes de joncs, grandement bien tissues et embellies de diverses couleurs » ; elles « ont l'invention de filer le chanvre sur leur cuisse, n'ayans pas l'usage de la quenouille et du fuseau » ; elles « courroient et addoucissent les peaux de Castors et d'Eslans, et autres, aussi bien que nous sçaurions faire icy, dequoy elles font leurs manteaux ou couvertures, et y peignent des passements et bigarures, qui ont fort bonne grace » (*ibid.* : 131)[9]. De ces « cousturieres et cordonnieres », Paul Le Jeune dit qu'« il ne leur coute rien pour apprendre ce mestier, encore moins pour avoir des lettres de maistrise : un enfant qui sçauroit un peu coudre en feroit à la première veuë, tant il y a peu d'invention » (*RJ* 1634 : 48). Sagard entrevoit aussi les incidences économiques du travail des femmes : « elles traittoient par apres pour d'autres marchandises des sauvages de diverses contrees, qui abordoient en leur village » (*GV* : 78) et mentionnera volontiers des activités et des gestes liés à la cuisine, au tissage, à la poterie, aux semailles et au soin des enfants : comment les femmes les allaitent, mixent leurs aliments, les leur donnent au bouche-à-bouche, langent et couchent les enfants ; comment les pères remplacent aussi les mères dans ces techniques et ont parfois la garde des enfants en cas de séparation.

Mais, peut-être pour se dédouaner vis-à-vis des censeurs, Sagard reprend à propos de la sexualité amérindienne le discours méprisant de Champlain et la terminologie tout européenne de prostitution, maquerellage, « jouissance de la bête », etc.; ne soupçonnant pas la contraception amérindienne, il explique le peu de fécondité des femmes huronnes « peut-estre tant à cause de leur lubricité, que du choix de tant d'hommes » (*GV* : 168). Par contre, il parle longuement et avec respect des mœurs et des coutumes amérindiennes, des rites du mariage, du libre choix exercé par les filles, des rapports sans violence, du comportement « pudique », des relations sans jalousie, de l'union libre, etc. Pour combattre « le vice », Le Jeune instaure de son côté une police des sexes et des mœurs ; il mise, entre autres, sur la surveillance des converti-e-s et la crise des consciences, la délation du « il faut que les Pères sachent tout ce que nous faisons » et pensons... pour éviter les malheurs :

> Il y a une très méchante coutume parmi les Sauvages : ceux qui recherchent une fille ou une femme en mariage, lui vont faire l'amour la nuit. [...] il s'en est trouvé qui rebutaient ceux qui les venaient visiter, jusques à nous venir prier de leur défendre semblables visites, croyant que ces jeunes gens nous obéiraient plutôt qu'à elles. D'autres leur disaient [...] allez vous-en trouver les Pères, faites-vous instruire et baptiser, puis je vous parlerai, non pas la nuit, mais le jour. (*RJ* 1639 : 17)[10]

Dans la vie quotidienne, nos deux missionnaires auront du mal à s'habituer à la nourriture des Amérindiens, ce qui n'empêche pas

Sagard de décrire amplement leur façon de cuisiner et de nous donner des recettes, comme celle-ci : on verse la farine de maïs « dans le bouillon tout clair » puis on la « remue continuellement avec une Espatule, par eux appelée *Estoqua*, de peur qu'elle ne se tienne par morceaux ; et incontinent après qu'elle a un peu bouilli on la dresse dans les escuelles, avec un peu d'huile ou de graisse fondue pardessus, si l'on en a ; et cette sagamité est fort bonne, et rassasie grandement » (*GV* : 139)[11]. Le Jeune accumule force détails sur la saleté de la nourriture et des manières de table, dit sa répugnance à manger dans la marmite et la louche communes et, surtout, son dégoût pour la graisse :

> [...] leurs plus grands festins sont de graisse, ou d'huile. Ils mordent par fois dans un morceau de graisse blanche figée comme nous mordrions dans une pomme. (*RJ* 1633 : 4)

Le Jeune accuse le sorcier de faire « les délices de son Paradis » des « plaisirs de la gueule » et du sexe féminin : le sorcier « n'est pas tellement solitaire, que d'autres ne luy aillent aider à chanter, et que les femmes ne le visitent ; c'est là où il se commet de grandes saletez » ; « c'est son genie que de se faire aimer de ce sexe » (*RJ* 1634 : 33). Son amour de la vie, du corps, des femmes et de la nourriture condamne irrémédiablement le sorcier, selon le dialogue rapporté par Le Jeune, à une religion du corps où l'âme n'a pas de place :

> [...] ne me parle point de l'ame, me repart-il, c'est de quoy je ne me soucie pas : Voila (me monstrant sa chair) ce que j'ayme, c'est le corps que je cheris, pour l'ame je ne la voy point, en arrive ce qui pourra. As-tu de l'esprit, luy fis-je ? Tu parles comme les bestes, les chiens n'ayment que les corps [...] si une beste pouvoit parler elle ne parleroit que de son corps et de sa chair. (*RJ* 1634 : 72)

Le Jeune pratique l'art du carême des sens. Il bride les voix du cœur, comme les lois de la chair. Maigre et sec, il accueille les religieuses trop « fraîches et vermeilles » d'un œil ignacien, voit dans les Sauvages des mangeurs de chair[12] « comme les chiens », prêche le jeûne et condamne les festins « à tout manger », quand les ursulines, affligées de les voir affamés, font festin dans leur parloir, sans dénigrer leurs goûts et leurs habitudes de table, même si elles s'en démarquent[13]. Le Jeune, se désolidarisant de cette charitable pratique sociale, incite plus souvent les Sauvages à s'en remettre par la prière au céleste père pourvoyeur et loue tactiquement ce Sauvage qui se garde bien de demander aux jésuites quelques commodités temporelles, de peur de tomber dans la convoitise, la dépendance et le confort – perfidement féminins :

> [...] si je me montre affectionné à vos dons, je seray incessamment importuné d'une femme qui n'a gueres d'esprit, laquelle me pressera de tirer de vous tout ce qu'elle croira que vostre bonté me pourra accorder. De là vient que j'ay pris résolution de mépriser mon corps pour mieux penser aux biens de mon esprit. (*RJ* 1639 : 28)

Corps et chair, saleté et nourriture, sexualité et animalité sont liés dans l'univers symbolique de Le Jeune : le sorcier, « impudique » et presque nu, a un semblant de vêtement, « un mechant brayer plus sale qu'un torchon de cuisine, plus noir qu'un écouvillon de four » (*RJ* 1634 : 34), et si « les Hurons [...] sont plus sales que nos Montagnais », c'est « pource qu'ils sont mieux nourris » (*ibid.* : 33). On ne s'étonnera donc point du type de punition divine infligée aux blasphémateurs : « saisi à la gorge », « étouffé dans les eaux », « dévoré par les chiens », « abandonné comme un chien », ou « grillé, rôti, brûlé » comme le sorcier ! On trouvera de nombreux exemples de ces « chastiments exemplaires » au chapitre 2 de la *Relation* de 1635 et au chapitre 5 de la *Relation* de 1636.

Le châtiment de Dieu rejoint paradoxalement ici les traitements infligés aux prisonniers par les « furies » amérindiennes. Inversement, on sait la place importante que tient, dans la mystique jésuite, l'image du corps maigre et douloureux du Christ en croix. Les missionnaires préfèrent se sustenter de pain et de pois ; aussi, Le Jeune n'hésite-t-il pas à accuser les Sauvages d'attenter à la vie du père de Noue en lui mangeant ses provisions sèches... alors que la viande fraîche d'orignal abonde. Dans de semblables circonstances, Sagard dira que les Sauvages ont « mangé en chemin un petit sac de biscuits de mer [...], pensant qu'il me deust durer jusques aux Hurons, mais ils n'y laisserent rien de reste pour le lendemain, tant ils le trouverent bon » (*GV*: 63).

Le Jeune voudrait convertir les « barbares », du gras au sec. Il s'empresse de porter à leur crédit la confusion associative d'un Indien qui, assistant aux litanies récitées par des Français, entend «*ora pro nobis*» qu'il traduit par «*Carocana ouabis* c'est a dire du pain blanc » (*RJ* 1632 : 11). La nourriture de Le Jeune est celle, toute spirituelle, du « pain de l'Evangile », de l'âme et non du corps, du Créateur et non de la créature : au proverbe « ventre affamé n'a pas d'oreilles », il préfère « la foy entre par l'aureille. Comment peust un muet prescher l'Evangile ?» (*RJ* 1633 : 24).

Le principal désir de Le Jeune, fasciné d'ailleurs par l'éloquence amérindienne, est d'apprendre les langues ; mais ce désir est contrecarré par la mauvaise grâce des « truchements » (les traducteurs, nomades, coureurs des bois, et souvent blasphémateurs selon lui) et sa crainte d'avoir à se frotter malencontreusement aux « saletés » de la langue, ce qu'on appelle, d'ailleurs, « le parler gras »... Aussitôt après avoir déploré la promiscuité des sexes dans le « trou enfumé », il écrit : « et plus on s'avance en la cognoissance de la langue, plus on entend de saletés [...]. Je ne pensois pas que les Sauvages eussent la bouche si puante » (*RJ* 1633 : 19) ; il note dans sa *Relation* de 1634 qu'hommes et femmes « sont fort lubriques », que ces « vilains et ces infames prononcent les parties des-honnestes de l'homme et de la femme. Ils ont incessamment la bouche puante de ces ordures », que les discours des filles et des jeunes femmes entre elles sont « puants, comme des cloaques ». La liberté blâmable des bois malins est associée à « la liberté de se gorger de ces immondices », mais Le Jeune relativise en ajoutant, au crédit des Amérindiens, que si les chrétiens les imitaient « on verroit bien d'autres monstres d'excez qu'on ne voit icy » (*RJ* 1634 : 32).

Le rapport de Sagard aux langues amérindiennes est à l'image de ses rapports à l'Autre, aux femmes et à la nourriture : il observe soigneusement les mots de la langue, entend que les labiales ne sont pas prononcées, éprouve du plaisir à apprendre librement avec ses compagnons amérindiens, s'amuse de ce qu'ils lui « démontroient par figures, similitudes et démonstrations extérieures, [...] avec un bâton, traçant la chose sur la terre, au mieux qu'ils pouvoient, ou par le mouvement du corps, n'étans pas honteux d'en faire de bien indecents, pour se pouvoir mieux donner à entendre » (*GV* : 88). Le Jeune – maître ès langues et traducteur officiel – déplore cette médiation gestuelle mais n'hésite pas, par ailleurs, à commercer : « Vous voyez, leur disois-je, que j'ayme vostre langue, et qu'il faut que je l'achepte avec cet argent » ; un bout de pétun, un bout de langue...

De la même façon qu'il prend plaisir à se faire traiter par son hôtesse et toute la famille de son guide sauvage, « aussi doucement que leur propre enfant », à sentir ce pays du dedans au point d'employer le possessif « mes sauvages », « notre beau fleuve », à « s'entrecarresser » avec ses compagnons, à s'asseoir auprès des femmes, le frère récollet Sagard ne répugne pas, à l'inverse du père Le Jeune, à mimer la langue, à échanger, dialoguer et non pas traduire unilatéralement dans le seul but de leur inculquer son savoir, à jouer de l'expression corporelle, de la parole du corps, du langage non verbal. Humblement, Sagard confie : « [...] je me maintenois assez joyeux, nonobstant ma grande debilité, et chantois souvent des Hymnes pour ma consolation spirituelle, et le contentement de mes Sauvages qui m'en prioient par-fois » ; toujours prêt à faciliter les rapports, il choisit le parti de la vie quand Le Jeune dramatise, se lamente, prend en masochiste le parti pris de la mort, de la critique acerbe, de la bataille rhétorique. Le jésuite veut offrir au Seigneur « un pays grand comme un monde lequel on veut réduire sous son empire[14] », tandis que le récollet s'ouvre à la nature et à l'Autre avec une jubilation étonnée, prend vraiment « l'air du pays ».

Sagard traduit dans son corps les « ho, ho, ho » de la salutation amérindienne qui « ne se peut faire que ce ne soit quasi en rian, tesmoignans par là la joye et le contentement qu'ils avoient de nous voir » (*GV* : 106) ; Le Jeune juge cette salutation un peu ridicule et préfère, à ces voyelles vibrantes et rythmées, ouvertes et rondes, et qui viennent du ventre, à ce chant « fort desagreable : la cadence finissoit toujours par ces aspirations rëiterées oh ! oh ! oh ! ah ! ah ! ah ! hem ! hem ! hem ! », à cette « aspiration du fond de l'estomach a-ah, a-ah, a-ah » (*RJ* 1632 : 5), l'expiration des consonnes occlusives, plus aptes à traduire le sérieux et la rigueur théoriques... La langue est moins pour lui un moyen de compréhension et d'échange qu'un instrument de réduction et de pouvoir : « Il est vray que celui qui sçauroit leur langue, les manieroit comme il voudroit ; c'est a quoy je me vais appliquer. » (*RJ* 1632 : 6) Il retrouve étrangement, par le biais de cette langue sèche, la tentation du ludique et de la nourriture : « Je voy, dit-il, un grand desir en nos Peres de dévorer toutes ces difficultez qui se rencontrent dans l'estude de ces langues » (*RJ* 1633 : 43), et s'il retourne à l'école des Sauvages, c'est « alléché par l'espérance, sinon de réduire le renégat à son devoir, du moins de tirer de lui quelque cognoissance de sa langue ».

La perception des femmes amérindiennes s'élabore chez le père Le Jeune à travers une vision européenne, hiérarchique et manichéenne des rapports humains, qui laisse fort peu de place à la découverte, à l'échange, aux personnes, au quotidien, au corporel et au ludique[15]. Il tente de tout réduire, le corps, l'espace et la langue. Langue de fer contre langue de fête.

NOTES

[1] Je cite le texte dans l'édition originale (Denys Moreau, Paris, 1632). Le texte a heureusement été enfin réédité : *Le Grand Voyage du pays des Hurons*, texte établi par Réal Ouellet, introduction et notes par Réal Ouellet et Jacques Warwick, Montréal, Leméac, Bibliothèque québécoise (BQ), 1990.

[2] On lira avec profit Marie Parent, *Procédés discursifs d'héroïsation du protagoniste dans Le Grand Voyage du pays des Hurons* de Sagard et la *Relation de 1634* de Le Jeune, mémoire de maîtrise, Québec, Université Laval, 1986.

[3] « Il serait facile de tirer de ces mythes un commentaire fascinant sur les structures de la société huronne. Le concept de la maternité universelle d'Aataentsic, s'ajoutant au peu d'importance attaché à l'idée de paternité, laisse apparaître le parti pris évident de la civilisation huronne en faveur de la lignée ancestrale de la femme ; par contre, le rôle assigné à Iouskeha et à Aataentsic est souvent opposé à celui rempli par les hommes et les femmes dans la vie quotidienne. Chez les Hurons, c'était l'homme qui commettait la plupart des actes de violence réels ou symboliques comme celui de couper les arbres, de tuer les animaux, de pourchasser ses semblables. À la femme, on confiait les tâches génératrices de vie : avoir des enfants, cultiver les moissons, s'occcuper du foyer. Par contre, dans la mythologie huronne, c'est Iouskeha qui fait mûrir les récoltes et qui protège les humains, tandis que sa grand-mère cherche toujours

à leur nuire. Il est possible qu'en conférant à leurs personnages mythologiques les caractéristiques des humains du sexe opposé, les Hurons visaient à compenser chez les deux sexes les limites que leur psychologie leur imposait dans la vie réelle. » *Les enfants de Aetaentsic. L'histoire du peuple HURON*, Montréal, Libre Expression, 1991, p. 60-61.

[4] L'anthropologue Norman Clermont, dans son article « La place de la femme dans les sociétés iroquoiennes de la période du contact », précise que les femmes «*étaient d'abord à l'origine de [l'] univers culturel* [des Iroquoiens] au sens où Aataentsic était mère des hommes, au sens où l'ensemble des relations sociales était dominé par les règles de descendance, d'appartenance et de résidence liées à la reconnnaissance opératoire des lignées maternelles et au sens où, par son travail d'horticulture, elle était maîtresse principale des biens indispensables à la vie (maîtresse des champs, des maisons, des feux, des vêtements et des plantes cultivées). / Par ailleurs, elles étaient aussi à l'origine de la vie politique et jouaient un rôle important dans la relation avec l'univers déterminant des forces spirituelles ». (*Recherches amérindiennes au Québec*, vol. XIII, n° 4, 1983, p. 290)

[5] Marcel Trudel précise que l'enfant nègre, Olivier Le Jeune, originaire de Madagascar ou de la Guinée, amené à Québec par les Kirke en 1629, fut « vendu pour 50 écus à Le Baillif, commis français » qui s'était mis au service des Anglais. En 1632, Le Baillif en fit cadeau à Guillaume Couillart et à sa femme Guillemette Hébert. Baptisé en 1633, l'enfant « reçut pour prénom *Olivier* en l'honneur du commis-général Olivier Le tardif » ; le nom de famille Le Jeune est celui de son « père spirituel » (*Dictionnaire des esclaves et de leurs propriétaires au Canada français*, La Salle, Hurtubise HMH, 1990, p. 174-175 ; *L'esclavage au Canada français*, Québec, Presses Universitaires Laval, 1960, p. 3-5). Olivier Le Jeune est le premier esclave identifié du Canada français. Le prix de l'Association des communautés culturelles et des artistes (ACCA) destiné à honorer la contribution à l'intégration interraciale porte son nom.

[6] En 1670, Marie de l'Incarnation exprimera sa considération à leur égard en rapportant que le gouverneur Jean Talon a « amené avec lui six Pères Récollets qui viennent se rétablir en ce païs : car [prend-elle le soin de préciser] ce sont les Pères de cet ordre qui en ont été les premiers Missionnaires. Ils y ont demeuré jusques en l'année 1625 que les Anglois s'étant rendus les Maîtres du païs, ils furent obligez de quitter, aussi bien que les Pères Jésuites qui ne faisoient que d'y arriver. Les bons Pères Récollets voulant aller aux Hurons, se noyèrent, excepté quelques-uns, qui retournèrent en France. Cependant, les [re]voilà avec la permission du Roi dans le dessein de se rebâtir sur leurs anciens fondements. Ce sont des Religieux fort zélez, que leur Provincial qui est

un homme considérable parmi eux, et qui a des qualitez éminentes, est venu lui-même établir ». (*C* 1670 : 871-872)

[7] Le Jeune n'ignore pas en fait le rôle culturel des femmes... Quant au métissage, Isabelle Perrault précise qu'il « semble en effet se réaliser dans le sens inverse de ce qui était prévisible de Paris ; les enfants sont tout naturellement absorbés par le groupe de la mère et ainsi les Français se font Sauvages ». En 1749, après la lecture du Mémoire du Roi, Vaudreuil et Raudot répondent ceci : « [...] il ne faut jamais mesler un mauvais sang avec un bon. L'expérience que l'on a en ce pays que tous les François qui ont épousé des sauvagesses sont devenus libertins et fainéants et d'une indépendance insuportable, et que les enfants qu'ils ont eu ont esté d'une fainéantise aussy grande que les sauvages mesmes, doit empescher qu'on ne permette ces sortes de mariage. » (Archives Publiques du Canada 1749 : 31-32), dans « On débarque en Nouvelle-France », *Recherches amérindiennes au Québec*, vol. XI, n° 2, 1981, p. 105-106.

[8] Lire à ce sujet, entre autres, Eleanor Leacock : « Montagnais Women and the Jesuit Program for Colonization », dans *RE-Thinking Canada. The Promise of Women's History*, Veronica Strong-Boag and Anita Clair Fellman (ed.), 1991, p. 11-27; Karen Anderson, « As Gentle as Little Lambs : Images of Huron and Montagnais-Naskapi Women in the Writings of the 17th Century Jesuits », dans *Revue canadienne société & anthropologie*, 24, 4, 1988, p. 560-575 ; Natalie Zemon Davis, « Iroquois Women, European Women », dans *Women, « Race » and Writing in the Early Modern Period*, Margo Hendricks and Patricia Parker (ed.), London and New York, Routledge, 1994, p. 243-258 ; Roland Viau, *Femmes de personne. Sexes, genres et pouvoirs en Iroquoisie ancienne*, Montréal, Boréal, 2000.

[9] « Il faut d'abord examiner les techniques les plus insignifiantes et les plus simples, et de préférence celles où règne davantage un ordre, comme celles des artisans qui tissent des toiles et des tapis, ou celles des femmes qui piquent à l'aiguille, ou tricotent des fils pour en faire des tissus de structure infiniment variée. [...] C'est merveille comme tous ces exercices développent l'esprit. » (René Descartes, *Règles pour la direction de l'esprit)*, cité par Bruno Pinchard dans « Traversées océaniques : Océan physique et Océan intérieur chez Marie de l'Incarnation », dans *Marie Guyard de l'Incarnation. Un destin transocéanique (Tours, 1599 - Québec, 1672)*, Paris, L'Harmattan, 2000, p. 323.

[10] Il focalisera d'autant plus l'attention sur quelques Sauvagesses idéalement chastes et dépendantes que la grande majorité des Amérindiennes, « femmes impudentes » à ses yeux, se défie de lui et résiste à l'entreprise de conversion et de francisation. On sanctifiera donc volontiers Kateri Tekakwita, « Le Lys des Agniers », qui rachète la liberté et l'esprit critique de ses compagnes, double son vœu de virginité, de pénitences et de mortifications, persuadée que « l'âme

languit quand le corps est bien traité », et « trouve ses délices auprès de Jésus-Christ [...] quand le corps souffre » (*AHDQ* 1680 : 200). Kateri, morte en 1680 à 24 ans, sera béatifiée en 1980.

[11] À lire, Louise Côté, *L'alimentation et la rencontre des cultures: discours alimentaire dans* Le Grand Voyage au pays des Hurons *de Gabriel Sagard (1623-1632)*, mémoire de maîtrise, Québec, Université Laval, 1991.

[12] Le Jeune préfère manifestement le poisson, à en juger par sa description de la pêche à la morue sur le navire qui les amène au Canada : « Ce jour là on en prit tant qu'on voulut. C'estoit un plaisir de voir une si grande tuerie et tant de ce sang repandu sur le tillac de nostre navire. Ce rafraischissement nous vint fort à propos. » (*RJ* 1632 : 2)

[13] « Il y a des temps ausquels les Sauvages meurent presque de faim, ils font quelquefois trois ou quatre lieues pour trouver de méchantes meures de haliers, et de méchantes racines que nous aurions de la peine à souffrir dans la bouche. Nous sommes si affligées de les voir ainsi affamez, qu'à peine osons nous les regarder. Jugez s'il est possible de ne se pas dépouiller de tout en ces rencontres. Ils veulent par fois reconnoître le bien qu'on leur fait quand ils reviennent de leur chasse, par quelque morceau de boucan que nous prenons pour les contenter, car nous ne sçaurions seulement en souffrir l'odeur ; eux le mangent tout crû avec un plaisir incroyable. » (*C* 1641 : 126)

[14] « [...] aussi m'est-il advis que je viens icy comme les pionniers, qui marchent les premiers pour faire les tranchées, et par apres les braves soldats viennent assieger et prendre la place », notait ce soldat du Christ dès son arrivée (*RJ* 1632 : 3). Paul Le Jeune, protestant converti au catholicisme, responsable des premières *Relations des Jésuites* en Nouvelle-France, s'est peut-être efforcé de paraître plus dur et plus intransigeant. Lire, d'Alain Beaulieu, *Convertir les fils de Caïn : Jésuites et Amérindiens nomades en Nouvelle-France, 1632-1642*, Québec, Nuit Blanche, 1990, et de Marie-Christine Pioffet, *La tentation de l'épopée dans les Relations des Jésuites*, Sillery, Septentrion, 1997.

[15] Mais il ne faut pas désespérer, même si l'abandon est bref : après un repas sous la tente, Le Jeune écrit ceci : « [...] je veis une femme qui m'apprit un secret, elle nettoya ses mains à ses souliers, je fis le mesme ; je me servois aussi de poil d'Orignac et de branches de pin, et notamment de bois pourri pulverisé, ce sont les essuyemains des Sauvages ; on ne s'en sert pas si doucement comme d'une toile d'Hollande, mais peut-estre plus gayement et plus joyeusement. C'est assez parlé de ces ordures. » (*RJ* 1634 : 36)

Chapitre 3

Entre le mal du pays et prendre pays

En ce temps-là, le Canada était en vogue, dit Marie Morin, annaliste de l'Hôtel-Dieu de Montréal (*AHDM*: 10), et voilà, printemps 1639, nos ursulines et nos hospitalières, passeports en poche, mais sans billet de retour, partant pour l'Amérique. Les annalistes de l'Hôtel-Dieu de Québec décrivent l'entreprise en termes éloquents :

> [Nos trois amazones] eûrent le courage, dans une si grande jeunesse, de quitter pour l'amour de Dieu parents, amis, connoissances et toutes les douceurs d'un beau païs jointes a la tranquilité et aux agréements qu'elles goûtoient dans une communauté bien établie, pour venir au bout du monde, au dela des mers, s'exposer a manquer de tout, dans un climat des plus rudes, afin de contribüer au salut des ames, en servant des Sauvages qui avoient la reputation de manger les hommes [...]. Elles s'encourageoient l'une l'autre par des motifs heroïques, se regardant comme des exilées pour la gloire de Dieu [...]. (*AHDQ* 1639 : 11-12)

Mais il ne suffit pas d'avoir la foi et de partir – selon la belle expression de Marie Morin – « sans autre préservatif que l'amour de Dieu » (*AHDM* : 91). Au-delà du contexte historique et religieux, cet exil en mission commandée – pleine de risques et d'incertitudes – s'accompagnait d'autant d'audace que de privations. Les conditions d'arrivée et d'installation constituent de véritables morceaux d'anthologie[1]. Sur le point d'atteindre enfin Québec, les hospitalières précisent qu'elles restèrent d'abord douze jours sans lever l'ancre...

> Cela nous ennuyoit beaucoup, car nous souhaitions ardemment d'aller voir nôtre terre de promission. C'est pourquoy, ayant heureusement rencontré une barque qui montoit à Quebec [Nous y passâmes] il n'y avoit que le tillac pour nous loger, tout étant plein de moruë, qui rendoit une assez mauvaise odeur. Pendant quelques jours et quelques nuits que nous y restâmes, nous souffrîmes beaucoup de necessité. Le pain nous ayant manqué, on fût obligé de ramasser les miettes de la soûtte, ou il y avoit plus de crotes de rats que de biscuit ; nous primes la peine de les éplucher pour en avoir un peu, que nous mangions avec de la morüe seche toute cruë [...]. Tout cela étoit bon pour des personnes de grand apétit. (*AHDQ* 1639 : 17)

À terre, le logis ne sera guère confortable avant longtemps. Le premier soir, les hospitalières ayant dû, faute de lit, dormir sur des branches, se retrouvent pleines de chenilles... Elles décrivent « une petite chaumine remplie de crapaux, de vers, de cloportes et de toutes sortes d'autres insectes. Nous la nétoyâmes de nôtre mieux avec bien de la peine » (*AHDQ* 1644 : 49), puis leur nouvelle salle d'hôpital : « [...] comme nous sortions d'un petit todis qui ressembloit plutost a une longue cabane qu'a un hopital, nous nous trouvions comme dans un louvre. Nous plâçames les lits des deux côtez a la maniere de France, et nous y exerçâmes nôtre sainte vocation avec beaucoup de joye. » (*Ibid.* 1658 : 98) La description que Marie de l'Incarnation nous a donnée du premier logement des ursulines est bien connue :

> [...] nous n'avons que deux petites chambres qui nous servent de Cuisine, de Réfectoir, de Retraite, de Classe, de Parloir, de Chœur. [...] On ne croiroit pas les dépenses qu'il nous a fallu faire dans cette petite Maison, quoiqu'elle soit si pauvre que nous voions par le plancher reluire les estoiles durant la nuit, et qu'à peine y peut-on tenir une chandelle allumée à cause du vent. (*C* 1640 : 98)[2]

L'évocation du froid canadien ne manquera pas non plus de piquant et d'images saisissantes. La prétérition des hospitalières de Québec – « Ce que nous souffrimes en ce tems de froid et de misere ne se peut pas exprimer » (*AHDQ* 1640 : 30) – est amplement compensée par les descriptions de l'hospitalière-annaliste de Montréal, Marie Morin, ou de l'ursuline Marie de l'Incarnation :

> [Le] froid qu'elles ont soufert pendant plus de 28 ans est extreme. Vous savés que celuy de ce peys ne peut estre compris que par ceux qui le soufrent, leur maison estant trouees en plus de 2 cens endroits. Le vant et la neige y passeis sans peine dans leur chambre commune et dans les cellules, dans le cabinet, dans l'escaillier, le grenier, enfin partout [...] de sorte que quand il avoit neigé et vanté la nuit, une des premieres choses qu'on fesèt le matin estoit de prandre des pelles de bois et le balet pour jetter dehors la neige qui estoit proche des portes et fenestres et aillieurs en bonne cantité. Ajousté a tout cesy qu'elles n'avois point de caves [...] et qu'elles ne pouveis garantir aucune chose de la gelees, pas mesme le pain qui estoit aussy dur que les pierres. Il le faillèt faire rostir devant le feu pour le pouvoir couper et en manger au repas, et l'eau qu'on mettèt sur la table pour boire s'y glassèt en l'espasse d'un card'heure, le vin mesme qu'on avoit pour les pauvres estoit gellé en glasse, leurs viendes, leurs boullons de mesme. A peine avèt on le loisir de manger sa petite portion, les dernieres bouchees estois aussy freides que la glasse et toutes gelee quand on deservèt quelque chose dans le plat. (*AHDM*: 104-105)
>
> Nos couches sont de bois qui se ferment comme une ormoire ; quoy qu'on les double de couvertes ou de serge, à peine y peut-on eschauffer. L'hiver, nos sauvages quittent leurs maisons de pierres et vont se cabaner dans les bois où il ne fait pas tant de froid. L'on met 5 ou 6 busches à la fois, car on ne brusle que du gros bois, et avec cela, on se chauffe d'un costé et de l'autre, on meurt de froid. A 4 cheminées, nous bruslons l'année, de laquelle l'hiver dure 6 mois 175 cordes de boix. (*C* 1644 : 220)
>
> [...] j'ay eu bien des peines et des fatigues dans les difficultez qui se rencontrent dans ce païs couvert de nèges jusques en May [...]. (*C* 1651 : 422)

C'est un cas sans précédent pour des femmes, religieuses de surcroît, que de quitter pour un temps la clôture, pour toujours leur pays, et de fonder leur entreprise à l'étranger. Lorsque Le Jeune note, un peu ironiquement, qu'elles appellent le Canada « notre chère patrie », c'est qu'il perçoit, en filigrane, un très fort sentiment d'appartenance, l'amorce d'une identité canadienne naissante qui lui sera, somme toute, fort peu viscérale. Les religieuses viennent pour contribuer au salut et à la conversion des « barbares », mais dans la ferme intention de vivre dans ce nouveau pays, de s'y adapter et de s'y intégrer... quand bien même l'idée de sacrifier leurs vies s'impose à elles tout comme aux jésuites.

Cette « terre de promission », ce « Paradis terrestre des Hurons et du Canada », c'est aussi l'utopie d'une église primitive retrouvée, loin du relâchement général des mœurs contre lequel la Contre-Réforme sévit en Europe :

> La ferveur croissoit tous les jours parmi les Sauvages, et N. S. versoit si abondamment ses graces sur le Canada que l'on y vivoit dans une simplicité, une bonne foy et une union qui approchoit fort de celle que l'on admiroit dans les premiers chretiens. (*AHDQ* : 104)

Ce sentiment des hospitalières de Québec – indépendamment du souci de propagande et d'émulation avec la France – reflète leur croyance profonde en une « nation mixte », volonté et espoir entretenus pendant plus d'un demi-siècle, de Champlain à Colbert. Paul Le Jeune cite dans cet esprit Samuel de Champlain, même s'il est clair pour lui qu'évangélisation rime avec assimilation et francisation, que l'altérité doit être réduite au même, que l'échange existe surtout à sens unique :

> Là dessus le sieur de Champlain prit la parolle, et leur fit dire qu'il les avoit toujours aimés, qu'il desiroit grandement de les voir comme ses freres, et qu'aiant esté envoié de la part de nostre grand Roy pour les proteger, qu'il le feroit tres-volontiers [...] qu'ils cherissoit grandement leurs amis ; qu'ils ne creussent point ceux qui les voudroient divertir de les venir voir, et que leur ayant donné leur parolle ils estoient veritables. (*RJ* 1633 : 36)

Lorsque Le Jeune explique aux Amérindiens que les cadeaux envoyés de France justifient et leur statut de sujets du royaume, et la mission des jésuites, les hospitalières rapportent que les Amérindiens, étonnés et touchés de la bonté des Européens, en déduisent « qu'il fallait que la prière et la foi eussent une étrange force pour de plusieurs nations n'en faire qu'une » et que, baptisés, ils acquièrent « une grande parenté » et « se doivent aimer comme frères » (*AHDQ* : 129).

On trouve peu de descriptions physiques des Sauvages dans les écrits des ursulines ou des hospitalières : la période de premier contact passée, le souci de l'installation qui prime, le désir de gommer les différences dans la hâte de franciser, la pudeur face au corps sont des hypothèses mineures, à mon avis, au regard de cette conviction chez elles que les images du Barbare qu'ont leur avait données ne correspondent pas à la réalité, et que l'Autre, en définitive, diffère peu de soi[3]. Elles se sentent moins, avec ces Amérindiennes qu'elles appellent leurs petites « princesses », « les délices de nos cœurs », au contact d'une barbarie bestiale que d'un peuple plein d'innocence. Moins enclines dans l'ensemble au stéréotype et aux comparaisons d'ordre moral que leurs confrères jésuites, elles s'en tiennent plus volontiers à des considérations d'ordre matériel, dénonçant ainsi moins la saleté des Sauvages eux-mêmes qu'elles ne déplorent l'excès de graisse, de fumée et de saleté des cabanes qui, par exemple, les obligent à teindre leurs robes[4] pour ne pas ajouter à la fatigue des lessives de l'hôpital ; elles écrivent franchement d'ailleurs que les Sauvages ne sont pas toujours ceux qu'on croit :

> Nôtre fatigue fût si grande que nous tombâmes malades toutes trois. Pendant ce tems la, les Reverends Peres Jesuites assistoient nos pauvres Sauvages [...] celle d'entre nous qui se trouva le mieux, retourna à l'hopital, ou elle trouva un ménage d'homme, c'est a dire fort mal propre et en désordre : le linge estoit de tous côtez pourry et gâté, et tout étoit si plein d'ordure qu'elle eût bien de la peine à nétoyer. (*AHDQ* 1640 : 24)

Chacun est l'objet du regard critique de l'autre. Le jésuite Pierre Biard, en Acadie de 1611 à 1613, note la réciproque des Amérindiens : « Souvent ils m'ont dit que nous leur semblions du commencement fort laids, avec nos cheveux aussi bien sur la bouche que sur la teste ; mais peu à peu ils s'accoustument, et nous commençons à ne plus leur paroistre si difformes. » (*RJ* 1611 : 8) Plus tard, la paix obtenue avec les Iroquois, les exemples qui exhortent à protéger les Amérindiens contre les mauvaises manières des colons européens, et non plus l'inverse, seront nombreux et maintes fois réitérés.

Le sentiment d'appartenance à la Nouvelle-France et l'identité canadienne se tissent petit à petit. Mais qu'est-ce que cette « terre de promission » qui leur tient tant à cœur, ce Canada que les femmes missionnaires ont appelé, à peine débarquées, « notre chère Patrie » ? Avertissant son fils qu'« il est difficile de bien juger d'une vocation », Marie de l'Incarnation confirme qu'elle avait, dès son enfance, « plus l'esprit dans les terres étrangères » « qu'au lieu où [elle] habitoi[t] » (*C* 1643 : 185) quand Paul Le Jeune avoue qu'il ne « pensoi[t] nullement venir en Canada quand on [l]'y a envoyé » (*RJ* 1632 : 6).

Dès le début, être « canadoise » se superpose dans les textes des femmes missionnaires à force de caractère et femme forte. Marie de l'Incarnation loue la prudence de la supérieure française qui « ne voudroit pas exposer une de ses Filles, si elle n'avoit les qualitez requises, tant de corps que d'esprit » :

> Pour le corps, il est nécessaire qu'elle soit jeune, pour pouvoir facilement apprendre les Langues ; qu'elle soit forte, pour supporter les fatigues de la Mission ; qu'elle soit saine et nullement délicate, afin de s'accommoder au vivre qui est fort grossier en ce païs. (*C* 1644 : 239)
> Nous demandons à cet effet des filles capables, de bonne santé, de bonne volonté, et de vingt-quatre à trente ans, afin qu'elles s'accoutument à notre vie et aux petits travaux d'un païs qui ne ressemble pas encore à la France, et qui n'en approchera de longtemps : pour nous qui y sommes faites, nous n'y trouvons point de différence. (*C* 1670 : 891)

Les religieuses seront tiraillées entre l'envie de faire venir des consœurs qu'elles aiment et estiment plus particulièrement et le besoin d'avoir des recrues solidaires et solides... « Pour vous, vous êtes toujours Canadoise », écrit Marie de l'Incarnation, quelque peu déçue mais encore pleine d'espoir, à une parente ursuline de son ancien couvent de Tours[5]. Mais,

> pourquoy donc n'avez vous pas pris une des places qui se présentoit ? Car comme nous n'avions demandé aucune en particulier, je croy que toutes celles qui avoient du désir de venir, se sont offertes, et qu'ensuite on a fait le choix de celles qui avoient des dispositions plus présentes à cette Mission : cependant je ne voy point qu'on ait parlé de vous. Je me persuade facilement que vous êtes tombée dans quelque infirmité, et si cela est, vous ne perdrez pas le fruit ny le mérite de

> votre vocation, puisque ce n'est pas la volonté qui vous manque. (*C* 1644 : 232)

Marie de l'Incarnation a effectivement contribué à l'implantation de l'ethnonyme « Français-Canadien », comme le souligne l'historien Gervais Carpin[6]:

> La première mention en français précisant l'identité canadienne de nos colons est celle bien connue des historiens, souvent citée, et extraite d'une lettre de Marie de l'Incarnation, datée du 16 octobre 1666 : « Nos nouveaux Chrétiens Sauvages suivent l'armée Françoise avec tous nos jeunes François-Canadois qui sont très-vaillans, et qui courent dans les bois comme des Sauvages. » (*C*: 768)

En 1644, cinq ans après son arrivée, Marie lançait cet avertissement :

> La vocation de Canada ne se doit pas regarder dans une affection naturelle, non plus que dans les trop grands empressements, mais bien dans une vraye et solide persévérance ; autrement les subjets qui y passeront n'y auront jamais de satisfaction, et n'y trouvant pas ce qu'ils s'attendoient, reprendroient bientost le chemain de France. Nous n'avons point encore reçeu de novices à cause de cela. D'autres en ont renvoyé, ce qui est fascheux pour des filles. (*C* : 230)

Les hospitalières seront très sévères à l'égard de celles qu'elles considèrent comme des déserteures et qui risquent de leur faire mauvaise presse en France :

> La Mere de l'Assomption ne s'étoit jamais figuré le Canada tel qu'elle le trouva : elle se flatoit de mener icy une vie aussy douce que celle qu'elle avoit quittée [...] elle ne pût s'accommoder aux manières du païs. [Nous la laissâmes repasser en France avec la Mère Sainte-Geneviève] quoy que nous eussions lieu d'apréhender que leur retour ne refroidit l'ardeur de celles qui desiroient venir partager nos peines. [...] jusqu'a leur mort, elles nous ont toujours écrit exactement et fort cordialement, sans pourtant nous avoüer que leur conscience leur fit aucun reproche sur la demarche qu'elles avoient faite, que je ne veux pas taxer d'infidelité, mais qui cependant ressemble assez a ce que

> Nôtre Seigneur blâme dans lévangile, dans ceux qui *apres avoir mis la main a la charuë regarde derriere eux*. (*AHDQ* 1649 : 76)

En 1655, Marie de l'Incarnation devait à son tour écrire à son fils :

> Je suis à présent dans l'éxécution d'une affaire qui m'a cy-devant causé de grandes croix. Ce sont deux de nos sœurs qui veulent retourner en France dans la maison de leur profession ; L'une est de Tours, l'autre est de Ploërmel en Bretagne[7], toutes deux de diverses Congrégations. La première a demeuré avec nous plus d'onze ans, et l'autre plus de douze. Il y a près de cinq ans que je combats ce dessein, et que je les exhorte à se rendre fidèles à leur vocation, mais Dieu n'a pas donné assez de grâce à mes paroles pour les retenir. Vous pouvez croire que des esprits si peu affermis n'accommodent pas beaucoup une Communauté. (*C* : 559)

Les premières missionnaires aimeraient ne plus faire appel à des religieuses françaises et souhaitent dans un avenir proche pouvoir recruter des novices canadiennes[8]:

> [...] la playe que la main de Dieu nous a faite est encore trop récente [...]. Nous craignons encore qu'on ne nous envoye des sujets qui ne nous soient pas propres, et qui ayent de la peine à s'accommoder au vivre, à l'air, aux personnes. [...] Car quelle apparence de faire faire mille ou douze cens lieues à des personnes de notre sexe et de notre condition, parmi les dangers de la mer et des ennemis, pour les renvoyer sur leurs pas. (*C* 1652 : 484)
> [...] des Filles du païs nous seroient plus propres pour notre esprit, que d'autres qui y apportent un esprit étranger. Tout cela est vrai, et nous l'expérimentons : mais il ne se trouve pas encore assez de sujets en ce païs. [...] si nous trouvions des sujets propres dans le païs, nous n'en demanderions point du tout en France pour le bien de notre Communauté. (*C* 1657 : 591-92)

En 1697, Marie Morin – première hospitalière canadienne à Montréal[9] en août 1662 – annonce que les religieuses arrivées de France seront peut-être les dernières,

> [...] les guerre qui sont dans l'Europe de tous les cauté ne permettant pas d'exposer des Religieuses sur la mer, dans le danger d'estre prise par nos ennemis et soufrir plusieurs choses pires que la mort mesme

> a des personnes consacree a Dieu. D'aillieurs, les filles du peys commancent a bien faire. (*AHDM* : 10)

Le 17 juillet 1671, les hospitalières de l'Hôtel-Dieu de Québec étaient plus radicales encore. Monseigneur de Laval ayant fait venir – sans les consulter – trois hospitalières de France,

> [p]lusieurs Religieuses êtoient d'avis qu'on renvoyât celles qui n'êtoient pas encore debarquées, puisqu'elles venoient sans l'agréement de cette Communauté. Cependant, apres avoir bien examiné toutes choses on crût se devoir soumettre sans resistance a Monseigneur, qui ne l'avoit fait que par bonté[10]. On conclut qu'il falloit les recevoir. Elles descendirent presque aussy-tôt, et nous leur fîmes tout le bon accueüil qu'il nous fut possible, en leur avoüant pour tant l'etonnement ou nous êtions de ce qu'elles êtoient venües si loin, sans que nous les eûssions demandées [...]. Ce qui nous obligea d'écrire a toutes nos maisons de France, que, si elles s'avisoient de nous envoyer des religieuses sans qu'on leur en demandât par un acte signé de tout le Chapitre, nous les renvoyerions par le même vaisseau qui les auroit amenées. Comme le païs est devenu assez peuplé pour ne nous point laisser manquer de sujets, nous n'en avons point demandé en France depuis ce tems là, et ce sont les dernieres qui en soient venuës. Elles s'accoutumerent peu a peu aux manieres du Canada ; il n'y en eût qu'une de ces trois qui, ne pouvant s'y faire, nous contraignit de la faire repasser avec de tres grands frais [...]. (*AHDQ* 1671 : 166-67)

Les jeux de pouvoir se trament parfois moins en sourdine : inversement, la mère Andrée de Ronceray sera rappelée en France, « contre toute apparence et raison », à son grand dam et malgré les résistances et l'appui de sa communauté, parce que, avance Marie Morin, « cette bonne mere n'étoit pas tout à fait goustee par nos superieurs à cause qu'elle soutenèt un peu trop [...] contre les leurs [...] certeines pratiques qui regardeis le Canada » (*AHDM* : 151). Les religieuses eurent beau dire, tactiquement, que la mère de Ronceray mourrait de peur sur la mer, leurs supérieurs leur répondirent, tout aussi tactiquement,

> que la volonté de Dieu etoit assé connue et qu'on ne la devèt pas retenir malgré eux. Ce qui l'afligea beaucoup et luy fit verser des larmes pandans bien des jours jusqu'à son depart de chez nous [...]. Nous

> demeurames dans un grand deul de son eloignement. Ma sœur Le Jumeau en a soufert mort et passion et ne pouvoit calmer son esprit [...] toute sa vertu fut opprimee dans l'exces de sa douleur. (*Ibid.*, 151-152)

Le clivage entre « nos sœurs canadiennes » et « nos sœurs de France » va se préciser de plus en plus. Dès 1642, Marie de l'Incarnation écrit à l'une de ses correspondantes, mythifiant d'ailleurs les vertus chrétiennes de la Nouvelle aux dépens de l'ancienne France : « C'est assez parler de votre France ; il faut parler de la nôtre. » (*C* : 149) Cette Nouvelle-France dans laquelle elles prennent peu à peu racine s'héroïse de diverses manières : nos écrivaines valorisent le pays, l'utilité de leur présence et vantent les mérites des Canadiennes.

Ce « pays de Caïn » si décrié, au climat et aux conditions si rudes – « l'on nous figuroit le Canada comme un lieu d'horreur ; on nous disoit que c'étoit les fauxbourgs de l'Enfer, et qu'il n'y avoit pas au monde un païs plus méprisable. Nous expérimentons le contraire, car nous y trouvons un Paradis [...]. » (*C* 1640 : 112) –, devient petit à petit plus habitable, plus salutaire et agréable à vivre même que le vieux pays :

> Nous avons passé l'Hiver en Canada sans aucune indisposition contre l'attente de tout le monde [...]. Nous avons passé l'Esté de même, quoi qu'il soit ici aussi chaud qu'en Italie. (*C* 1640 : 102)
> Les Habitans de Québec nous donnent des légumes et d'autres semblables rafraichissements, en sorte que nous sommes trop à notre aise. Nous avons passé cet hiver aussi doucement qu'en France ; et quoique nous soions pressées dans un petit trou où il n'y a point d'air, nous n'y avons point été malades, et jamais je ne me sentis si forte. Si en France on ne mangeoit que du lard et du poisson salé comme nous faisons ici, on seroit malade et on n'auroit point de voix ; nous nous portons fort bien et nous chantons mieux qu'on ne fait en France. L'air est excellent. (*C* 1640 : 109-110)

Nos missionnaires découvrent les produits et les recettes du pays et n'hésitent pas à les transmettre en France[11]: « L'estime que je vous fis les années dernières des citrouilles des Hiroquois vous en a donné de l'appétit », dit Marie de l'Incarnation à son fils ; « Je vous en envoie de la graine, que les Hurons nous apportent de ce païs-là, mais je ne sçai si votre terroir n'en changera pas le goût », ajoute-t-elle avant de lui suggérer diverses manières de les apprêter,

> en potage avec du lait, et en friture : on les fait encore cuire au four comme des pommes, ou sous la braise comme des poires, et de la sorte il est vrai qu'elles ont le goût de pommes de rainettes cuites. Il vient à Mont-Réal des melons aussi bons que les meilleurs de France : il n'en vient que rarement ici, parce que nous ne sommes pas tant au Sud. Il y a aussi une certaine engeance qu'on appelle des melons d'eau, qui sont faits comme des citrouilles, ils se mangent comme des melons, les uns les salent, les autres les sucrent ; [...] Nous faisons [de la marmelade de prunes] avec du miel, et cet assaisonnement nous suffit pour nous et nos enfans. On fait encore confire des groselles vertes, comme aussi du Piminan [Pimbina ou viorne d'Amérique aux fruits rouges], qui est un fruit sauvage que le sucre rend agréable. (*C* 1668 : 832-833)

Elle apprend à faire la sagamité amérindienne et à l'offrir en toute simplicité et convivialité[12]...

> Il y a cette différence qu'on ne fait point de festins à nos parloirs de France, mais l'on en fait à celui cy. On leur sert de bons plats de Sagamité de farine d'Inde et de pois qui passent entr-eux pour un grand régal : Car ce seroit une chose honteuse d'envoier un Sauvage sans lui présenter à manger. Nous sommes heureuses d'avoir des écuelles de bois ou d'écorce, même pour les Capitaines. (*C* 1641 : 123)
>
> Il me semble que lorsque nous faisons festin à nos Sauvages, et que pour en traiter splendidement soixante ou quatre-vingt on n'y employe qu'environ un boisseau de pruneaux noirs, quatre pains de six livres pièce, quatre mesures de farine de pois ou de bled d'Inde, une douzaine de chandelles de suif fondues, deux ou trois livres de gros lard, afin que tout soit bien gras, car c'est ce qu'ils aiment, il me semble, dis-je, que l'on doit déplorer les grandes superfluitez du monde, puisque si peu de chose est capable de contenter et de ravir d'aise ces pauvres gens, parmi lesquels néanmoins il y a des Capitaines qui à leur égard passent pour des Princes et pour des personnes de qualité. (*C* 1640 : 113)

Les échanges ne s'avèrent pas toujours heureux : « Les Français leur ayant fait gouster de l'eau-de-vie ou du vin [les Sauvages] le trouve[nt] fort à leur goust, mais il ne leur en faut qu'une fois pour les rendre comme fols et furieux », écrit Marie de l'Incarnation qui s'efforce de comprendre cette réaction – « ils ne mangent que choses douces et jamais de salures. Cette boisson les tue » – et de justifier la décision du Gouverneur de « faire défense, sur peine de grosses amandes aux françois de leur en donner ou traitter » (*C* 1644 : 221).

Les vaisseaux, qui assurent un trait d'union entre la France et la Nouvelle-France, peuvent aussi constituer une menace :

> Le dernier vaisseau s'est trouvé à son arrivée infecté de fièvres pourprées et pestilentieles. [...] Presque tout le païs a été infecté, et l'hôpital rempli de malades. [...] grâces à Dieu, notre Communauté n'en a point été attaquée : Nous sommes ici dans un lieu fort sain et exposé à de grands vents qui nettoient l'air. Pour mon particulier ma santé est très-bonne. (*C* 1659 : 616)

Et les Canadiennes françaises tentent de se prémunir contre les risques d'infection, voire d'épidémie :

> Il n'y avoit en ce païs que tres peu de femmes françoises. Nous [les hospitalières] demandâmes a quelques-unes si elles voudroient bien nous blanchir du linge [...] elles nous répondirent qu'elles n'y toucheroient pas [...]. (*AHDQ* 1639 : 23)

Les vaisseaux se perdent parfois corps et biens ou peuvent être saisis par les ennemis ou les pirates, laissant les Canadiens démunis :

> La France etoit en guerre alors avec l'Espagne, l'Angleterre et la Hollande, et les deux autres vaisseaux qui apportoient nos provisions furent pris par les Anglais et par les Holandois. Ainsy nous ne reçûmes rien du tout, et la perte que nous fîmes en cette année fut estimée dix mille livres. (*AHDQ* 1655 : 90)

La Nouvelle-France ne tient qu'à un fil et, en 1690, après l'attaque de William Phipps devant Québec, les hospitalières tentent de se rassurer :

> [...] quand le Canada auroit été la plus riche province du royaume, le Roy Louis quatorze n'auroit pas eû plus de joye de sa conservation.

> Tout le monde parut sensible au bonheur de la Nouvelle France. Cela redoubla l'affection que sa Majesté avoit deja pour cette Colonie, dont nous avons ressenti de si bons effets dans la suite, le Roy n'ayant jamais voulu abandonner le Canada quoy qu'il en ait été fortement solicité par des Ministres interessez, qui luy representoient continuellement qu'il y faisoit beaucoup de dépense sans en retirer aucun avantage. (*AHDQ* 1690 : 262-263)

Marie de l'Incarnation, stoïque et un peu ironique, calme les sœurs de Tours qui, dit-elle,

> nous conjurent de la manière la plus forte de repasser en France et de retourner en notre maison, nous assurant que nous y seront toutes reçues à bras ouverts. La peur qu'elles ont pour nos personnes n'est pas croyable, elles nous prient de ne pas attendre l'extrémité et de prévenir le dernier péril. (*C* 1651 : 427)
> Dieu nous préserve de cet accident. Si nous n'avons pas quitté après notre incendie et pour toutes nos autres pertes, nous ne quitterons pas pour les Hiroquois, à moins que tout le païs ne quitte. (*C* 1659 : 615)

Quelques années plus tard, elle assure faire corps avec ce pays neuf : « [...] mon cœur y est tellement attaché, qu'à moins que Dieu ne l'en retire, il ne s'en départira ni à la vie ni à la mort. » (*C* 1664 : 734)

L'ennemi numéro un, l'Iroquois qui terrorise tant les Canadiens, s'il apparaît bien à travers des évocations inquiétantes de ses méfaits – « C'est peu de chose que la vie, mais la cruauté que ces barbares exercent sur les patians est horrible » (*C* 1644 : 223), note Marie de l'Incarnation qui relatera en détail les martyres des jésuites –, tient, somme toute, moins de place dans les écrits de nos religieuses que la lutte contre la pauvreté, les rivalités internes et les incendies :

> Mon sentiment particulier, confie Marie de l'Incarnation, est que si nous souffrons en Canada pour nos personnes, ce sera plutôt par la pauvreté que par le glaive des Hiroquois. Et pour le païs en général, sa perte, à mon avis, ne viendra pas tant du côté de ces barbares que de certaines personnes qui par envie ou autrement écrivent à Messieurs de la Compagnie quantité de choses fausses [...]. Comme ces mauvais coups se font en cachette on ne les peut parer ; et comme la nature corrompue se porte plutôt à croire le mal que le bien, on les

croit facilement. De là vient que lors qu'on y pense le moins on reçoit ici des ordres et des arrests très-fâcheux. (*C* 1659 : 615)
Nous ne sommes pas mortes de la main des Hiroquois, (mais nous avons passé par le feu dans un accident inopiné qui arriva à notre Monastère le trentième de Décembre dernier, et qui l'a réduit en cendre avec tous nos biens temporels, nos personnes seules ayant été sauvées de cet horible incendie par une providence de Dieu toute particulière.). [...] notre perte est de près de soixante mille livres [...]. Vous direz peut-être, ainsi que plusieurs de nos amis, que nous eussions mieux fait de repasser en France que de nous mettre en des frais si grands et si hazardeux, tout étant icy incertain par les incursions des Hiroquois. [...] La conclusion a été que nous ne quitterions point ! (*C* 1651 : 421-422)
Je vous assure que je ne changerois pas ma condition présente à celles qu'on estime dans l'Europe les plus avantageuses. Quant aux Hiroquois, je n'ay point du tout peur d'eux, et je ne voy pas que nous en devions avoir [...]. (*C* 1651 : 432)

À Montréal surtout, Marie Morin mentionne « la peur continuelle ou l'on estois d'estre pris des Yrocois » (*AHDM* : 134), mais elle semble encline à diminuer cette peur en brossant de l'ennemi, et ce à plusieurs reprises, un portrait plus humain. L'anecdote suivante illustre tout particulièrement ce souci de ne pas démoniser. Un Iroquois soigné à l'hôpital « tacha d'etouffer [ma sœur de Brésoles] entre une porte et une armoire ou elle etoit sy pressee qu'elle en perdit la respiration ». Alertés par Marie Morin en personne, des patients venus à sa rescousse « batirent Monsieur l'Irocois et luy en donnerent en riant [...] ». Pour s'excuser, le vilain harceleur, « adret et rusé » et manifestement bien au courant de la mauvaise réputation faite aux Iroquois, dit « qu'il ne pancèt pas a faire de mal a celle qui luy fesèt mil biens [...] prenant aussy en riants les coups qu'on luy avèt donné disant qu'il voulèt seulement luy faire peur de l'Irocois mais qu'il connessèt avoir tort » (*AHDM* : 136). L'expression de Marie Morin, « luy faire peur de l'Irocois », aurait pu nous rester, à l'instar de celle-ci : « Les Sauvages sont passés », utilisée pour annoncer les naissances.

On évoque plus volontiers les martyrs jésuites que le lourd tribut humain payé par les hospitalières...

La joye que nous eûmes de la voir se mieux portez fût proportionnée a la peine que nous avions ressentie dans la crainte de la perdre, et de

> rester deux jeunes Religieuses seules dans un païs si éloigné. (*AHDQ* 1640 : 26)
> La mort de ces trois sainctes filles en si peu de tems nous affligea beaucoup. Elles furent les victimes de la charité que nous exerçâmes cette année la envers la prodigieuse quantité de malades dont nôtre hopital fût remply. (*AHDQ* 1687 : 232)
> Ma Sœur Marie Françoise Giffard de St Ignace tomba malade [...] et le 15e de mars de l'année 1657, elle mourut âgée de 23 ans. C'est la premiere canadienne qui se soit consacrée a Dieu par la profession Religieuse. (*AHDQ* 1657 : 94)

Après l'incendie de l'Hôtel-Dieu de Montréal en avril 1734 et l'épidémie de « pourpre et petite peste » due à l'arrivée d'un bateau, sœur Véronique Cuillerier écrivait dans sa *Relation (1725-1747)* :

> J'épuiserois, mes chères sœurs, toutes les expressions sy je voulois vous dire la vive douleur où nous nous trouvâmes. Nous n'estions plus à nous et nos larmes arrosoient jour et nuit notre pain et nos lits d'avoir perdu tant et sy bons sujets qui méritoient les regrets les plus vifs. Et ce qu'il y avoit de douloureux, c'est que nous n'avions pas un seul petit endroit pour mettre, après la mort, ces illustres victimes de la charité. Il falloit les exposer dehors, à la pluie, sur des planches que l'on mettoit sur des tréteaux. (170-171)

Prendre pays, c'est bâtir, et les religieuses mettront beaucoup d'énergie à s'installer et à organiser la vie matérielle. « Nous commençâmes a faire un marché pour défricher nos terres, sur le pied de 150 livres l'arpent, et ce prix a été suivi de tout le païs depuis ce tems la » (*AHDQ* 1644 : 52) ; « Nous achetâmes deux arpents de terre de Mr Coüillard pour agrandir nôtre enclos, et pour faire entrer chez nous un ruisseau qui êtoit sur ce terrain : ils nous coûterent 450 livres » (*ibid.* 1645 : 53). Les hospitalières seront fières d'engager un fontainier, M. Langevin, pour amener enfin l'eau à l'hôpital :

> nous fîmes faire des pierreries jusqu'à plus de trente arpents de chez nous, et l'on conduisit l'eau des sources dans des canaux, fermez de plomb ou de bois, jusqu'icy : ce qui réüssit fort bien, de sorte que par le moyen [...] de quelques robinets, nous avions des fontaines très commodes dans plusieurs endroits de l'hopital. Il y en avoit une dans [...] la sale des femmes [...] et qui couloit en toutes saisons – quand on

> vouloit, elle êtoit chaude en hyver [...]. Ce travail coûta plus de trois mille livres [...]. (*Ibid.* 1672 : 172-173)[13]

En 1711, elles achètent l'île aux Oies, au large de Montmagny, à leur ami Paul Dupuy[14]. Cette acquisition mit à ce point l'abondance dans leur maison que, disent-elles à propos de leur barque qui en revient, « on se réjoüit quasi autant de la voir arriver qu'on fait en Europe quand les Gallions des Indes y viennent » (*AHDQ* 1712 : 377). De son côté, Marie de l'Incarnation veille activement à la construction de son couvent, comme à sa reconstruction après les incendies, participe aux plans, nous donne mesures et prix, etc.

> Pour response à ce que vous désirez sçavoir touchant le païs, je vous diray, mon très cher fils, qu'il y a des maisons de pierres, de bois et d'écorces. La nostre est toute de pierres, elle a 92 pieds de longueur et 28 de large : c'est la plus belle et grande qui soit en Canada pour la façon d'y bastir. En cela est comprise l'église qui a sa longueur dans la largeur de la maison et de largeur a 17 piedz. Vous penserez peut-estre que cela est petit, mais le froid trop grand ne permet pas qu'on fasse un lieu vaste. [...] Partie des sauvages ont leurs maisons portatives d'écorces d'arbres de bouleau, qu'ilz dressent bien proprement avec des perches. Au commencement, nous en avions une de mesme pour faire nostre classe. [...] Un homme couste 30 sols par jour et le nourrissons festes et dimanches et mauvais temps. Nous faisons venir nos ouvriers de France que nous louons pour trois ans ou plus. Nous en avons dix qui font toutes nos affaires, excepté que les habitans nous fournissent la chaux, sable et brique. Nostre maison a 3 estages. (*C* 1644 : 219)

L'esprit d'entreprise, les talents et la résistance des Franco-Canadiennes – religieuses ou laïques[15] – se dessinent et s'imposent aussi peu à peu, conditionnant, entre autres, le profil des immigrantes. L'historienne Ian Noël, dans son article « New France : les femmes favorisées », n'est pas litotique :

> It is difficult to think of another colony or country in which women founders showed such important leadership – not just in the usual tending of families and farms but in arranging financing, immigration, and defences that played a major role in the colony's survival. [...] One is also struck by the initiative of *canadiennes* in business and

> commerce. In sum, with respect to their education, their range and freedom of action, women in New France seem in many ways to compare favourably with their contemporaries in France and New England, and certainly with the Victorians who came after them. (29)[16]

Marie de l'Incarnation précise qu'elles ne veulent « plus demander que des filles de village propres au travail comme les hommes, l'expérience fait voir que celles qui n'y ont pas été élevées, ne sont pas propres pour ici, étant dans une misère d'où elles ne se peuvent tirer » (*C* 1668 : 832). Dans l'ensemble, nos écrivaines exprimeront aussi à l'égard des filles et des femmes que l'on a appelées « les Filles du roi[17]» beaucoup plus de considération que certains de leurs collègues masculins. Madeleine de la Peltrie, Anne Bourdon et Marguerite Bourgeoys les aideront tout particulièrement. Le courage, l'inventivité et la force de caractère des Canadiennes seront régulièrement soulignés par maints témoins[18]. Marie Morin raconte, lors des attaques iroquoises à Montréal, que

> c'étoit un plaisir d'estre la montees voir tout le monde courir au secours de leurs freres [...]. Les fammes mesme, comme des amasonnes, y courois armees comme les hommes. Je l'é veu plusieurs fois. Messieurs les prestres ne manqueis point d'y courir aussy, un ou deux, pour confesser les moribonts, qui tres souvant n'aveis de vie que pour cela et mourois apres l'avoir fait, sur la plasse. (*AHDM*: 135)

Les hospitalières de Québec consignent le témoignage d'un prisonnier anglais, étonné « qu'icy les femmes mêmes montroient du courage et qu'elles êtoient des amazones » (*AHDQ* 1711 : 364). Le courage des Amérindiennes, heureux modèles, est maintes fois souligné, ici par Marie de l'Incarnation :

> Une femme Algonquine aiant été enlevée par les Hiroquois avec toute sa famille, son mari qui étoit étroitement lié de toutes parts, lui dit que si elle vouloit elle les pouvoit sauver tous. Elle entendit bien ce que cela vouloit dire, c'est pourquoi elle prit son temps pour se saisir d'une hache, et avec un courage non pareil elle fend la tête au Capitaine, coupe le col à un autre, et fit tellement la furieuse qu'elle

> mit tous les autres en fuite : Elle délie son mari et les enfans et se retirent tous sans aucun mal en un lieu d'assurance. (*C* 1655 : 563)

Ian Noël précise que bien des épouses et des filles de militaires les suivaient dans les postes où ils étaient affectés et se révélaient d'efficaces collaboratrices, ou d'actives commerçantes, telles madame de La Tour ou Marie-Françoise de Joybert (la mère de Mme de Vaudreuil) en Acadie. Madeleine Jarret de Verchères, qui affirmait n'être pas « extrêmement peureuse, comme il est naturel à toutes les femmes parisiennes de nation », est connue pour l'épisode héroïsé de sa défense du fort paternel en 1692 (sa mère, Marie Perrot, l'avait déjà défendu en 1690) et pour sa demande de gratification (« une pension de cinquante escus, comme a plusieurs femme d'offisié du pais ») pour service rendu au pays (« Quoyque mon sexe ne me permette pas d'avoir d'autres inclinations que celles qu'il exige de moy, cependant permettez-moy, madame, de vous dire que j'ay des santiman qui me portent à la gloire comme a bien des hommes ») ; elle adressait sa lettre, le 14 octobre 1699, à une autre collaboratrice, l'épouse du ministre Maurepas (« Madame, honorez-nous nous autres filles, de vos bontez[19] »). Les Canadiennes se distinguent souvent par leur indépendance d'esprit, de mœurs, voire leur insubordination. La réflexion suivante de Marie de l'Incarnation est bien connue : « Enfin ce que je puis dire est que les filles en ce païs sont pour la pluspart plus sçavantes en plusieurs matieres dangereuses, que celles de France. Trente filles nous donnent plus de travail dans le pensionnaire que soixante ne font en France » (*C* 1668 : 802) ; choisies parmi bien d'autres, les sœurs Desaulniers vont, par exemple, malgré des interpellations réitérées, tenir un poste de commerce illégal à Caughnawaga pendant... vingt-cinq ans ! Denise Lemieux, dans *Les petits innocents. L'enfance en Nouvelle-France*, note que

> [à] mesure que le genre de vie colonial se différencie, que certains modes de comportement s'écartent des modèles européens, voyageurs et administrateurs vont porter des jugements sur les enfants canadiens qui s'apparentent aux premières perceptions des missionnaires sur les enfants amérindiens : on les trouve indépendants, indisciplinés. Certains, comme l'intendant Raudot, croient que leurs parents ont pour eux une folle tendresse, ne les corrigeant pas, imitant en cela

> les Indiens. Le père de Charlevoix écrit qu'on semble en ce pays respirer en naissant un air de liberté. La similitude des traits de caractère entre Canadiens et Indiens lui fait croire que l'indiscipline des jeunes gens au Canada tient « à l'exemple et à la fréquentation de ses habitants naturels, qui mettent tout leur bonheur dans la liberté et l'indépendance ». (171)

Des savoir-faire s'échangent, une acculturation réciproque, un métissage culturel s'opère en douceur, entre Amérindiennes et Françaises, puis entre Françaises ; mère de Saint-Joseph de Montréal « fit devant nous quelques boëtes sauvages, pour nous apprendre comment on travailloit en écorce » ; nos sœurs « s'y perfectionnerent si bien que, des l'année suivante, leurs ouvrages furent recherchez [...], de sorte que depuis ce tems la nous en avons vendu tous les ans » (*AHDQ* 1714 : 393). Les hospitalières soulignent les compétences et les habiletés des Canadiennes, appréciées « en Angletterre, aux Iles de l'Amérique et en France » :

> Il est vray que ce qu'elles [les personnes] y trouvent de plus admirable, c'est que des Canadiennes travaillent avec tant d'art et de propreté [...] elles ont de la peine a croire que les filles de ce païs cy ayent tant d'adresse. (*AHDQ* 1678 : 194)

Marie de l'Incarnation ne manque pas aussi de « faire voir qu'il y a des personnes d'honneur et de mérite en ce pays », telle Anne Gasnier, épouse de M. Bourdon, ancien procureur du roi, qui fonde à Québec « toutes sortes de bonnes œuvres » et acquiert la réputation de « mère des misérables » (*C* 1668 : 834) ; ou Élisabeth de Joybert, pensionnaire des ursulines, devenue madame de Vaudreuil, dont les hospitalières parlent en ces termes :

> Ses belles qualitées la firent préferer a plusieurs autres Dames pour être soûs gouvernante des Princes, les enfans de Monseigneur le Duc de Berry [...]. Il est glorieux à la Nouvelle France qu'une Dame née à l'Accadie et nourrie en Canada se soit fait admirer dans le centre même de la politesse, jusqu'à être choisie pour élever des Princes. (*AHDQ* 1714 : 399-400)[20]

« Si l'on considère qu'en Nouvelle-France les femmes jouaient un rôle actif dans la société, on n'est pas surpris que Vaudreuil ait choisi sa femme pour [surveiller ses intérêts et le défendre au besoin à Versailles] », note Yves F. Zoltvany dans la notice biographique qu'il a consacrée à Louise Élisabeth Joybert de Vaudreuil, épouse du gouverneur Philippe de Rigaud de Vaudreuil (*DBC* II : 312-313) ; son amitié avec Jérôme de Ponchartrain, le ministre de la Marine, et son intelligence politique assurent sa réussite :

> « Elle dispose de tous les emplois du Canada », écrivait Ruette d'Auteuil [...], « elle écrit de toutes parts dans les ports de mer des lettres magnifiques du bien et du mal qu'elle peut faire auprès de [Ponchartrain], elle offre sa faveur, elle menace de son crédit ; ce qu'il y a de plus certain [...] c'est qu'elle imprime beaucoup de terreur et qu'elle impose silence à la plupart de ceux qui pourraient parler contre son mari ». Denis Riverin, un autre mécontent, se plaignait en ces termes : « À présent tout est avily, et ce n'est plus qu'une femme qui règne tant présente qu'absente. »

La correspondance d'Élisabeth Bégon, épouse du gouverneur de Trois-Rivières, belle-sœur de l'intendant Michel Bégon, tante et amie du cultivé et clairvoyant Roland-Michel Barrin de La Galissonnière (gouverneur intérimaire de 1747 à 1749, en l'absence de La Jonquière), témoigne, certes, des jeux d'influence, mais surtout de son sens politique, de son discernement et de son esprit critique (contre l'intendant Bigot, par exemple...).

Lorsque Marie de l'Incarnation éprouvera le besoin de rédiger de nouvelles Constitutions pour le Canada, le climat et les conditions particulières du pays serviront d'arguments pour mieux faire accepter ses conceptions :

> Nous attendon par la première flotte nostre bulle de Rome, nous avons desjà celles de nos deux Congrégations, mais il nous en faut encore une particulière pour ce païs [...] il y a quelque chose qui ne s'y peut pas accommoder à la façon de France : le climat, les vivres et autres circonstances y sont entièrement différantes. (*C* 1664 : 229)

Prendre pays, c'est aussi prendre la plume. Les deux entreprises vont souvent de pair. Guy-Marie Oury estime que Marie de l'Incarnation a écrit environ 13 000 lettres qui, raccordant l'ancien au nouveau pays, ont contribué à la promotion et à la survie du monastère et de la colonie :

> Dans l'incommodité de mon mal habituel, je devrois toujours garder le lit et être dans l'inaction. Cependant je ne m'arrête pas un moment. Je suis la première levée et la dernière couchée, et il est rare que je prenne du repos. [...] Il y a quatre mois que j'écris continuellement des lettres et des mémoires pour nos affaires de France ; enfin je fais ma charge par la miséricorde de Dieu, quoique les affaires soient épineuses en ce païs. (*C* 1667 : 791)
> Il me semble que tout ce que je viens de dire répond suffisamment à vos questions, quoique j'écrive avec une grande précipitation, et que le tout soit mal arrangé : suppléez, je vous en prie, à mon défaut, car je suis une pauvre créature chargée d'affaires tant pour la France que pour cette Maison. Trois mois durant ceux qui ont des expéditions à faire pour la France, n'ont point de repos, et comme je suis chargée de tout le temporel de cette famille, qu'il me faut faire venir de France toutes nos nécessitez, qu'il m'en faut faire le payment par billets, n'y ayant pas d'argent en ce païs, qu'il me faut traitter avec des Mattelots pour retirer nos denrées, et enfin qu'il me faut prendre mille soins et faire mille choses [...]. Ne laissez pas pourtant de m'écrire à l'ordinaire, mais envoyez vos lettres de bonne heure, afin que je puisse prendre mon temps pour y satisfaire. (*C* 1649 : 377-378)

La dramatisation de la correspondance est souvent liée à l'arrivée des bateaux et au départ des derniers, avant le grand isolement de l'hiver[21]:

> [...] voillà qu'on va lever l'ancre. Je ne puis pas vous dilater mon cœur selon mon souhait. Je suis extrêmement fatiguée de la quantité de lettres que j'ay escrittes. Je croy qu'il y en a la valleur de plus de deux cens : il faut faire tout cela dans le temps que les vaisseaux sont icy. (*C* 1644 : 240)
> Je vous écris la nuit pour la presse des lettres et des vaisseaux qui vont partir. J'ay la main si lasse qu'à peine la puis-je conduire, c'est ce qui me fait finir en vous priant d'excuser si je ne relis pas ma lettre. (*C* 1643 : 202)
> Mon très-cher-Fils. Voici ma lettre d'adieu. Le vaisseau unique qui est retenu par force à notre port doit lever l'ancre Samedi prochain, ou Lundi au plus tard ; autrement il seroit contraint d'hiverner ici : La

terre est déjà couverte de nège, et le froid fort aigu, et capable de geler les cordages. (*C* 1669 : 867)

Les risques de perte, par naufrage ou capture ennemie, incitent aussi à multiplier les chances de lire et d'être lue :

> Je vous écris par toutes les voyes, mais comme mes lettres peuvent périr, je vous répéterai icy ce que je vous ai dit ailleurs [...]. (*C* 1668 : 801)
>
> Vous plaignez que vous n'avez pas reçu les amples lettres que je vous écrivois l'an passé. Mille lieues de mer et plus sont sujettes aux hazards, et tous les ans ce qu'on nous apporte, et ce qui repasse en France court la même risque. Je faisois réponse à tous les points de la vôtre, et [...] j'en feray une petite récapitulation. Mais afin que vous ne perdiez pas tout je vous en ay déjà écrit une partie par le premier vaisseau qui doit arriver en France un mois devant les autres, s'il arrive à bon port. (*C* 1643 : 183)
>
> Mon très-cher-Fils. Voici la troisième voye, par laquelle nous faisons sçavoir en France les nouvelles [...]. La première a été par la nouvelle Angleterre, et la seconde par les pêcheurs. J'estime ces deux voyes incertaines, parce qu'il se faut servir de quelques particuliers, qui venant ici avec des canots détachez de leurs grands navires, sont obligez de passer par des périls évidens, et avec eux les pacquets dont ils sont les porteurs. Je n'ai pas laissé de les tenter, afin de ne laisser passer aucune occasion de vous donner des témoignages de ce que je vous suis. (*C* 1651 : 412)

Après avoir acheté l'île aux Oies, les hospitalières décident de s'y rendre. Leur voyage, du 8 au 16 juillet 1714, donne lieu à de superbes descriptions :

> Nous arrivâmes a l'Ile aux Oyes le même jour, en une seule marée, d'un fort beau temps. Le premier coup d'œüil que nous jettâmes de loin sur cette Ile nous surprit et nous affligea, car elle paroissoit si petite, que nous ne la voyïons comme un petit bouquet de bois. [...] Cependant a mesure que nous en approchions elle grossissoit un peu a nos yeux, et enfin quand nous fûmes au debarquement nous découvrîmes des batures fort étenduës et de grandes prairies que la marée haute nous avoit cachées longtems. [...] La terre y est si fertile que tout y vient a merveille ; les legumes y sont meilleure qu'icy, et il y a

un suc dans les herbes qui donne un goût exquis a la viande qu'on y mange. (*AHDQ* 1714 : 394-395)

Cette île confirme symboliquement leur emploi en Nouvelle-France puisqu'elles y trouvent « un gros rocher, qui de tous tems a été nommé l'hopital », plein de « petites commoditées où l'on croiroit que l'art a plus de part que la nature », où les oies sauvages et les oiseaux blessés viennent se réfugier et se soigner « comme a un azile ou ils trouvent du soulagement » :

> On y voit quantité de bassins ronds de toutes grandeurs qui sont creusez dans ce roc ; l'eau de la marée s'y conserve, le soleil l'échaufe [...] ; elles se couchent sur ces pierres chaudes. Il y a aussy de la mousse ou elles peuvent se rafraichir. Nous y trouvâmes plusieurs outardes malades : les unes êtoient boiteuses, les autres avoient [les] aîles offensées ; elles nous reconnurent apparemment pour des Hospitalieres, car nous ne leur fîmes point de peur. Nous montâmes jusqu'au haut de cet hopital d'ou l'on decouvre une grande mer. (*Ibid.* : 395-396)

Le rocher symbolique de Marie de l'Incarnation, ce sont non seulement ses lettres et ses écrits spirituels, mais aussi ses dictionnaires qui le constituent :

> [...] je me suis résolue avant ma mort de laisser le plus d'écrits qu'il me sera possible. Depuis le commencement du Carême dernier jusqu'à l'Ascension j'ay écrit un gros livre Algonquin de l'histoire sacrée [...] un Dictionaire et un Catéchisme Hiroquois, qui est un trésor. L'année dernière j'écrivis un gros Dictionnaire Algonquin à l'alphabet François ; j'en ai un autre à l'alphabet Sauvage. (*C* 1668 : 801)

Prendre pays, c'est aussi prendre langue, traduire d'une langue à une autre, se traduire autre. Sensible à la saveur des mots, Marie de l'Incarnation émaille parfois ses « *massinahigan* » – ses lettres – de mots et de phrases en amérindien. Dès 1640, elle commence une lettre par deux lignes en huron :

> Ni-Misens, cridek dasa dapicha entaien aiega eapitch Khisadkihira-ridiKhidaparmir, sduga diechimir. Ni-Misens, miditchKasasadkihatch Dieu, Kihisadkihir. Voilà qui m'est échapé. C'est à dire en notre

> langue : Ma Sœur encore que vous soiez bien loin, néanmoins je vous aime toujours, plus que si je vous voiois. [...] Il me falloit faire cette petite saillie avec ma chère Sœur Gillette [...]. Il faut que je vous avoue qu'en France je ne me fusse jamais donné la peine de lire une histoire ; et maintenant il faut que je lise et médite toute sorte de choses en sauvage. Nous faisons nos études en cette langue barbare comme font ces jeunes enfans qui vont au Collège pour apprendre le Latin. (*C* 1640 : 108)

Ce qui n'empêche point son indéfectible attachement à la langue maternelle, à la culture et au pays d'origine : « C'est avec un extrême contentement que j'ay recu votre lettre en ce bout du monde où l'on est sauvage toute l'année, sinon lorsque les vaisseaux sont arrivez que nous reprenons notre langue Françoise. » (*C* 1640 : 102)

La connaissance des langues des autochtones constitue pour les religieuses une revanche sur la clôture et la mobilité de leurs confrères, un gain sur l'espace et le nomadisme : deux Hurons, ravis d'entendre « Mère Marie de saint Joseph qui sçait la langue Huronne », ne peuvent « comprendre comment une personne qui n'a jamais été en leur païs put parler leur langue » (*C* 1642 : 165), et les hospitalières précisent que l'habitude d'entendre les Sauvages leur donnait de la facilité dans la pratique de la langue, « de sorte que nous les instruisions comme des Missionnaires, et nos peines ne furent pas inutiles » *(AHDQ* 1645 : 52).

Après le terrible hiver de 1670, un peu de nostalgie mêlée de résignation étreint cependant Marie de l'Incarnation, consternée par la mort des arbres fruitiers, les avancées et les reculs sur l'adversité, la nature :

> Tous les hivers sont fort froids en ce païs, mais le dernier l'a été extraordinairement, tant pour sa rigueur que pour sa longueur, et nous n'en avons point encore expérimenté un plus rude. Tous nos conduits d'eaux ont gelé, et nos sources ont tari, ce qui ne nous a pas donné peu d'exercice. Au commencement, nous faisions fondre la nège pour avoir de l'eau, tant pour nous que pour nos bestiaux ; mais il en falloit une si grande quantité que nous n'y pouvions suffire. Il nous a donc fallu résoudre d'en envoier quérir au fleuve avec nos bœufs qui en ont été presque ruinez à cause de la montagne qui est fort droite et glissante. Il y avoit encore de la glace dans notre jardin

> au mois de Juin : nos arbres et nos entes qui étoient de fruits exquis en sont morts. Tout le païs a fait la même perte, et particulièrement les Mères hospitalières qui avoient un verger des plus beaux qu'on pourroit voir en France. Les arbres qui portent des fruits sauvages ne sont pas morts ; ainsi Dieu nous privant des délicatesses, et nous laissant le nécessaire, veut que nous demeurions dans notre mortification, et que nous nous passions des douceurs que nous attendions à l'avenir. Nous y sommes accoutumées [aux rigueurs] depuis trente et un an que nous sommes en ce païs, en sorte que nous avons eu le loisir d'oublier les douceurs et les délices de l'ancienne France. (*C* 1670 : 877-878)

Prend-on, reprend-on jamais vraiment pays ? La Montréalaise Élisabeth Bégon idéalisera la France au point de quitter son Canada natal et de faire, en sens inverse, le voyage effectué par nos religieuses. Sa désillusion sera grande : « Il paraît que je ne sais point la façon dont on doit vivre et que je ne suis qu'une Iroquoise. Je ne dis mot [...]. Je sens qu'il y a de la jalousie de toute façon. » (*LCF* 1750 : 154) Elle ne s'adaptera jamais à cette France qui – outre la douloureuse absence de ce gendre trop aimé qui, malgré ses promesses, ne l'y rejoindra jamais – lui paraît moins douce que prévu... Ses descriptions et ses plaintes, à propos du froid et des maisons par exemple, peuvent être aisément comparées à celles des missionnaires du début de la colonie en Nouvelle-France, amertume en plus :

> [...] j'ai eu grand froid malgré tous les feux que j'ai faits, mais ce sont des maisons de boue et de crachats où le vent passe au travers de tous les murs. J'ai brûlé pour plus d'argent de bois qu'en Canada et je n'y ai pas eu aussi chaud. (*LCF* 1750 : 189)

Ce qui lui tient le plus à cœur, c'est d'écrire sa correspondance, sous forme de journal : neuf cahiers de lettres reliées par des rubans, expédiés par vaisseau, bien enveloppés de toile cirée, vers son « cher fils », en Louisiane. Sa grande considération à l'égard de son pays d'origine, le Canada – « je me regarde toujours de ce pays » (294), « cette chère patrie que j'ai souvent occasion de regretter », dit-elle (309) – et l'appréciation de ses avantages sur la France sont maintes fois exprimées : « Bonjour, cher fils. Je suis toute déroutée. Je ne sais à qui m'adresser pour avoir une bonne plume. Je crois que j'enverrai en Canada pour me la tailler et pour apprendre quelque chose de joli à te dire, car c'est la plus grande pitié du monde ici. » (171) ; « ici c'est une pitié : ils n'ont que leur noblesse et leurs seigneuries en tête, et d'une hauteur insupportable [...] ce qui déplaît fort à mon cher père qui aime la vie simple et unie » (209-210).

Dans le sillage des vaisseaux de l'Atlantique, entre l'ancienne et la nouvelle France et à presque un siècle de distance, les lettres de Marie Guyart de l'Incarnation et d'Élisabeth Bégon se croisent symboliquement. Ces lignes encrées de l'écriture et de l'identité, du cœur et de l'imaginaire, constituent pour nous aujourd'hui de précieuses nacelles d'espace et de temps, des témoins émouvants du déracinement et de l'enracinement, entre espérance et désespérance, désenchantement et réenchantement.

NOTES

[1] Comme le récit de la traversée de l'Atlantique (de la collision évitée de justesse avec un iceberg, etc.), de la remontée du Saint-Laurent et de l'arrivée à Québec par Cécile Richer de Sainte-Croix (Appendice *C* 1639 : 951-960), ou celui, nous le verrons au chapitre 13, de Marie-Madeleine Hachard, entre la France et la Louisiane.

[2] Cécile de Sainte-Croix précise cependant que leur maison est « [...] sise sur le bort du grand fleuve. Nous avons la plus belle veue du monde. Sans sortir de nostre chambre, nous voions ariver les navires qui demeurent toujours devant notre maison, tout le temps qu'ils sont icy » (*C* 1639 : 956).

[3] « Marie de l'Incarnation s'intéressait profondément non à la *différence* entre Amérindiens et Français mais à leur *similitude* », note Natalie Zemon Davis dans *Juive, catholique et protestante. Trois femmes en marge au XVIIe siècle*, Paris, Seuil, 1997, p. 132.

[4] « Cependant, voyant que malgré le soin que nous avions de changer souvent de linge nous êtions toujours fort sales et que d'ailleurs nous ne pouvions qu'avec de grandes fatigues faire des lexives [...] nous prîmes le party de teindre nos robbes parce qu'on ne trouvoit point dans ce paÿs d'étoffe brune. On prit donc de l'écorce de noyer avec du bois d'inde que l'on mit boüillir ensemble ;

cela fit une espece de teinture toute semblable a la couleur des ramoneux. » (*AHDQ* 1642 : 42)

[5] À une autre ursuline de Tours : « [...] vous y êtes connue comme si vous y étiez, car l'on vous y tient pour Canadoise. Adieu pour cette année » (*C* 1668 : 817).

[6] Gervais Carpin, dans *Histoire d'un mot. L'ethnonyme Canadien de 1535 à 1691*, Sillery, Septentrion (Les Cahiers du Septentrion, 5), 1995, p. 130.

[7] Il s'agissait d'Anne Compain et d'Anne de Lézenet.

[8] « Vous nous avez veu trois Religieuses qui ont eu l'honneur de faire le voiage en votre compagnie, aujourd'huy nous sommes vingt, et nous en demandons encore en France », écrira-t-elle pourtant au père Poncet en 1667 (*C* : 783), et à la supérieure des ursulines de Saint-Denis, l'année suivante : « Mais nous voions bien que pour maintenir l'esprit religieux en ce païs il nous y faudra toujours avoir des Religieuses de France. C'est pourquoi, ma très-chère Mère, nous nous adressons à vous dans les occasions. » (*C* 1668 : 822)

[9] La première religieuse canadienne est l'hospitalière de l'Hôtel-Dieu de Québec Marie Françoise Giffard de Saint-Ignace, décédée le 15 mars 1657, à 23 ans. « C'est la premiere canadienne qui se soit consacrée a Dieu par la profession Religieuse. » (*AHDQ* 1657 : 94)

[10] Dom Albert Jamet précise que la rédaction primitive portait : « On crut ne devoir point faire cet affront à Monseigneur, et pour éviter l'éclat que ce retour aurait fait, on conclut »...

[11] On lira avec profit, de Herman Viola et Carolyn Margolis, *Seeds of Change*, Washington, Smithsonian Books, 1991 et de Louise Côté, Louis Tardivel et Denis Vaugeois, *L'Indien généreux. Ce que le monde doit aux Amériques*, Montréal, Boréal, 1992.

[12] Tout en avouant qu'on les gagne « à la faveur d'un apas matériel », qu'il s'agit d'un « hameçon de la foi », mais qu'on doit les apprivoiser et ne pas dissocier les « réfections corporelles » de la « réfection spirituelle » (*C* 1644 : 224).

[13] Les hospitalières indiqueront que les travaux de fortification de Québec, entre 1700 et 1710, détourneront les ruisseaux et assécheront les sources, leur causant beaucoup de tort et de nouvelles dépenses.

[14] Arrivé avec le régiment de Carignan en 1665, il avait épousé en 1668 Jeanne Couillard qui héritait de l'île aux Oies.

[15] Voir, entre autres ouvrages, *L'Histoire des femmes au Québec* du Collectif Clio, chap. I-IV ; le *Dictionnaire biographique du Canada,* outre les biographies de nos écrivaines et missionnaires, plusieurs notices concernant des femmes d'affaires de la Nouvelle-France : telles Agathe de Saint-Père-Legardeur de Repentigny, femme avisée et inventive, qui rachète des tisserands anglais, fonde une entreprise de tissage et fait connaître le sirop d'érable ; Louise de Ramezay qui dirige un moulin, des scieries et des tanneries ; Marie-Anne Barbel-Fornel, commerçante de Québec, etc ; *Ces femmes qui ont bâti Montréal,* Montréal, Éditions du remue-ménage, 1994.

[16] « New France : les femmes favorisées », *Atlantis,* 2, printemps 1981, p. 80-98. Voir aussi *Les femmes de la Nouvelle-France,* Ottawa, Société historique du Canada (Brochure historique, 59), 1998, et la bibliographie qui suit.

[17] La meilleure étude sur le sujet est celle d'Yves Landry, *Les Filles du roi au XVIIe siècle. Orphelines en France, pionnières au Canada,* suivi d'un répertoire biographique des Filles du roi, Montréal, Leméac, 1992.

[18] Pehr Kalm, Louis Franquet, François-Xavier de Charlevoix sont de ceux-là.

[19] Voir le *Dictionnaire biographique du Canada,* t. III : 308-313 ; Diane Gervais et Serge Lusignan : « De Jeanne d'Arc à Madeleine de Verchères. La femme guerrière dans la société d'ancien régime », *RHAF* (automne 1999), p. 171-205.

[20] Dom Jamet, en note de bas de page, précise que « le témoignage de Mgr de Saint-Vallier qui l'avait vue à la cour est moins favorable : elle y prenait, disait-il, les airs "d'une dame qui peut tout..., et à qui on ne refuse rien" [...]. Son influence y était assez réelle, en effet, et il semble bien qu'en plusieurs circonstances elle y rendit inutiles les plaintes justifiées de l'évêque ».

[21] Le départ des bateaux rythme la vie de la colonie au point que François Dollier de Casson choisit de commencer chaque année de son *Histoire du Montréal. De 1640 à 1672* à ce moment-là : « Depuis le départ des vaisseaux du Canada pour la France dans l'automne de l'année 1641 jusqu'à leur départ du même lieu pour la France dans l'automne 1642. » Lire Jane E. Harrison, *Adieu pour cette année. La correspondance au Canada 1640-1830,* Musée canadien de la poste et XYZ éditeur, 1997.

Chapitre 4

Humbles et héroïques

On ne peut qu'être sensible aux motivations et aux stratégies argumentatives des femmes – des femmes missionnaires en particulier –, au contraste entre affirmation et effacement de soi, entre fierté et humilité. L'alternance entre ces deux pôles est moins le signe d'une contradiction que d'une élaboration dialectique, un jeu de balançoire rhétorique ; l'excès d'humilité était le levier autorisé de l'affirmation de soi : elles se rabaissaient d'abord, pour mieux oser ensuite s'exprimer ou favoriser leurs projets. Ainsi, si vous lisez sous la plume de Marie de l'Incarnation qu'elle est « une foible et imbecille créature » (*C* : 373), « un ver de terre » (*C* 1653 : 516), ou le « plus chétif instrument qui soit sous le Ciel » (81), si elle s'excuse de « la petite capacité de [son] sexe » (156), ne vous laissez pas tromper par la rhétorique de « la modestie affectée » ou de l'infinie humilité imposée par des institutions misogynes ou sexistes, tournez plutôt quelques pages et écoutez-la parler des « ressorts inconcevables » « que la nature cache en soy », ou de sa force au-delà des stéréotypes de sexes :

> Je vous assure qu'il me faut un courage plus que d'homme pour porter les Croix qui naissent à monceaux tant dans nos affaires particulières, que dans les générales du païs, où tout est plein d'épines. (*C* 1652 : 485)

Ses propos font écho à ceux de Thérèse d'Avila[1]:

> Ce sont là des manières de femmes, et je ne voudrais pas, mes filles, que vous le soyez en quoi que ce soit, ni que vous le paraissiez, mais des hommes forts ; si vous faites, vous, ce que vous devez, le Seigneur vous rendra si viriles que les hommes en seront ébahis. (*Le Château intérieur* 1577 : 390)[2]

Ces mystiques « bioniques » semblent... « en toute modestie »... prêtes à tout ! Marie de l'Incarnation, qui n'imagine guère qu'une âme appelée dans la voie de la perfection n'y marche pas « à pas de Géant » (*C*: 561), nous brosse un tempérament digne des grands missionnaires et des globe-trotters :

> Mon corps était dans notre monastère, mais mon esprit [...] ne pouvait être enfermé. [...] Cet Esprit me portait en esprit dans les Indes, au Japon, dans l'Amérique, dans l'Orient, dans l'Occident, dans les parties du Canada et dans les Hurons, et dans toute la terre habitable [...]. Je me promenais en esprit dans ces grandes vastitudes et j'y accompagnais les Ouvriers de l'Évangile [...]. (*R 1654* : 198-199)
> Pour moy, je vous le dis franchement, je n'ay peur de rien, et quoy que je sois la plus misérable du monde, je suis prête et me sens dans la disposition d'aller aux extrémitez de la terre, quelques barbares qu'elles soient. (*C* 1648 : 356)
> Vous direz, je m'assure, que je ne suis pas sage, d'avoir à l'âge de cinquante trois ans les sentimens que je vous déclare. Mais pensez ce qu'il vous plaira ; si l'on me disoit, il faut maintenant partir pour aller aux Indes, ou à la Chine, [...] me voilà prête [...]. (*C* 1653 : 507)

Le plus souvent contraintes par leurs institutions à garder la clôture[3], bien des religieuses n'hésitent pas à dire qu'elles se sentent et se veulent nomades. Marguerite Bourgeois et ses compagnes – Filles « séculières » de la Congrégation de Notre-Dame, sans approbation de Rome, ni clôture ni vœux solennels – affirment « aim[er] mieux être vagabondes que d'être cloîtrées » (*ÉMB* : 81) : à partir de Montréal, elles se rendront « à cheval, en canot ou à pied » dans les habitations disséminées le long du Saint-Laurent. Les premières hospitalières de l'Hôtel-Dieu de Montréal « n'étoient alors ni guimpées ni voilées », précisent les hospitalières de Québec (*AHDQ* 1659 : 108). Les premiers évêques essaieront, en vain, d'intégrer les nouvelles communautés de Montréal à celles de Québec et les rivalités Montréal /

Québec, séculières / régulières, ont longtemps perduré... En 1671, Marie de l'Incarnation tenait ces propos à l'une de ses consœurs de Tours :

> Si vous sçaviez ce que c'est que Montréal, vous n'auriez garde d'y envoier des Religieuses, et quand vous le voudriez, Monseigneur notre Évêque n'auroit garde de le permettre, sur tout a de nouvelles venues, et qui ne seroient pas encore faites au païs [...]. Mais nous ne serons pas en cette peine, parce que Messieurs de saint Sulpice[4], qui en ont la conduite, n'y veulent que des Filles Séculières, qui aient la liberté de sortir, pour aller ça et là, afin de solliciter et d'aider le prochain. (*C* : 936)

Pour défendre leurs points de vue et faire réussir leurs projets, Jeanne Mance effectuera trois traversées de l'Atlantique et Marguerite Bourgeois, sept.

L'esprit de valorisation des capacités des femmes va, en Nouvelle-France, s'aiguiser au contact des cultures amérindiennes. Les religieuses font des Sauvagesses un portrait plutôt inusité : elles apparaissent comme des modèles dignes d'être copiés, voire des figures héroïques. Les femmes missionnaires les présentent avec fierté comme des femmes interprètes, prédicateures, médecins, ambassadrices de la paix, qui remplissent avec succès des fonctions traditionnellement réservées aux hommes. Paul Le Jeune tente d'imposer aux Amérindiennes les règles, les coutumes et les normes de comportement en vigueur en France... tandis que Marie Guyart de l'Incarnation repère chez elles un statut et des pratiques enviables. Ainsi, quand Le Jeune retient d'abord le désir de s'évangéliser et de se franciser des Iroquoises, Marie de l'Incarnation les perçoit expressément comme des « capitainesses »,

> des femmes de qualité parmi les Sauvages qui ont voix délibérative dans les Conseils, et qui en tirent des conclusions comme les hommes, et même ce furent elles, ajoute-t-elle, qui déléguèrent les premiers Ambassadeurs pour traiter de la paix. (*C* 1654 : 546)

L'anthropologue Norman Clermont, dans son article « La place de la femme dans les sociétés iroquoiennes de la période du contact », précise que les Iroquoiennes « qui possèdent les enfants [...] leur donnent leur identité clanique », qu'elles négocient les mariages et que

> [d]ans cette société sans viol (Bonvillain 1980 : 53), la femme devenait maîtresse des relations sexuelles (Sagard 1939 : 336) et ses fonctions reproductrices étaient très valorisées. C'est la raison pour laquelle on préférait la naissance des filles (Thwaites 1898, XV : 182) et pour laquelle le prix de la vie d'une femme victime de meurtre était plus élevé que celui de la vie d'un homme (Ragueneau 1972, IV : 80). (Clermont : 287)

Marie de l'Incarnation donne clairement sa position au sujet du viol et loue sur ce point la culture iroquoise :

> Pour l'hostilité des Hiroquois, ce n'est pas ce qui nous retient : Il y en a qui regardent ce païs comme perdu, mais je n'y voy pas tant de sujet d'appréhender pour nous, comme l'on me mande de France que les personnes de notre sexe et condition, en ont, d'appréhender les Soldats françois. Ce que l'on m'en mande me fait frémir. Les Hiroquois sont bien barbares, mais assurément ils ne font pas aux personnes de notre sexe les ignominies qu'on me mande que les François ont faites. Ceux qui ont habité parmi eux m'ont assuré qu'ils n'usent point de violence, et qu'ils laissent libres celles qui ne leur veulent pas acquiescer. (*C* 1652 : 483)

Norman Clermont cite Joseph-François Lafitau[5], « l'un des premiers à produire une ethnographie de la femme iroquoienne après avoir vécu 5 ans avec eux » :

> [Rien n'est cependant plus réel que cette supériorité des femmes.] C'est dans les femmes que consiste proprement la Nation, la noblesse du sang, l'arbre généalogique, l'ordre des générations, & la conservation des familles. C'est en elles que réside toute l'autorité réelle : le païs, les champs & toute leur récolte leur appartiennent ; elles sont l'âme des conseils, les arbitres de la paix & de la guerre : elles conservent le fisc et le trésor public : c'est à elles que l'on donne les esclaves : elles font les mariages, les enfans sont de leur domaine, & c'est dans leur sang qu'est fondé l'ordre de la succession. Les hommes au contraire sont entièrement isolés & bornez à eux-mêmes, leurs enfants leur sont étrangers, avec eux tout périt, une femme seule relève la

> cabane [...] quoique par honneur on choisisse parmi eux les Chefs, que les affaires soient traitées par le Conseil des anciens, ils ne travaillent pas pour eux-mêmes ; il semble qu'ils ne soient que pour représenter & pour aider les femmes [dans les choses, où la bienséance ne permet pas qu'elles paraissent et qu'elles agissent] (Lafitau 1724 : I. 71-72). (Clermont : 289)[6]

Marie de l'Incarnation décrit à son fils les activités des vaillantes femmes et filles amérindiennes, qui suivent les hommes à la chasse, écorchent les bêtes, passent les peaux, boucanent les chairs et le poisson, coupent tout le bois, « canotent comme les hommes », et conclut : « Jugez de là, s'il est aisé de les changer après des habitudes qu'ils contractent dès l'enfance, et qui leur sont comme naturelles. » (*C* 1668 : 828-829) Elle estime que « [l]a vie sauvage leur est si charmante à cause de sa liberté, que c'est un miracle de les pouvoir captiver aux façons d'agir des François qu'ils estiment indignes d'eux [...] » (*ibid.* : 828)[7]. Elle affirme qu'il est plus aisé de s'ensauvager que de se franciser[8] et ose faire part d'un sentiment, puis d'un constat – lucide mais sans amertume –, celui de l'échec de la francisation et de l'évangélisation. Des Amérindiennes résistantes apparaissent au fil de ses lettres, à l'image de la « vieille Hiroquoise qui se bouche les oreilles pour ne point entendre un Jésuite qui la veut instruire » (*C* 1669 : 840)[9] :

> Une femme des plus anciennes et des plus considérables de cette nation [huronne] harangua dans une assemblée en cette sorte : Ce sont les Robes noires qui nous font mourir par leurs sorts ; Écoutez-moi, je le prouve par les raisons que vous allez connoître véritables. Ils se sont logez dans un tel village où tout le monde se portoit bien, si-tôt qu'ils s'y sont établis, tout y est mort à la réserve de trois ou quatre personnes. Ils ont changé de lieu, et il en est arrivé de même. Ils sont allez visiter les cabanes des autres bourgs, et il n'y a que celles où ils n'ont point entré qui aient été exemptes de la mortalité et de la maladie [...] Ne voyez-vous pas bien que quand ils remuent les lèvres, ce qu'ils appellent prière, ce sont autant de sorts qui sortent de leurs bouches ? il en est de même quand ils lisent dans leurs livres. [...] Si l'on ne les met promptement à mort, ils achèveront de ruiner le païs, en sorte qu'il n'y demeurera ni petit ni grand. Quand cette femme eut cessé de parler, tous conclurent que cela étoit véritable, et qu'il falloit apporter du remède à un si grand mal. (*C* 1640 : 117-118)[10]

Quelques rares Européennes, séduites par la vie et la société sauvages, feront un choix inusité, comme Eunice Williams – fille d'un pasteur, enlevée en 1704 lors de la bataille de Deerfield, en Nouvelle-Angleterre – qui choisira d'épouser un Iroquois[11].

Entre les Françaises et les Amérindiennes, les religieuses et leurs élèves, des savoirs et des pratiques s'échangent sous forme d'émulation, de valorisation mutuelle, de reconnaissance parfois :

> [...] je rapporteray les services que deux François qui sortoient du païs des Iroquois reçurent d'une Sauvagesse qui vouloit imiter les Hospitalieres qu'elle avait vuës dans sa jeunesse. [...] elle nétoya leurs playes, qui êtoient toutes corrompuës [...] alla même chercher des racines médecinales [...]. Enfin, elle n'omit rien de tout ce qu'auroit pû faire un sçavant et charitable chirurgien. (*AHDQ* 1664 : 132, 135)

Angélique, cette ancienne pensionnaire des ursulines qui fera « l'office d'Apôtre aux Attikamek » (*C* 1643 : 181), comblera Marie de l'Incarnation : elle est la contrepartie féminine valorisée de l'ouvrier évangélique en mission volante.

Les hospitalières occupent volontiers le devant de la scène : l'épisode du père Bressani – emmené par les Iroquois, les entendant évoquer leur projet de capturer des « filles blanches de Sillery », l'écrivant sur une écorce que trouve un Huron qui a heureusement échappé aux Iroquois, qui l'apporte diligemment au gouverneur de Montmagny, qui réunit les anciens du pays et les révérends pères jésuites pour savoir comment protéger les hospitalières – est digne d'un bon scénario (*AHDQ* 1644 : 48). À noter aussi, l'attitude frondeuse des hospitalières lors de l'attaque de Québec par Phipps en 1690 : « [...] les boulets tomboient sur nôtre terrain en si grand nombre, que nous en envoyâmes jusqu'à trente six en un jour a ceux qui avoient soin des batteries de Quebec pour les renvoyer aux Anglois. Plusieurs de nos religieuses penserent en être tuées, parce qu'ils passoient tout proche d'elles et tomboient quelquefois a leurs pieds » (*AHDQ* 1690 : 253). Elles sont promptes à la critique, « on fit des retranchements avec des bariques pleines de pierres qui auroient tué plus de monde, si le canon eût donné dedans, qu'elles n'en auroient sauvé » (*ibid.* : 247), décrivent avec humour, comme nous le verrons plus loin, la rencontre de Frontenac avec l'envoyé de Phipps, et ne manquent pas de valoriser les laïques de Québec :

> La ville étoit disposée d'une maniere que les chemins qui conduisoient aux églises êtoient vus de la rade, de sorte qu'a plusieurs heures du jour on voyoit des processions d'hommes et de femmes aller ou le son des cloches les invitoit. [...] Cette assurance que les citoyens de Quebec faisoient paraître les desoloit ; ils s'etonnoiient de ce que les femmes osoient sortir, et ne pouvoient s'empêcher de faire voir que nos devotions ne leur plaisoient pas trop. (*AHDQ* 1690 : 255)

Dans la biographie qu'il lui a consacrée, le père Ragueneau rapporte que Catherine de Saint-Augustin lisait volontiers dans sa jeunesse des romans de chevalerie (ce qui était aussi le cas de Thérèse d'Avila).

Le questionnement des rôles de sexe apparaît aussi dans la langue : les religieuses n'hésitent pas à s'identifier comme « amazones », « amazones de Dieu », « amasonne crestienne » (Jeanne Mance, *AHDM*: 46), « famme forte de l'évangile » (Marguerite Bourgeoys, *AHDQ*: 65), à féminiser des mots (« apôtre », « pélerine », « séminariste », « médecine », « pharmatienne », « apoticairesse », « bâtisseuse » ou « capitainesse », par exemple) et à adopter une identité symbolique androgyne. Les indices de transgression des genres sont plus évidents du côté des femmes (amenées dans certaines circonstances – guerre, colonisation, etc. – à assumer des tâches et des métiers d'hommes, des fonctions, des attitudes et des valeurs dites masculines, idéologiquement plus valorisées et valorisantes). À l'inverse, dans les discours masculins, certaines représentations décrivent et valorisent des comportements considérés traditionnellement comme féminins, révélant une certaine « tentation du feminin ». À ce titre, nous avons déjà noté l'ouverture et la sensibilité de Gabriel Sagard aux activités et aux valeurs féminines et remarqué combien l'arrivée des religieuses à Québec dérangeait et troublait Paul Le Jeune... au point de faire naître dans ses discours un réseau de métaphores maternantes. Sensibilité et émotions mêlées affleurent souvent : comme dans ce récit de Le Jeune, assailli en plein hiver par des chiens attirés par l'odeur des peaux d'anguille qui rapiècent sa soutane, et qui, de peur, se précipite dans une pente dangereuse ; enfin sauf, il rit de soulagement et renoue, sa soutane-toboggan entourée autour de lui, avec le plaisir des glissades de son enfance ! À ma connaissance, pas de témoignage direct cependant de l'évêque de Saint-Vallier, extrêmement contrarié par la résistance des hospitalières de l'Hôtel-Dieu de Québec à son projet d'Hôpital-Général :

> Monseigneur de Quebec apprit ces nouvelles avec un déplaisir tres sensible. Il vint icy nous témoigner sa douleur avec des expressions si touchantes et un maintien si affligé qu'il nous consterna, car, avec ses manieres insinuantes et son air affectif, il pleuroit d'une telle abondance, que nous ne pouvions retenir nos larmes. Il prit la résolution de passer en France pour soliciter luy même les affaires de sa Maison. (*AHDQ* 1700 : 297)

Comme les historiennes du collectif Clio l'ont bien indiqué,

> [l]a Nouvelle-France a donc représenté, pour certaines Françaises du XVIIe siècle, un lieu privilégié pour l'expression de l'autonomie et de l'initiative. Femmes de la noblesse ou de la bourgeoisie, religieuses ou laïques, ces femmes ont trouvé en Amérique un milieu neuf, sans traditions contraignantes et un cadre de vie qui sollicitait toutes les énergies disponibles. Aussi longtemps que la colonie s'est trouvée dans un état de sous-développement, les femmes ont donc bénéficié d'une relative indépendance. (Clio 1992 : 59)

Ian Noël envisage d'ailleurs à juste titre les religieuses moins comme des héroïnes que comme des « leaders », de véritables entrepreneures :

> Thus the great religious revival of the seventeenth century endowed New France with several exceptionally capable, well-funded, determined leaders imbued with an activist approach to charity and with that particular mixture of spiritual ardour and wordly *savoir-faire* that typified the mystics of that period. The praises of Marie de l'Incarnation, Jeanne Mance, and Marguerite Bourgeoys have been sung so often as to be tiresom. Perhaps, though, a useful vantage point is gained if one assesses them neither as saints nor heroines, but simply as leaders. In this capacity, the nuns supplied money, publicity, skills, and settlers, all of which were needed in the colony. (« Les femmes favoriséees », *op. cit.* : 37)

Les religieuses ont en effet implanté et établi leurs communautés dans une relative indépendance puisque le premier évêque, monseigneur de Laval, ne devait arriver que vingt ans plus tard, soit en 1659. Marie de l'Incarnation défend ses valeurs et ses convictions, des pratiques et des idées neuves, dans un pays neuf. Elle entreprend de rédiger de nouvelles constitutions en tenant compte du climat et des conditions particulières et en trouvant un *modus vivendi* entre les règles de Tours et celles de Paris. Dans ce dossier, véritable affaire des Constitutions, elle doit, dans un premier temps – de 1639 à 1647 –, défendre sa vision d'une union de deux congrégations, contre les ursulines de Paris et leurs alliés. Elle confie à sa supérieure de Tours que cela se fit au prix de « peines qui ne sont pas imaginables pour soutenir notre droit, quoy que chacun crût chercher Dieu et luy rendre un grand service » (*C* 1656 : 574). Si elle prétend n'avoir « jamais eu de picques ni de prises » avec ses consœurs, les tractations se révèlent difficiles et les démêlés avec leurs « avocats », éprouvants :

> Je portois tous les coups, car notre chère compagne étant jeune, on croioit que quand je serois abbatue, on en viendroit facilement à bout. [...] Ce fut en cette rencontre qu'il me fallut soutenir un grand combat, et faire voir que je n'étois pas si flexible en un point si important qu'on se l'étoit imaginé. Je me comporté dans tous les respects possibles, mais toujours avec vigueur et fermeté [...]. [On ne voulait pas] nous contraindre ouvertement dans les choses qui nous eussent fait tort : Mais par sous main j'en étois pressée par diverses persuasions, qui m'étoient plus pénibles et crucifiantes qu'une violence manifeste [...] avoir des démêlez avec des saints pour qui l'on a toute la créance et toute l'affection possible ; ne pas acquiescer à leurs raisons capables d'ébranler à cause de leur solidité ; en un mot, se voir dans un état actuel et dans une obligation précise de leur résister, c'est une croix nonpareille et d'un poids insupportable [confie Marie de l'Incarnation qui ajoute qu'il en] fallut néanmoins venir là, et faire de petits Réglemens dans une juste égalité en attendant une personne qui nous pût aider à passer plus avant, n'en voiant pas ici de propres pour le faire. (*C* 1656 : 576-577)

Ce diplomate, cet allié précieux qui lui fut, dit-elle, « un autre Dom Raimond » (son confesseur et ami de Tours), ce sera le jésuite

Jérôme Lalemant : il l'aidera à préciser et à rédiger les premières Constitutions, celles de 1647, puis, après l'arrivée de monseigneur de Laval, à les défendre, de 1660 à 1662. La lettre du 13 septembre 1661, adressée à la supérieure des ursulines de Tours, est digne des meilleurs morceaux d'anthologie :

> Il paroît par votre grande lettre que nous ayons de l'inclination à changer nos Constitutions. Non, mon intime Mère nous n'avons nulle inclination qui tende à cela. Mais je vous dirai que c'est Monseigneur notre Prélat qui en a quelque envie, ou du moins de les bien altérer [...] [il a fait faire un abrégé de nos Constitutions] selon son idée, dans lequel laissant ce qu'il y a de substanciel, il retranche ce qui donne de l'explication et ce qui en peut faciliter la pratique. Il y a adjouté en suite ce qu'il luy a plu, en sorte que cet abrégé, qui seroit plus propre pour des Carmélites ou pour des Religieuses du Calvaire [...] ruine effectivement notre constitution. [...] Il nous a donné huit mois ou un an pour y penser. Mais, ma chère Mère, l'affaire est déjà toute pensée et la résolution toute prise : nous ne l'accepterons pas si ce n'est à l'extrêmité de l'obéissance. Nous ne disons mot néanmoins pour ne pas aigrir les affaires ; car nous avons à faire à un Prélat, qui étant d'une très-haute piété, s'il est une fois persuadé qu'il y va de la gloire de Dieu, il n'en reviendra jamais, et il nous en faudra passer par là, ce qui causeroit un grand préjudice à nos observances. Il s'en est peu fallu que notre chant n'ait été retranché. (*C* 1661 : 652-653)

Lorsque, le 21 juillet 1662, Mgr de Laval approuve les Constitutions, elles ne sont pas, comme tentait de le croire Marie de l'Incarnation, définitives, puisqu'il ne le fait qu'en tant que vicaire apostolique... Marie Guyart de l'Incarnation allait mourir le 30 avril 1672... L'année précédente, elle avait cependant dû écrire à une de ses consœurs pour lui « ôter l'impression qu'on [lui] a donnée, que l'on préfère la Congrégation de Paris à [celle] de Tours » et ajouter :

> Pour une plus grande preuve de tout ce que je vous viens de dire, celles qui nous sont venues, se mirent à genoux dès le premier jour de leur arrivée, pour demander notre habit [...]. Elles ont ensuite embrassé à l'aveugle toutes nos Coutumes, quoi qu'elles soient beaucoup différentes de celles de leur congrégation. (*C* 1671 : 936-937)

En 1670, elle écrivait – sans doute pour se rassurer et assurer son autorité – à la supérieure des ursulines de Mons :

> L'on n'imprime point encore en ce pays. Il nous a faillu faire des règlemans convenables pour ce lieu, qui ne sont qu'à la main. Mgr nostre prélat qui est vicaire apostolique les a aprouvez ; c'est comme si Rome y avoit passé. De la mesme auctorité, il a aprouvé nostre establissement en Canada. (*C* 1670 : 883)

C'est en 1674 que le diocèse de Québec sera érigé. En 1681, l'évêque pourra, en toute autorité, résoudre le problème des bulles pontificales, l'imbroglio canonique du monastère des ursulines et adopter les Constitutions officielles et définitives, qui, en grande partie, respecteront celles de Paris. Guy-Marie Oury[12] note que

> [a]près quarante-trois années d'une situation canonique imprécise, l'évêque donna donc au monastère un statut conforme aux règles habituelles du droit, mais en faisant table rase du travail de Marie de l'Incarnation et de son rêve d'un monastère *sui generis*, mieux adapté aux conditions de la mission. (*Op. cit.* : 69)

Dom Oury, diplomate, a toutefois éprouvé le besoin de relativiser de part et d'autre. Il précise que les circonstances avaient changé et qu'

> [i]l n'y a pas eu de la part de Mgr de Laval un acte arbitraire ; il n'a pas profité de la disparition de la fondatrice pour imposer, enfin, ses vues. Il a réfléchi longuement au problème canonique que lui posait la situation provisoire adoptée en 1647 [...] et qui demandait à être régularisée. [...] Mgr de Laval se préoccupait de laisser derrière lui des institutions en bon ordre. (*Op. cit.* : 101)

Le choix des confesseurs ne se fera pas non plus sans quelques bras de fer et grincements de dents de part et d'autre. Les hospitalières de Québec réclameront longtemps un confesseur jésuite :

> Mr. de Saint Sauveur [...] fût aussy nôtre confesseur, parce que les Reverends Peres Jesuites continuoient a se déffendre de cet employ, alleguant leurs grandes occupations et leurs regles, qui ne les obligent point a conduire les Communautés de filles et qui au contraire les en

> éloignent, non nobstant les solicitations qu'avoit faites nôtre fondatrice, Madame la Duchesse Daiguillon, qui, des l'année de nôtre départ de France, avoit obtenu du Reverend Pere Général une ample permission pour que les Peres de la Compagnie de Jesus conduisissent cette maison, et nous avoit même beaucoup recommandé à eux. (*AHDQ*, 1644 : 51)

Quant à la supérieure des ursulines de La Nouvelle-Orléans, Marie Tranchepain de Saint-Augustin, elle évoquera à ce sujet – nous le verrons dans le dernier chapitre et dans ses lettres, en grande partie inédites – des prises de position très vives.

En lisant bien chaque ligne et entre les lignes, en décodant l'implicite et l'explicite, en bénéficiant de nouveaux textes et documents, de nouvelles recherches, l'analyse des discours s'enrichit, les textes – l'histoire et la réalité – gagnent en densité, en complexité, et sont offerts à des lectures plurielles, qui ne sauraient toutefois prétendre en épuiser le sens...

Entre humilité et héroïcité toujours, les stratégies et les rôles singuliers que Marie de l'Incarnation et bien des femmes – loin d'être des « servantes indignes » – ont fait jouer à Dieu, au Christ et à la Vierge nous apparaissent autrement.

NOTES

[1] Et à ceux de Christine de Pizan : « Oser, moi femme », «*Insignus femina, virilis femina*» ; ou de Perpétue, martyre au IIIe siècle à Carthage : « et voilà que j'étais un homme », dans Francine Culdaut, « Entre terre et ciel. Chrétiennes aux premiers siècles », *La religion de ma mère. Le rôle des femmes dans la transmission de la foi*, Jean Delumeau [dir.], Paris, Cerf, 1992, p. 31.

[2] Lire l'excellent article d'Hélène Trépanier, « L'incompétence de Thérèse d'Avila. Analyse de la rhétorique mystique du *Château intérieur* (1577) », dans *Écrits de femmes à la Renaissance*, *Études littéraires*, vol. 27, n° 2 (automne 1994), p. 53-66.

[3] Suzanne Tunc précise que les sorties des religieuses « se poursuivirent longtemps après la décrétale *Pericoloso* [*mondo*] de Boniface VIII (1298), qui imposa la clôture à toutes les moniales. Fontevraud, de même que d'autres monastères,

fit comme si le texte n'existait pas ». « La décrétale fut reprise par le concile de Trente et rendue plus stricte par Pie V dans la Constitution *Circa et pastoralis* (1566). [...] On a pu parler de "moniales à double tour" », dans *Les femmes au pouvoir. Deux abbesses de Fontevraud au XII*e *et au XVII*e *siècles*, Paris, Cerf, 1993, p. 73-74.

[4] Marguerite Bourgeoys sera en effet appuyée par M. Tronson, supérieur des sulpiciens à Paris.

[5] J.-F. Lafitau, *Mœurs des Sauvages américains, comparés aux mœurs des premiers temps*, Paris, Saugrain, 1724, 2 vol.

[6] Lire, d'Andreas Motsch, *Lafitau et l'émergence du discours ethnographique*, Paris / Québec, Presses de l'Université de Paris-Sorbonne / Septentrion, 2001; tout particulièrement, le chap. 3.2 : « Les femmes dans le discours anthropologique » et les références bibliographiques récentes.

[7] En 1744, F.-X. de Charlevoix, dans son *Journal d'un voyage fait par ordre du roi dans l'Amérique septentrionale*, l'affirme aussi : « En un mot, ces Amériquains sont parfaitement convaincus, que l'Homme est né libre, qu'aucune Puissance sur la Terre n'a droit d'attenter à sa liberté, & que rien ne pourroit le dédommager de sa perte. On a même eu bien de la peine à détromper sur cela les Chrétiens [...]. » Montréal, Presses de l'Université de Montréal (Bibliothèque du Nouveau Monde), 1994, t. I, p. 563.

[8] « Un Français devient plutôt sauvage qu'un Sauvage ne devient Français », *Annales des Ursulines de Québec*, I, p. 209.

[9] Le père jésuite Pierron, « bon peintre », l'avait représentée comme figure-clé d'un tableau de l'Enfer, que l'on ne pouvait voir « sans frémir », « environnée de Diables qui lui jettent du feu dans les oreilles et qui la tourmentent dans les autres parties de son corps ». (*Idem*)

[10] « Étant donné l'intérêt que portait Marie à la parole, ce n'est sûrement pas par un hasard si son sujet est une femme éloquente, et par surcroît une femme qu'avait négligé de mentionner la *Relation* du père Lalemant de cette année », précise judicieusement Natalie Zemon Davis dans *Juive, catholique, protestante, op. cit.*, p. 136.

[11] John Demos, *Une captive heureuse chez les Iroquois. Histoire d'une famille de Nouvelle-Angleterre au début du XVIII*e *siècle*, Sillery, Septentrion, 1999.

[12] Dans *Les Ursulines du Québec 1639-1953*, Sillery, Septentrion, 1999.

Chapitre 5

La « vie de rêve » de Marie de l'Incarnation, pleine d'audace

Marie Guyart-Martin, entrée dans la congrégation des ursulines en 1631, confesse en 1635 qu'il y a plus de dix ans qu'elle est poursuivie du désir de participer activement au salut des âmes, ce qui nous reporte en 1625 lorsqu'elle travaillait sur les bords de la Loire dans l'entreprise de messagerie et de transport de sa sœur Claude et de son beau-frère Paul Buisson. Tout porte à croire que cette femme d'action, pleine de potentiel et de talents, ne pouvait se contenter de tourner en rond dans un petit destin et qu'elle a dû inventer le sien, à sa mesure. Nous pouvons mieux aujourd'hui mesurer à quel point elle a dû composer avec des tendances et des attitudes tout à fait contradictoires : alternant entre volonté et soumission, conviction et incertitude, tradition et innovation ; allant contre les règles et les usages de son époque, de son milieu et de son sexe ; mettant entièrement à profit sa maîtrise de l'art de la persuasion. Comment a-t-elle réussi à vaincre les résistances, à convaincre ses supérieurs, à gagner sa cause ? Quels atouts, quels alliés et quels arguments a-t-elle dû mettre de son côté ?

Le premier obstacle qu'elle rencontre est, comme femme et comme religieuse, la contrainte à l'humilité, à la soumission et à la clôture. Son fils Claude Martin, qui rapportait que le père Le Jeune lui reprochait d'aspirer « à des emplois infiniment élevez au-dessus de ses forces et de son sexe » (*V* : 347), et que dom Raymond craignait lui aussi ou, pour mieux la modérer, feignait de croire « qu'il étoit à craindre qu'il n'y eut quelque présomption en sa conduite de vouloir prétendre avec tant d'ardeur à un dessein si élevé au dessus des personnes de son sexe » (*V* : 336-337), se hâte de disculper sa mère en précisant qu'elle « ne donna jamais aucun indice d'une fermeté absolue », « de présomption ou de suffisance ». Tout le discours de Marie de l'Incarnation oscille, en fait, entre le respect et le dépassement de ces impératifs moraux. Elle s'en remet à la volonté de Dieu, affirme maintes fois qu'il n'y eut point de sa part « de raison ni de réflexion » (*R 1654* : 204), qu'elle est dépouillée et dénuée de son propre vouloir (*ibid.* : 211) et de tout intérêt, qu'elle est candide et naïve, qu'elle condamne la méfiance et la dissimulation et qu'elle a conclu un pacte de franchise et de transparence, dont elle exigera la réciproque :

> [...] voudriez-vous que je vous célasse ce que je sens dans mon intérieur ? N'ay-je pas coutume de traiter avec vous dans toute la candeur possible ? L'expérience que vous avez de l'esprit qui me conduit ne vous est-elle pas assez connue pour souffrir que je n'ay point de réserve à votre égard ? [...] Mortifiez-moy donc tant qu'il vous plaira, je ne cesseray point de vous déclarer les sentimens que Dieu me donne, ny de les exposer à votre jugement. (*C* 1635 : 45)

Elle convie d'ailleurs dom Raymond à lire directement dans ses pensées : « Si vous sçaviez la force de mon désir, vous en auriez de la compassion ; et je m'assure que vous ne me refuseriez pas votre assistance. Plût à Dieu que vous pûssiez lire dans mon intérieur, car il ne m'est pas possible de dire tout ce que je pense. » (28)

Nombre de ses lettres ont la même structure : confession de la honte au début et formules d'obéissance et de soumission à la fin. Tout se joue entre les deux : par des *mais*, des *néanmoins*, qui sont de la taille de tous les défis. Elle dit alors qu'elle meurt de honte (*C*: 30), qu'elle est pleine « de la confusion d'oser aspirer », elle « demande pardon de [sa] témérité » (27) *mais* ne veut pas perdre de vue une seule seconde son idée fixe incroyable, aller au Canada :

> Lorsque je fis mes exercices spirituels, je me trouvois toute honteuse quand il me falloit rendre compte de mes sentimens, qui ne convenoient point à mon sexe ny à ma condition. [...] néanmoins mon esprit étoit par désir dans ces terres étrangères. (*C* 1635 : 26-27)
> [je ne pouvais m'imaginer] que Notre-Seigneur me voulût corporellement dans un pays étrange [...] eu égard à ma profession religieuse et de recluse dans un monastère, quoique mon esprit y fût continuellement, en sorte qu'intensivement toutes mes actions y eussent du rapport. Et en effet, je croyais que c'était mon affaire. (*R 1654* : 201-202)

Le désir qui hante Marie de l'Incarnation, son *affaire*, fait donc fi des principes et des usages : « Je n'osais parler à qui que ce fût du commandement que la divine Majesté m'avait fait, à cause que c'était une entreprise si extraordinaire et, en apparence, éloignée de ma condition et sans exemple » (*R 1654* : 205), « une chose qui semble être hors du sens commun, surtout eu égard à ma condition de religieuse qui doit vivre et mourir dans un cloître » (214). Ses lettres préviennent les critiques, les objections ou, même, le soupçon de folie : elle oppose alors à sa fougue la femme avertie, avisée et sage qui n'a, dit-elle, nulle intention de se précipiter dans la recherche d'une chose qui risque de lui être plus dommageable qu'utile et affirme qu'elle est prête à suivre en toutes choses le conseil et les avis des personnes sages (*C* 1635 : 30). Pour éloigner le soupçon d'orgueil, elle précise aussi que la Mission – cet acte de complet dévouement au service de Dieu – est, dans le contexte canadien, moins un cadeau qu'une punition, voire un risque de mort :

> Comme je crains que mes désirs ne soient des impétuositez naturelles, ou bien que mon amour propre ne se veuille contenter en cela, j'envisage [...] tout ce qu'il y a d'affreux dans l'exécution de ce dessein. (*C* 1635 : 27)
> Notre Révérende Mère dit dans l'affection qu'elle me porte, que je ne vaudray rien du tout en Canada, et que si Notre Seigneur exauce mes prières, ce ne sera que pour punir ma témérité. (*C* 1635 : 51)

Le premier atout dans son jeu est son « extrême désir », sa détermination prête à tout, sa force de caractère et son énergie propres, sans compter la rhétorique consacrée – formules et images frappantes à l'appui – indiquant que Dieu, selon le principe des vases communicants, renverse les valeurs en décuplant les forces humaines qui s'investissent en lui[1] :

> La divine Majesté en a fait bien d'autres ; Et pour moy je suis pleine d'espérance, et je croy fermement qu'elle nous versera à cet effet des grâces surabondantes. Nous nous voyons comme de petits moucherons, mais nous nous sentons avoir assez de cœur pour voler avec les aigles du Roy des Saints ; si nous le pouvons suivre, ils nous porteront sur leurs ailes, comme les aigles naturels portent les petits oiseaux. (*C* 1635 : 40)
>
> [...] celuy qui allume dans mon cœur ce feu qui me consume est assez fort pour tirer sa gloire de la plus foible et plus chétive de toutes ses créatures. (*Ibid.* : 36)

Puisque cet « extrême désir d'aller en Canada » la suit partout, elle veut, conséquente et efficace, savoir à qui s'« addresser pour le dire et pour demander secours, afin de l'exécuter » (*C* : 24-25), étant bien consciente qu'elle peut « bien manifester [s]on dessein », mais ne peut l'« exécuter sans le secours d'autruy » (*C* : 28). Elle va donc chercher, au ciel et sur terre, les alliés nécessaires. Elle laisse à la fois entendre que son désir est personnel, qu'elle l'a toujours eu, mais aussi qu'elle est saintement mandatée pour l'exécuter. Dieu et « l'instinct si violent qui [la] pousse » (*C* : 26) lui donnent force et assurance :

> Quand je fais réflexion que je désire une chose qui semble être contre la raison humaine, j'ay de la confusion : Mais en même-temps je ressens dans l'âme un instinct qui me dit qu'il est raisonnable d'aquiescer aux mouvemens que Dieu donne dans l'intérieur ; sur tout quand il n'y a point de recherche de nous-mêmes, mais plutôt qu'on y remarque un dépouillement entier de tout propre intérêt. [...] Voilà mon sentiment qui trouve fort à son goût les peines que cet instinct intérieur luy fait connoître : de telle sorte qu'il n'y a homme du monde qui me put persuader le contraire. (*C* 1635 : 51-52)

Marie entreprend donc de s'adresser aux instances supérieures, terrestres et divines, qui peuvent favoriser son projet. Son entreprise de harcèlement sera désormais aussi intense que continue : « L'Esprit de grâce qui m'agissait m'emportait en une si grande hardiesse et privauté auprès du Père éternel qu'il ne m'était pas possible de faire autrement » (*R 1654* : 199) ; « Je ne me lasseray point de lui recommander l'affaire [...] quand je devrois mourir en priant, je ne cesseray de l'importuner [...] » (*C* : 55). Citations et métaphores percutantes sont mises à contribution :

> Quoique corporellement je fusse en l'actuelle pratique de mes règles, mon esprit ne désistait point de ses courses, ni mon cœur, par une activité amoureuse plus vite que toute parole, de presser le Père éternel pour le salut de tant de millions d'âmes que je lui présentais. (*R 1654* : 199)
> En produisant mes élans et soupirs au Père Éternel, je lui produisais, sans actes, par une démonstration spirituelle plus aigüe que des flèches de feu embrasées, les passages qui parlent de ce divin Roi des nations dans l'Apocalypse. (*Ibid.* : 200)

Son idée fixe est soutenue par un rêve. Dieu finit par lui confirmer que c'est le Canada qu'il lui a fait voir pour qu'elle aille y faire une maison à Jésus et à Marie (*R 1654* : 204). À la Noël 1633 – pour la troisième fois (à sept ans puis à vingt-cinq ans) –, la Vierge lui était apparue en rêve dans un paysage que Marie, a posteriori, identifiera comme le cap Diamant de Québec : elle la « met dans l'occasion » en l'incitant à venir travailler au Canada. Ce rêve de vocation apostolique[2], stratégiquement relaté à dom Raymond dans sa lettre du 3 mai 1635 (*C* : 42-43), vient en fait couronner un projet en gestation depuis longtemps : « Il me paroît que dès mon enfance Dieu me disposoit à la grâce que je possède à présent, car j'avois plus l'esprit dans les terres étrangères [...] qu'au lieu où j'habitois. » (*C 1643* : 185) L'offre séduit et galvanise Marie : « J'y vois tant de charmes, qu'ils me ravissent le cœur, et il me semble que si j'avois mille vies, je les donnerois toutes à la fois pour la possession d'un si grand bien. » (*C 1635* : 27) Au cours du XVIIe siècle, plusieurs milliers de biographies de religieuses ont été écrites, voire imprimées. Des rêves y apparaissent, qui légitiment une vocation et justifient l'écriture d'une « Vie » de femme. Des théologiens, des historiens, des critiques ont eu tendance à dénoncer ces « superstitions », ces « enthousiasmes » féminins. Mais, dans *Rêver en France au 17e siècle*, Jacques Le Brun[3], entre autres, en tient judicieusement compte : le rêve réactualise un songe inaugural perçu comme promesse et appel, garantit un destin et balise un trajet qu'il faut suivre coûte que coûte. Le rêve est un signe, un appel divin invérifiable, sauf à considérer les traces fortement imprimées chez la rêveuse, son intime conviction.

Dieu la légitime, garantit ses projets :

> Puisque Dieu le veut j'obéiray en aveugle : je ne sçay pas ses desseins ; mais puisque je suis obligée au vœu de plus grande perfection, qui comprend de rechercher en toutes choses ce que je connoîtray luy devoir apporter ou procurer le plus de gloire, je n'ay point de répartie ni de réflexion à faire sur ce qui m'est indiqué [...]. (*C* 1653 : 516)

« [*S*]*i Dieu est pour nous qui sera contre* ?» (*C* 1635 : 47) écrit-elle à son directeur de conscience, le Feuillant dom Raymond de Saint Bernard, plutôt réticent, à qui elle va s'adresser en des termes très conatifs. Lui refuser, c'est refuser à Dieu et la damner pour parjure :

> Je fus dès lors si vivement pénétrée que je donné mon consentement à notre Seigneur, et lui promis de lui obéir s'il lui plaisoit de m'en donner les moyens. Le commandement de notre Seigneur, et la promesse que j'ay faite de lui obéir, me sont tellement imprimées dans l'esprit outre les instincts que je vous ay témoignez, que quand j'aurois un million de vies, je n'ay nulle crainte de les exposer. Et en effet les lumières et la vive foy que je ressens me condamneront au jour du jugement, si je n'agis conformément à ce que la divine Majesté demande de moy. Raisonnez un peu là dessus, je vous en supplie. (*Ibid.* : 43)

Les religieuses se raccrocheront d'autant plus à Dieu, leur sublime mandateur, que les hommes contrecarreront leurs projets. Dieu est un mandateur de choc, la caution magique des religieuses. La volonté de Dieu fait échec aux oppositions humaines : Dieu le veut / Dieu me veut. Marie s'abandonne au désir du Père Tout-Puissant en s'absentant à elle-même. Ce chèque en blanc mérite plus ample examen. En prétendant qu'elle n'est rien, Marie tente d'écarter tout soupçon de narcissisme, d'orgueil : Je ne suis Rien et Dieu est Tout mais si je me voue à Dieu, le Tout m'investit, car Dieu « ne refuse rien à ceux qui s'abandonnent à sa conduite » (*C* 1648 : 345). Au service de Dieu, amour et compétences n'ont plus de limites ; ils assurent le dépassement de soi, où que l'on soit :

> Enfin mon Ame étoit insatiable ne voulant que la plénitude de l'amour. [...] ne me pouvant souffrir avec un amour limité. (*C* 1627 : 10)
> Une Religieuse qui fait par tout son devoir est bien par tout, puisque l'objet de ses affections est en tout lieu. (*C* 1639 : 86)

Dieu – avait-il besoin de repos ? – lui conseille de s'adresser à lui par le Cœur de Jésus : c'est par son intermédiaire qu'il répondra à ses demandes, et l'exaucera peut-être... Dans ce pacte, qui contraint l'autre ? est l'instrument de l'autre ? il semble que les désirs se superposent, qu'il y ait requêtes et obligations réciproques :

> Vous pouvez penser ce qui se passe en ce commerce d'amour ; [...] il semble que nonobstant ma bassesse, je le veuille contraindre de m'accepter : et dans la même poursuitte je veux tellement consentir à son dessein, que je le conjure de m'exaucer jamais par mes seules persuasions, parce que le plus grand bien que je veux, c'est ce qu'il veut. (*C* 1635 : 31)
> O mon Jésus vous connoissez tous mes défauts : je suis la plus digne de mépris qui soit sur la terre [...]. Mais, mon cher Amour, vous êtes tout-puissant pour me donner ce que vous me faites désirer. [...] Tout cela me fait poursuivre mes importunitez auprès de mon bien aimé, et je tâche de luy gagner le cœur. (*C* 1635 : 27-28)
> C'est vous même qui êtes la cause de ce que je suis si hardie avec vous. (*C* 1626 : 3)

Mais elle ajoute : « Si l'Oraison a du pouvoir [...] je le carresseray tant qu'il ne me pourra refuser. » (*C* 1635 : 36)

Le mysticisme chrétien nous captive encore aujourd'hui : je pense, entre autres, aux travaux de Michel de Certeau, à ceux consacrés aux Béguines ou à Hildegarde de Bingen. Selon Elisja Schulte Van Kessel[4], il « implique une relation d'amour directe avec un Dieu personnel. Dieu comme l'autre mais aussi comme reflet et semblable, vécu en fin de compte comme le moi le plus intime » :

> [...] au cœur de cet univers intérieur, les mystiques jouissaient d'une liberté inouïe. Là, fortes de leurs ambitions, elles échappaient non seulement au monde contraignant des liens juridico-contractuels, mais aussi à tout ce qui pouvait entraver leur fuite.

> En Dieu, tout était possible, même le comble de la folie [...] [ou leur] union amoureuse et érotique [...] élevée au-dessus du monde contraignant des lois sociales et ecclésiastiques. (165-166)

Enfin pressée par Dieu de déclarer ce à quoi il la destine, elle l'avoue un jour au révérend père Salin : « Il me fit taire quasi dès le premier mot et me mortifia bien sec, se moquant de moi qui m'amusais, disait-il, à des fantaisies. » (*R 1654* : 214) Contrariée, Marie s'adresse alors à Jésus : « s'il y a quelque chose à faire, faites-là », comme si elle disait à son associé : « à vous de jouer maintenant » ! Jésus a manifestement hérité d'une associée compétente car Marie, comme dans toute offre d'emploi, a soigné son *curriculum vitæ*. Si la Vierge est l'intercesseure privilégiée entre Ciel et terre, « la première avocate du monde », disait Marguerite Bourgeoys, Marie de l'Incarnation se présente comme son double terrestre :

> Je ne quittais point du tout le Père Éternel pour postuler en sa faveur, comme si j'eusse été son avocat [...]. (*R 1654* : 200)

Sur terre, ses alliés sont relativement nombreux, tous liés, et son secret a vite dû devenir... un secret de Polichinelle. Son insistance dans certaines lettres sur la discrétion et le silence à observer laisse d'ailleurs deviner que les nouvelles sont vite partagées... Elle s'est adressée à dom Raymond de Saint Bernard et à sa prieure, Françoise de Saint-Bernard, au révérend père Dinet, recteur de la Compagnie de Jésus, au père de Lidel, au père Le Jeune, au père de la Haye (qui lui avait demandé de rédiger sa première autobiographie) qui communiqua avec le père Poncet, etc. Le père Dinet, mis au courant, « approuvait ma disposition et disait que ce qui m'avait été montré en ce pays pourrait être effectué en moi, au sujet de la Mission de Canada. Lorsqu'il me dit tout cela, je n'avais jamais su qu'il y eût un Canada au monde, ce que j'avais vu ne m'en ayant donné aucune notion [...] » (*R 1654* : 201). L'adjuvant déterminant demeure bien sûr les appels du jésuite Paul Le Jeune dans ses *Relations* du Canada, de 1634 à 1638, au sujet de l'implantation d'un séminaire pour les petites Sauvages. Au début de l'année 1635, elle avait bien lu la *Relation* de 1634 que le père Poncet lui avait envoyée, afin de la « convier d'aller servir Dieu dans la Nouvelle-France » (*R 1654* : 205). Elle répète qu'elle est étonnée qu'il puisse être au courant de ses projets secrets et en remercie le Ciel. Son rêve vient de s'ancrer dans la réalité, la *Relation* justifie son projet, lui offre le meilleur moyen de l'exécuter.

Les appuis tout comme les oppositions – les traverses, selon l'expression de l'époque – sont « autant d'aiguillons pour faire agir plus puissamment le feu qui [la] consommait pour le salut des âmes » (*R 1654* : 205). Quand Marie de l'Incarnation écrivait en 1635, « Le R. Père Dinet [...] estime que Notre Seigneur ne me veut en Canada que d'affection, et [...] il croit que je ne verray jamais la nouvelle France que du Ciel », elle ajoutait, « cela [...] ne m'abat point l'esprit » (*C* 1635 : 49) ; après avoir mentionné l'une des lettres humiliantes du père Le Jeune qui ne lui parlait en aucune manière du Canada, elle concluait, ironiquement polie : « il m'oblige infiniment » (*C* fin 1638 : 67). Marie de l'Incarnation a eu raison de ne pas s'en émouvoir puisque ces pères ont effectivement tenu deux discours, favorisant d'une part, éprouvant de l'autre, et que la détermination de la religieuse a fini par emporter leur assentiment.

En 1635, dom Raymond risque de partir pour le Canada[5] ; Marie, l'apprenant, joue son va-tout et, avec aplomb et autorité, mise sur la fibre paternelle et charitable :

> Quoy, vous partez, mon très-cher Père, et vous partez sans nous ? [...] Où allez-vous mon Père, sans vos filles ? [...] Bon Dieu ! cela est-il vray ? [...] de grâce, ne me laissez pas, et menez-moy avec vous. (*C* : 33)
> [...] je me sens portée sans m'en pouvoir désister, à vous supplier très humblement de nous attendre, si tant est que par tous les moyens possibles nous ne puissions partir par cette flote. Et ne craignez point de hazarder votre vocation en attendant un peu pour faire une œuvre de charité, autrement nous n'aurions plus de Dom Raimond pour nous aider [...]. J'ose m'avancer de dire que [Dieu] vous fait connoître qu'il vous veut donner à nous pour sa gloire et pour notre bien, et même qu'il vous fait pancher à cela. Vous n'êtes pas homme à éteindre les lumières divines ; c'est ce qui nous fait espérer que vous serez obéissant à notre Père céleste, et flexible à nos vœux.
> (*C* 1635 : 39-40)
> [...] je vous croy si plein de charité, que je m'assure que vous faites plus pour nous que vous ne le dites. (*C* : 45)

Lorsqu'elle apprend que le projet de dom Raymond est différé, sinon compromis, à son tour, elle console et soutient maternellement celui avec qui elle fait équipe :

> Pour vous si vous êtes malade, je croy que c'est d'ennui. Si j'étois proche de vous je vous consolerois [...] car je croy que vous n'avez pas beaucoup de personnes à qui décharger votre cœur à cause du secret de l'affaire. Ayez donc bon courage, mon très cher Père, Notre Seigneur nous donnera plus que nous ne pensons. (*C* : 49)
> Il est certain que vous et nous souffrions persécutions [...]. [si Dieu] nous veut dans la nouvelle France, ses desseins s'accompliront malgré tous les hommes. (*C* : 47)

En octobre 1637, elle lui raconte que « les Pères [Charles Garnier et Pierre Chastellain] qui sont allez aux Hurons [l']y appellent tant qu'ils peuvent » et intercèdent en sa faveur auprès du père Le Jeune : « Admirez, je vous prie, comme ces âmes favorisées du Ciel daignent penser à moy tous les jours, à ce qu'ils disent » alors qu'elle précise ne pas les connaître (*C* : 64). Marie est loin cependant d'attiser la jalousie de dom Raymond en rivalisant avec lui ; l'amusante et touchante citation suivante témoigne de son indéfectible amitié : « si [notre Seigneur] m'accepte, je vous verrai en passant, et je vous tirerai si fort vous et votre compagnon, que j'emporterai la pièce de vos habits si vous ne venez », lui écrit-elle (65). L'estime, l'amitié et les solidarités de plusieurs pères[6] à l'égard de cette brillante religieuse ont joué en sa faveur puisque, à la dernière minute, le père provincial des jésuites à Paris, Étienne Binet, tentait encore, nous l'avons vu[7], de favoriser les ursulines de Paris.

Marie de l'Incarnation a su aussi se faire des alliées à l'intérieur de son couvent. Dès 1635, la prieure confirme dans une lettre à dom Raymond que ce que Marie lui a communiqué touchant son désir est véritable (*C* : 30) et Marie écrit explicitement que la prieure et les ursulines de Tours sont favorables à la mission :

> Notre Révérende Mère nous y aiguillonne encore, et elle nous excite comme si elle nous y vouloit porter. [...] Mandez-luy, s'il vous plait, combien vous voulez de filles, elle vous pourra satisfaire, car il y a icy un bon nombre de sujets capables de l'entreprise dont il s'agit [...]. (*C* : 37)

L'entreprise menée au sein de sa communauté ressemble à une véritable campagne, publicitaire et politique, en vue d'une élection ; sollicitations et prières, individuelles et collectives, à l'appui :

> Et en effet, je croyais que c'était mon affaire que ce que Notre-Seigneur me faisait faire en esprit pour ces pauvres âmes, et d'exciter chacune des sœurs, tant professes que novices, de joindre toutes leurs intentions aux miennes à ce sujet. Et quoique je tâchasse de me comporter prudemment, je ne pouvais si bien me cacher que plusieurs ne jugeassent que Dieu voulait quelque chose de moi en particulier, et croyaient que sa divine Majesté me tirerait du monastère pour quelque occasion à sa gloire. (*R 1654* : 202)
> Je ne puis toutefois si bien faire qu'on ne vînt à découvrir que j'avais des pentes et inclinations particulières pour les missions du Canada. Plusieurs personnes de piété m'en écrivaient leurs pensées, d'autres m'en parlaient ; dans le monastère je faisais mes efforts à ce que chacun travaillât auprès de Dieu pour la conversion des Sauvages. Je mettais toutes mes sœurs en ferveur pour cela, de sorte qu'il y avait de continuelles prières et pénitences et des communions à ce sujet dans la communauté. (*R 1654* : 215).

Femme d'affaires avisée, efficace et pratique, Marie Guyart sait joindre au rêve et au spirituel tous les éléments terrestres et temporels[8], comme en témoignent éloquemment ces passages :

> A qui nous faudra-t-il addresser ? Comment aurons-nous des obédiences, et par quelle autorité ? Vous avez encore un mois pendant lequel il vous sera facile à résoudre cela. Et Messieurs les Intéressez étant à Paris, il vous sera aisé de résoudre toute l'affaire en peu de temps. Je n'ay point encore pénétré le secret de ces affaires, mais selon les lumières que mon esprit me fournit, il me semble que la nôtre se faisant de concert avec eux, elle en sera plus solide et plus seure. Je suis consolée de l'entretien que vous désirez avoir avec le Révérend Père Dinet. [...] Poussez donc l'affaire pour l'amour de Dieu, et je croy assurément que vous en viendrez à bout si vous l'entreprenez. (*C* : 33)
> Ne pourriez vous pas [...] relever le cœur [de ce gentilhomme qui nous vouloit doter] et remettre l'affaire en état avant que son inclination se porte ailleurs, et que d'autres, ainsi que vous nous écrivez, n'emportent le prix à notre exclusion ? O que cette rencontre nous seroit avantageuse, car je voy qu'il sera difficile de gagner nos Canadiennes sans

> quelque temporel, qui sera comme l'amorce qui couvrira l'hameçon de la foy. (*C* : 49)

L'information est bien aussi à son avis une des clefs de la réussite : apprenant d'un jésuite « que l'on va commencer à bâtir une Ville, qui sera une seureté pour nous et un affermissement pour le païs », elle « fait l'ignorante pour sçavoir de luy le détail du Canada » (*C* : 51). Elle attise la curiosité de son correspondant en mentionnant qu'elle détient des renseignements de première importance :

> [...] il n'y a personne icy qui n'ait quelque chose à vous dire, mais il me faut au moins huit jours pour moy seule. Ne sçavez-vous pas que nous n'avons pu dire par Lettres tout ce qui concerne notre grande affaire ? Et de plus j'ay des nouvelles toutes fraîches qui ne se peuvent écrire, et que je réserve à vous dire à l'oreille. (*C* 1637 : 62)

Ce qui étonne chez Marie de l'Incarnation, c'est qu'elle semble toujours, malgré les apparences, se trouver sur un pied d'égalité avec qui que ce soit. Quand elle apprend enfin que madame de la Peltrie va effectivement fonder le monastère des ursulines à Québec et l'emmener avec elle, loin de lui témoigner une reconnaissance éperdue, Marie lui raconte qu'il y a cinq ans qu'elle attend ; elle hésite ensuite à lui faire faire le voyage de 60 lieues qui les sépare, puis se ravise et relativise : « Mais que dis-je ? puisque vous en voulez faire plus de mille par des passages dangereux, soixante seront peu au regard de votre amour »... Elle se permet ensuite de lui écrire pour lui conseiller d'assurer sa fondation sur le tiers de son bien ! (*C* 1639 : 73)

De 1635 à 1639, un sentiment d'urgence a constamment animé l'impatiente Marie Guyart et alerté son correspondant principal, dom Raymond, comme en témoignent les formules impératives de ses lettres : « écrivez-nous promptement, l'espérance différée afflige l'âme » (*C* : 37) ; « Que ce soit par la poste que nous entendions de nos nouvelles, le Messager tarde trop » (*C* 1635 : 46) ; « Je vous en diray davantage à la première occasion, et non quand j'aurai reçu vos réponses » (*C* 1637 : 65), etc. Dans cette affaire dramatisée, le propre corps de Marie lui sert aussi d'avocat : elle note tactiquement que son supérieur est très inquiet pour sa santé, sa vie même, mais qu'il ne parvient pas à lui faire perdre son idée fixe (*R 1654* : 204-205) ; que son esprit étant toujours hors d'elle-même, son corps « devenait comme une squelette » (*ibid.* : 200).

Le 1er août 1639, celle qui lui avait écrit ces lignes parmi tant d'autres – « Faites donc au plutôt [...] nos cœurs seront tout brûlez avant que nous soyons en Canada, si vous n'y prenez garde [...] » (*C* : 45) – débarquait à Québec. Dom Raymond devait s'en réjouir et peut-être moins louer Dieu que philosopher sur les rêves, la ténacité et la force de conviction des femmes...

NOTES

[1] Thérèse d'Avila écrivait : « Aussi est-ce avec une ferme détermination que je te fais la demande de saint Augustin : Donne-moi ce que tu me commandes et commande-moi ce que tu veux. Avec ton secours et ta protection, jamais je ne reculerai. » (*PAD*: 936-937)
Marie-Madeleine Hachard, toute jeune missionnaire, partira pour La Nouvelle-Orléans contre l'avis d'une partie des membres de son entourage ; dans une lettre à son père, au sujet de l'un de ses frères, religieux lui aussi pourtant, elle note ceci : « [...] serait-il faché contre moi, ou me croit-il fachée contre lui, il est vrai que pour me détourner de mon dessein, il me dit avant mon départ bien des choses qui ne devoient pas me faire plaisir [...] mon cher Pere, quand on est assuré de faire la volonté de Dieu, on compte pour rien le discours des hommes, bien des gens ont traité nôtre entreprise de folie [...] s'y ce cher frere est encore faché contre moi de ce que je n'ai pas déféré aveuglement à ses avis, je vous suplie de faire ma paix avec lui. » (MMH, 35)

[2] Il existe plusieurs versions de ce rêve : relaté dans la *Correspondance* et dans la *Relation de 1654*, il figure encore dans la *Relation* des jésuites de 1672 et dans *La Vie* (p. 223). Voir dom Jamet, *Relation de 1654*, p. 207, note 2.

[3] « Rêves de religieuses. Le désir, la mort et le temps », dans *Rêver en France au XVIIe siècle*, Lille III, *Revue des sciences humaines*, tome LXXXII, n° 211, juillet-septembre 1988, p. 27-47.

[4] « Vierges et mères entre ciel et terre », dans *L'histoire des femmes en Occident* (G. Duby et M. Perrot, dir.), t. 3 : XVIe-XVIIIe siècles, Natalie Zemon Davis et Arlette Farge [dir.], Paris, éditions Plon, 1991, chap. V, p. 141-174.

[5] En Acadie, pour l'île de Miscou, en remplacement des jésuites, précise G.-M. Oury dans *Les ursulines de Québec 1639-1953, op. cit.*, p. 19-20.

[6] « Mais, mon cher Père, ne nous verrons-nous point encore quelque jour pour nous entretenir de nos avantures ?» écrira-t-elle au père Poncet deux décennies plus tard. « Vous pleureriez de joie de voir de si heureux progrez, et un moment de votre réflexion sur l'état où les choses ont été et sur celui où elles sont, vous feroit oublier tous vos travaux passez. » (*C* 1667 : 783)

[7] Au chapitre I : « [...] le R. Père Provincial des Jésuites [Étienne Binet], qui comme je croi, est engagé de paroles, ou du moins d'affection à nos Révérendes Mères de Paris, nous traverse sans sçavoir que nous le sachions. [...] d'autant que ces Révérendes Mères font vœu d'instruire, ce que nous ne faisons pas, ces Révérends Pères disent que leur Réglement est meilleur que le nôtre [...]. » (*C* 1639 : 72)

[8] Voir Françoise Deroy-Pineau, *Réseaux sociaux et mobilisation de ressources. Analyse sociologique du dessein de Marie de l'Incarnation*, thèse de doctorat, Université de Montréal, 1996; « Réseaux sociaux et évolution de la vie de Marie Guyart », dans *Femme, mystique et missionnaire, op. cit.*, p. 101-114.

CHAPITRE 6

Femmes, pouvoir et imaginaire

Le désir de tout raconter fait parfois osciller le récit entre réalité, songe et fiction. Par l'entremise de différents signes à identifier et à analyser, les religieuses ont souvent la conviction qu'elles sont soutenues par la Vierge, par son fils ou par Dieu, légitimées dans leurs désirs et leurs sentiments. Les récits de rêves, de visions ou de phénomènes paranormaux, de révélations et de manifestations divines, le recours à des mises en scène en partie fictives sont à relire comme autant de logiques autres, de stratégies narratives[1]. Omniscience et prescience ne font-elles pas d'ailleurs aussi partie de l'histoire religieuse ? L'histoire sans qualité, l'histoire du quotidien et des émotions aujourd'hui réhabilitées doit beaucoup aux « histoires de femmes », à leurs narrations guérillères, plus aptes à inscrire les femmes dans l'Histoire. Le vécu concret des femmes, s'interposant souvent entre l'image idéale et les discours normatifs, a dû, pour oser ou pouvoir se dire, inventer ses modèles. Imaginer des histoires, c'est alors ne pas mentir mais se traduire autre, donner de nouvelles versions du réel, raconter pour mieux critiquer, dénoncer à l'occasion, innover. « Il faut beaucoup rêver pour trans*former* une culture. Il faut savoir imaginer », écrivait Louise Dupré dans *La théorie un dimanche*[2]. Nous savons bien que, depuis Descartes ou d'Alembert, la raison des songes est souvent la plus forte.

Toutes les religieuses n'ont pas eu la chance, comme Marie de l'Incarnation, de voir leur rêve se réaliser… ou n'ont pas su imposer à la réalité la force du songe. Leurs récits, à la limite du fantastique parfois, témoignent de leurs espoirs comme de leurs déceptions. Marie Morin n'hésite pas à rapporter le microrécit occulte, hautement dramatisé, que lui ont fait les sœurs Macé et de Brésoles au sujet de la sœur Pilon, leur supérieure à Baugé :

> [elle] ressantit des tranchees mortelles de douleur de ne point aller en Canada, elle qui depuis plusieurs annee le demandèt avec instance à Monseigneur d'Angers et à Monsieur de La Dauversiere [...]. Ma sœur Macé m'a dit que l'anbrasant pour luy dire aDieu, elle luy avoit dit « Ouy, ma sœur, ouy j'yré en Canada et bien tost. Les hommes me refuse cette grace, mais Dieu me l'acordera ». Huit jours apres cet aDieu, mes sœurs de Bresoles et Macé estant seules dans un lieu segret, on frappa 2 ou 3 coups a la porte et n'i trouverent rien. [...] elles aprirent que la dite sœur Pilon estoit decedee au jour et heure qu'elles avois ouy fraper [...] ce qui a fait croire [...] que c'etoit l'ame de la dite sœur Pilon qui [...] ce lessant transporter et enporter par le zelle d'aller en Canada, ce resolut de suivre ces compagnes apsolument. [...]
> J'ay ouy dire plusieurs fois a ma sœur de Bresoles que ma dite sœur Pilon estoit venue en Canada apres sa mort, a cause que le premier hiver qu'elle passa dans Montreal, estant une nuit couchee dans une cabane de planches a la mode du peys pour ce defandre mieux du froit, elle entandit fraper 3 coups distinctement derriere sa teste et quelques plains qu'elle remarqua estre de la voix naturelle de la dite sœur Pilon [...]. (*AHDM* 1659 : 88-89)

Ce microrécit constitue un bel exemple de désobéissance et Marie Morin, qui loue sœur Pilon comme « une personne de vertu sublime et qui avoit baucoup de tallans », admet dans un premier temps que Dieu lui a accordé la grâce d'aller au Canada après sa mort. Mais, reprenant sa cornette, ses responsabilités de supérieure de couvent et son sens du devoir, Marie Morin la condamne ensuite, estimant que « ce qu'elle avoit fait pour ce derober de sa communauté, en estant actuellement superieure, estoit capable de l'avoir retenue dans le purgatoire jusqu'a lors ». Marie Morin la critique d'autant plus qu'elle croit, à tort, que leur fondateur, Jérôme Le Royer de La Dauversière, s'opposait à sa venue parce qu'il souhaitait que les hospitalières de Montréal adoptent les vœux solennels

(« embrasser la stabilité », ce que souhaitait précisément Marie Morin), alors que sœur Pilon s'y opposait[3].

> Elle en fut sy touchee qu'elle en mourut en peu de jours de deplaisir de ne pouvoir aller en Canada [...] ce qui nous aprans, mes sœurs, a ne vouloir rien en ce monde avec atache, mesme ce qui parois le plus parfait. Aussy, une ame religieuse qui permèt a son cœur de desirer autre chose que la volonté de Dieu, qui luy est marquee par ces regles et ces superieurs, est bien en danger d'estre seduitte et de tomber dans l'ilusion, Ec. (*Ibid.*)

En condamnant sœur Pilon, la supérieure Marie Morin la supplante en quelque sorte pour mieux se présenter comme la digne héritière canadienne de La Dauversière. La leçon morale un peu inattendue, en prime pour ses dirigées, pourrait bien vouloir cacher le péché d'orgueil de sœur Morin... Ce microrécit héroïsé peut, outre les motifs de Marie Morin, être à la fois porté au crédit et au débit de la supérieure Pilon et des religieuses. Le purgatoire, comme instance de procès, qui permet d'opposer les adversaires, d'exposer les griefs et les arguments à la défense, de faire triompher la vérité et d'obtenir justice, se retrouve dans l'histoire qui suit.

Les hospitalières de l'Hôtel-Dieu de Québec ont aussi eu maille à partir avec leurs évêques, sur trois grands points : l'ingérence dans les affaires de la communauté (relatives aux élections de la supérieure, au choix des confesseurs, au recrutement des novices, etc.), la distinction entre les biens de la communauté et ceux de l'hôpital et des pauvres (avec Mgr de Laval) et la création de l'Hôpital Général (avec l'évêque de Saint-Vallier)[4].

En 1664, la supérieure des hospitalières prie « Monseigneur l'Evêque de faire la séparation et la distinction du bien des pauvres d'avec celuy de la Communauté » afin, devant le nombre toujours grandissant des malades et l'état toujours précaire des finances, qu'un trop grand déficit de l'hôpital ne menace l'existence même de la communauté des hospitalières. Elles précisent bien dans leur requête qu'elles resteront « directrices et administratrices du bien des pauvres » selon les directives de la duchesse d'Aiguillon, leur fondatrice. Monseigneur de Laval accepte et répartit les biens « à raison d'un tiers pour être employé pour les pauvres et les deux autres tiers pour la Communauté » et nomme la mère Marie-Renée Boulic de la Nativité dépositaire du dit tiers des pauvres « pour cette année seulement, nous reservant et a nos successeurs, l'élection de cet office » (*Mandements des Evêques* du 25 janvier 1664)[5]. Cette répartition ne se fait pas sans calculs et tiraillements de part et d'autre : en 1671, alors que mère Marie-Renée de la Nativité a été élue supérieure l'année précédente, la communauté des religieuses accepte mal que leur évêque, sur une dot de cinq mille livres faite par l'abbé de Queylus, exclusivement à la communauté, soutire mille livres pour l'hôpital. En 1672, madame d'Aillebout, veuve du gouverneur Louis d'Aillebout, ayant demandé aux hospitalières de l'accepter comme pensionnaire perpétuelle, leur donne en retour ses terres et une somme de douze mille livres ; les religieuses notent : « Monseigneur l'evêque ne nous permit de la recevoir qu'à condition qu'elle partageroit le tout entre nôtre communauté et lhopital. Il fallut en passer par la, ayant toujours été tres éloignées de vouloir disputer pour des interets. » (*AHDQ* : 175) En 1676, juste avant le décès de leur supérieure, mère Marie-Renée de la Nativité, les religieuses, lasses, disent-elles, d'être tenues à un compte fort exact, jugent plus avantageux de faire le partage de leurs biens, tant en France qu'au Canada, entièrement et de manière que chacun ait soin de retirer ses rentes. L'évêque fait évaluer et « lotter » leurs biens immeubles, estimer les ornements de la sacristie et veille à la répartition au sou près :

> Monseigneur nous avoit fait séparer avec l'hopital tous les ornements de la sacristie, il y avoit déja plusieurs années, a la réserve d'un ornement de toile d'argent que nous gardâmes parce qu'il nous avoit été donné par Madame nôtre fondatrice. Monseigneur le fit aussy estimer et nous ordonna de payer 150 livres a l'hopital pour le dedomager de ce qu'il ne partageoit pas cela avec nous. Cette entiere et parfaite separation se fit en 1676. (*AHDQ* : 185)

En 1677, mère Marie-Renée de la Nativité, supérieure depuis six ans, meurt. Sa notice nécrologique est fort élogieuse. Il faut attendre juin 1685, à la mort de Marie-Barbe d'Aillebout – « née Barbe de Boulogne », pour lire sur son compte un étrange et bien original compte rendu. Les religieuses, qui tenaient madame d'Aillebout en très grande estime, nous apprennent que « Dieu luy avait donné l'esprit de prophétie », le « discernement des esprits », qu'elle « ne prédisoit pas seulement l'avenir » mais « connoissoit encore les choses cachées », que « Notre Seigneur lui faisoit voir l'etat de plusieurs ames apres leur mort ». Mère Marie-Renée de la Nativité, cette « bonne Religieuse [répètent les annalistes en 1685], mourut en réputation de sainteté. Elle avoit donné des exemples de vertu dont tout le monde êtoit fort édifié et elle sortit de cette vie avec une joye et une confiance en Dieu qui nous fit croire qu'elle alloit bien vite le posseder ». Madame d'Aillebout, selon ce que Dieu lui en fit connaître, allait – sans les décevoir longtemps cependant, nous allons comprendre pourquoi – les informer du contraire :

> Dans l'instant qu'elle expira, Madame Daillebout la vit en posture de suppliante, a genoux devant Notre Seigneur, qui êtoit assis, et deux chœurs de Religieuses hospitalieres, rangées comme nous sommes au chapitre, accuserent la Mere de la Nativité sur trois chefs. Cétoit les superieures de l'Ordre qui ne luy reprocherent que les fautes qu'elle avoit faites dans l'exercice de cette charge : Premierement, d'avoir accordé trop facilement des permissions, crainte de chagriner ses inferieures ; secondement, d'avoir trop recherché et de s'être trop appuyée sur la protection des grands du siecle ; troisiemement, d'avoir trop favorisé les pauvres au préjudice de la Communauté. Notre Seigneur écouta ces plaintes auxquelles la Mere de la Nativité ne repliqua rien pour se justifier, et elle fut envoyée en purgatoire. [...]. (*AHDQ* 1685 : 216-217)

Les annalistes vont interrompre le récit de la vision de madame d'Aillebout pour mieux jouer le rôle d'avocates à la défense de leur supérieure, cette « Religieuse parfaite », et préciser que l'accusation portée par les supérieures de l'ordre concerne en fait plusieurs d'entre elles, ce qui, dans le procès de Marie-Renée de la Nativité, les assigne autant comme juges que comme parties :

> Nous avions toujours attribué a sa tendresse pour les pauvres le penchant qu'elle avoit a les gratifier. Ainsy, cela nous paroissoit loüable. De plus, il faut avouer que ce nétoit pas d'elle même qu'elle ôtoit aux Religieuses pour donner aux pauvres ; mais des que Monseigneur de Laval, premier éveque de Quebec, le vouloit, elle s'y soumettoit sans replique, quoy que cela ne luy sembla pas toujours d'obligation, comme il parut quand Monsieur l'abbé de Quélus fonda un dot a

> perpetuité pour la somme de 6000 livres, Monseigneur nous obligea de donner sur cette somme 1000 livres à l'hopital. Quand Madame Daillebout vint demeurer chez nous, elle vouloit donner tout son bien aux Religieuses. Monseigneur ne consentit a sa retraite dans nôtre maison qu'a condition qu'elle partageroit ce qu'elle nous destinoit entre la Communauté et l'Hopital. Un officier avoit laissé, par testament, aux Religieuses de cette maison une somme assez considerable qu'il falut encore partager avec l'Hopital pour obéïr a Monseigneur. Ainsy, en quantité d'autres occasions, cette Reverende Mere et d'autres Superieures ont cru devoir se conformer a la volonte des Seigneurs Evêques. (*Ibid.* : 217-218)

Que l'on croie ou non à la réalité de la nécromancie, cette « science occulte qui prétend évoquer les morts pour obtenir d'eux des révélations de tous ordres, particulièrement sur l'avenir » (*Le Petit Robert*), cet écho de l'au-delà est bien une mise en scène habile, une alternative à la parole critique, à la contestation ouverte, une voix résistante, une revanche sur la soumission, l'obéissance sans réplique aux « Seigneurs Evêques ». Ce que dom Jamet ne perçoit pas – ou plutôt, se garde bien d'analyser –, c'est que les religieuses condamnent monseigneur de Laval, par purgatoire et personne interposés, et dénoncent des décisions qu'elles jugent arbitraires, autoritaires et iniques.

L'annaliste défend bien Marie-Renée de la Nativité en particulier (qui, poursuit madame d'Aillebout, gagnera d'ailleurs bien vite le paradis mérité) et les supérieures en général :

> Je ne croy pas, au reste, que ce récit diminüe l'estime que l'on doit a la Mere Marie René de la Nativité ; au contraire, il est aisé de juger de la pureté de son ame par le sujet des reproches qui luy furent faits, puisque pas un ne regardoit ses mœurs, mais seulement sa conduite envers le prochain, trop douce pour ses inferieures, trop humaine aupres des grands et trop condescendante envers ses superieurs, en ce qui ne s'accordoit pas avec l'équité que Dieu demande des hommes en toutes choses. (*Ibid.*: 218)

Au XVIIe siècle, « condescendance » signifiait « complaisance, soumission, deference aux sentiments et aux volontés d'autruy » (*Dictionnaire* de Furetière). Dom Albert Jamet, qui édite et annote les

Annales, accompagne le passage de la remarque suivante, injuste et machiste à souhait :

> Aussi bien, c'est sans doute beaucoup moins la régularité de l'administration de la Mère de la Nativité qu'il conviendrait de mettre en cause que les visions de Madame d'Ailleboust, dont quelques-unes, à distance, paraissent d'une authenticité contestable. Madame d'Ailleboust était au surplus une nature assez imaginative [...].

L'autonomie et la gestion des religieuses sont un contentieux sans fin, épineux, et il faut sans doute voir, dans les recommandations réitérées des évêques et le soupçon – savamment entretenu par les intéressées – quant à leur difficulté à bien manier les chiffres, un indice de leur résistance. Dans un mandement du 4 septembre 1694, monseigneur de Saint-Vallier cette fois, s'adressant paternellement à ses « très chères filles », s'inquiète encore de leur aptitude comptable et du soin que les hospitalières doivent accorder aux biens des pauvres ; il n'hésite pas, avec une superbe mauvaise foi rhétorique, pour leur bien et pour mieux les conseiller à l'avenir, à s'immiscer dans leurs affaires, à leur donner des règles et à obliger les procureurs chargés des affaires des religieuses en France à lui soumettre leurs comptes et leurs contrats :

> Ayant remarqué dans plusieurs visites que nous avons faites de votre monastère que vous n'avez pu nous donner une parfaite connaissance de votre temporel, pour avoir de la peine vous-mêmes à le connaître par le grand éloignement où vous êtes de vos biens et de vos revenus qui se trouvent presque tous situés en France, nous avons cru vous devoir donner des règles qui sont non seulement nécessaires pour vous conserver votre temporel, mais très avantageuses pour vous faciliter la connaissance que vous en devez avoir pour régler sur vos revenus votre dépense, et empêcher la destruction de votre Communauté, qui dépend certainement de la bonne conduite de votre temporel. La pratique des règles que nous vous laissons nous donnant connaissance de vos revenus et des dépenses que vous pouvez faire, nous mettra en état de vous pouvoir donner de bons conseils, qui vous puissent être propres, ce que nous n'avons pu faire jusqu'à cette heure pour n'avoir pu rien comprendre aux comptes que vous nous avez rendus jusqu'à cette heure.

On en conclut que le brouillage stratégique de nos économes autonomes dure (après vingt ans de liberté, de 1639 à 1659) depuis... trente-cinq ans. L'évêque n'aura par ailleurs aucun scrupule à contrevenir à ces mêmes règles quand cela fera son affaire : l'année suivante, les bâtiments du monastère des hospitalières étant devenus trop petits et menaçant ruine, il les exhorte – même sans le sou – à bâtir :

> Il nous citoit l'exemple de la Sœur Bourgeois qui n'avoit pour tout argent que quarante sols, quand elle commença sa Maison, et qui par sa grande confiance en Dieu a élevé avec le secours de la Providence une des plus belles Communautés de Canada. Monseigneur voulut que, sans avoir rien, nous entreprissions de bâtir ; il nous l'ordonna en vertu de la sainte obéïssance, nous assurant que nôtre soûmission attireroit la bénédiction du Ciel. Cependant pour aider nôtre esperance, il nous permit d'emprunter vingt mille livres. En effet, nous empruntâmes cette somme dont nous avons payé la rente jusqu'au dernier remboursement. (*AHDQ* 1695 : 281)

Pour Mgr de Saint-Vallier, charité bien ordonnée commence d'abord par celle que les autres peuvent se faire, en l'occurrence ces femmes religieuses – que l'on ne soupçonne par ailleurs de détourner des fonds[6] que pour mieux se dédouaner, asseoir son autorité et se disculper de thésauriser parfois à leurs dépens. Cette décision allait bien à l'encontre des seconde et troisième règles du Mandement :

> La seconde règle est de former votre dépense sur vos revenus en sorte que vous ne les excédiez jamais, mais au contraire que vous tâchiez d'avoir quelque chose de reste au bout de l'année, pour les dépenses imprévues ou pour la construction des bâtiments absolument nécessaires pour la bonne conduite et régularité de votre maison.
> La troisième règle est que vous ne fassiez jamais entrer dans vos comptes les fonds des dots des filles que vous recevrez, de peur que les consommant vous ne vous trouviez surchargées d'un plus grand nombre de personnes que votre revenu n'en peut faire subsister.

Il n'y a pas de miracle : c'est bien à la construction du monastère que « furent employées 7000 livres de la dot de Charlotte Aubert de la Chesnaye » (*AHDQ 1695*: 281, note 2 de dom Jamet). Le même scénario se reproduira pour l'établissement des religieuses à Trois-Rivières, en 1697. On se demande si la note suivante de dom Jamet – « Avec sa générosité habituelle [l'évêque] offrait 600 livres de pension annuelle pour l'entretien de six lits à l'hôpital et proposait de faire l'achat d'une maison sur le bord du fleuve pour la nouvelle fondation » – est ironique, d'autant qu'il précise à la page suivante qu'« établies d'abord dans la maison de M. de Ramezay, à l'endroit historique appelé le Platon, elles ne purent en acquitter le prix. Deux ans après leur arrivée, elles s'établirent dans une autre résidence [...] ».

Indéniablement, c'est, entre autres ressources, sur l'art de faire... tout avec rien... que l'Église repose[7]. Marie Morin, contrainte elle aussi, en 1725, de rebâtir son monastère après qu'il eut brûlé, écrit – avec son étonnant sens de la formule – que les hospitalières de Montréal se lancèrent dans les réparations « avec une confiance désespérée de la prudence humaine » ! Elle pouvait, en toute connaissance de cause, dire aux sœurs qui allaient leur succéder : « celles qui vous ont précédé ont cully bien des ronces ou vous ne trouves que des fleurs[8] ».

À travers les difficultés d'implantation en Nouvelle-France, les jeux de pouvoir et les enjeux économiques, les religieuses ont fait preuve d'autonomie, d'indépendance d'esprit et d'ingéniosité. Elles ont su ruser avec le pouvoir[9], jouer avec l'humilité et l'aplomb, les mots et les images, et reprendre à leur profit cette extension à la règle que Jérôme Lalemant (celui-là même qui aida Marie de l'Incarnation à rédiger ses Constitutions et la soutint dans ses démêlés avec Mgr de Laval) accordait aux hospitalières, à savoir « que ce qui êtoit deffendu dans la loy écrite êtoit permis dans la loy de grace » (*AHDQ* 1668 : 161).

NOTES

[1] Thérèse d'Avila affirme que « [c]e n'est pas ainsi que font certains théologiens, que Dieu ne conduit pas par ce genre d'oraison et qui n'ont pas la moindre expérience des effets surnaturels : ils veulent mettre partout tant de

méthode et si bien ajuster toutes choses à la mesure de leur esprit, qu'on dirait, en vérité, qu'ils vont avec leur science embrasser toutes les merveilles de Dieu. Ah ! s'ils apprenaient un peu de l'humilité de la Très Sainte Vierge ! » (*PAD* : 944)

[2] « Quatre esquisses pour une morphologie », dans *La théorie un dimanche*, Montréal, Éditions du remue-ménage, 1988, p. 130.

[3] Lucien Campeau précise effectivement que, au printemps 1659 et du vivant de M. de la Dauversière, Mgr Henri Arnauld, qui n'était pas de l'avis des fondateurs – M. de la Dauversière et Marie de la Ferre –, avait fait réunir un chapitre : « Des 76 professes assemblées à la Flèche, 6 seulement votèrent pour les vœux solennels et 70 contre. [...] Sœur Judith Moreau de Brésoles, première supérieure de Montréal, avait assisté à ce chapitre et avait voté contre les vœux solennels. Lisant donc les constitutions de 1643, Mgr de Laval se trouva scandalisé de tout ce qui s'y trouvait en désaccord avec sa conception de la vie religieuse féminine. » « Mgr de Laval et les Hospitalières de Montréal (1659-1684) », dans *L'Hôtel-Dieu de Montréal 1642-1973, op. cit.*, p. 116.

[4] En 1692-1693, puis en 1699-1701, les hospitalières de l'Hôtel-Dieu de Québec tentent de s'opposer à ce projet puis de le transformer : Mgr de Saint-Vallier, après s'être adressé aux Filles de la Congrégation de N.-D. (sœurs Anne Hiou puis Ursule Gariépy), s'adresse aux hospitalières de Québec, qui réagissent en ces termes : « [...] nous ne goûtâmes pas comme il souhaitoit sa proposition [...]. Nous jugeâmes dès lors que cet établissement pourroit troubler la paix de nôtre maison, et que s'il ne nous troubloit pas, il nous ôteroit du moins plusieurs bons sujets, dont nôtre Communauté se trouveroit incommodée. » « Il y eût sur ce sujet plusieurs contestations, et comme les refûs sont toûjours facheux, Monseigneur s'offença du nôtre. » « Cela déplût encore extrêmement à Monseigneur et l'irrita beaucoup contre nous ; il s'en prit particulierement a la Mere Jeanne Françoise de St Ignace qu'il accusoit de faire joüer tous ses ressorts et de tenir tous les esprits de Cette Communauté. » « Pendant cet orage, nous êtions fort unies entre nous. » « Sa Grandeur n'avoit eû nul égard a nos prieres. » Le différend se réglera en France en 1701, devant la Cour : « Il demanda ce qu'il voulut et n'obtint cependant que ce que nous souhaittions qu'on luy accordât. On suivit en tout les mémoires que nous avions envoyez sur cette affaire. » (*AHDQ* : 292-303) Il n'en demeure pas moins que le succès des hospitalières de l'Hôtel-Dieu allait être assombri par « le froid » établi entre les sœurs des deux établissements, quelque peu « désunies »... Dans la *Relation du siège de Québec en 1759* (la supérieure de l'Hôpital Général était à ce moment-là Saint-Claude de Ramezay), la nouvelle supérieure, Marie-Joseph de Repentigny de la Visitation, écrit ces lignes, vers 1765 : « Mgr. [Henri-Marie Dubreuil de Pontbriand] qui depuis son arrivée dans ce Pays nous avoit toujours protégées,

et je pourrois dire, préférées, le chargea (le vicaire général M. Briand, futur évêque] plus particulièrement de notre Maison et l'engagea à y fixer sa demeure. » (p. 12)

[5] *Mandements des Evêques de Québec*, par Mgr H. Têtu et l'abbé C.-O. Gagnon, t. 1, Québec, Imprimerie Générale A. Coté et Cie, 1887.

[6] Ce fut le cas pour Jeanne Mance, injustement soupçonnée d'avoir détourné au détriment de l'hôpital – et au profit de Paul de Chomedey de Maisonneuve et de la Recrue des soldats appelée à sauver Montréal en 1653 – 22 000 livres que lui avait confiées Angélique Faure de Bullion. En 1665, de concert, Mgr de Laval, l'intendant de Tracy, le gouverneur de Mésy et le Conseil souverain (la rivalité Québec / Montréal, évêque / sulpiciens se poursuit) renvoient Paul de Chomedey de Maisonneuve en France ; ce dernier refuse de démissionner, rédige un mémoire sur la question et meurt, le 9 septembre 1676, loin de son Montréal ; il lègue une partie de ses biens à Jeanne Mance et à Marguerite Bourgeoys et inscrit dans son testament son titre de « gouverneur de l'isle de Montréal En la Nouvelle-France ». Mgr de Laval estime aussi que Jeanne Mance est en partie responsable de la mauvaise gestion de Jérôme Le Royer de la Dauversière, mort fin 1659.
Marie-Claire Daveluy (*Jeanne Mance*: 284-288), François Dollier de Casson (*Histoire du Montréal*: 96), Françoise Deroy-Pineau (*Jeanne Mance*: 141-142) et Guy-Marie Oury (*Jérôme Le Royer de la Dauversière*) ont rétabli les faits et disculpé Jeanne Mance. F. Deroy-Pineau parle de « harcèlement comptable » de la part de Mgr de Laval. Dans *Ces femmes qui ont bâti Montréal* (Montréal, Éditions du remue-ménage, 1994), Françoise Deroy-Pineau note qu'il a fallu « attendre 1992 et la célébration des 350 ans de Montréal, pour que Jeanne Mance soit enfin considérée comme fondatrice de la ville, au même titre que Maisonneuve » (29).

[7] « Marguerite Bourgeois décide donc, en 1670, d'aller "demander des lettres patentes au roi" pour assurer l'existence de sa communauté. [...] Marguerite part, seule de son sexe, avec dix sols dans sa poche. Arrivée à Paris, "sans argant sans hardes et sans connaissances", elle parvient à rencontrer Louis XIV. Talon avait signalé à Colbert, dans son rapport du 10 novembre 1670, les services rendus au pays par cette "espèce de Congrégation pour enseigner à la jeunesse, avec les lettres et l'écriture, les petits ouvrages de mains". Et Colbert avait écrit en marge : "Il faut s'employer à cet établissement." Le terrain est donc bien préparé et Marguerite Bourgeoys obtient du roi, en mai 1671, les lettres patentes demandées. "Non seulement, écrit le roi, elle a fait l'exercice de maîtresse d'école en montrant gratuitement aux jeunes filles tous les métiers qui les rendent capables de gagner leur vie, mais, loin d'être à charge du pays,

elle a fait construire des corps de logis, défriché des concessions, aménagé une métairie."» (Hélène Bernier, *DBC* I : 119)

[8] Robert Lahaise cite un extrait du mémoire du gouverneur Denonville et de l'intendant Champigny au ministre à l'automne 1687 : « [...] c'est la plus grande pitié du monde que de voir le logement de ces pauvres religieuses [...]. Outre qu'il y pleut et y neige de tout côté, n'étant que de vieux cloisonnages, elles n'y peuvent absolument pas rester sans courir risque d'être écrasées d'un coup de vent. [...] D'ailleurs leur logement (qui est plutôt un grenier qu'un dortoir) est si étroit [...] qu'à peine elles peuvent s'y tourner. [...] on y sent un grand froid ou une chaleur extraordinaire [...] », dans « L'Hôtel-Dieu du Vieux-Montréal (1642-1681) », *op. cit.*, p. 26-27.

[9] Par exemple, Marie de l'Incarnation rassure une consœur de Tours au sujet de la confidentialité des correspondances : si la supérieure des ursulines est obligée par Mgr de Laval d'ouvrir le courrier de ses religieuses, elle se contente de rompre tactiquement et diplomatiquement le cachet sans ouvrir ni lire la lettre ; elle ajoute : « et enfin il faut garder quelque forme qui fasse voir qu'une Supérieure peut toujours user de sa liberté » (*C* 1660 : 644).

CHAPITRE 7

Des femmes de plume et de tête

Lorsque le critique littéraire Jean Éthier-Blais affirme, dans sa chronique du *Devoir* intitulée « Le temps est le critique le plus impitoyable[1] », que « l'écrivain est toujours en instance de disparition dans la grande trappe de l'oubli. Le temps s'en va, Madame, dit le poète », on peut décoder l'implicite de bien des critiques, leur rapport au temps, et constater que les dames, quant à elles, se retrouvent toujours plus vite « dans la trappe de l'oubli » que les messieurs... Et ce, même si elles sont bien souvent, comme cette religieuse qui relie et soigne les vieux livres de M. Éthier-Blais, des servantes du bon Dieu, des raccommodeuses de temps devant l'Éternel : « Le livre, poursuit-il, est un objet fabriqué, souvent amoureusement, par des hommes », « objet sacré dans le subconscient littéraire ». Lorsqu'il se réjouit de sa collaboration au *Devoir*: « Dans une vie intellectuelle, cette place est énorme. J'y vois une marque d'affection qui vient ajouter l'ampleur de la reconnaissance au plaisir d'écrire », je pense à toutes les écrivaines et aux femmes critiques qui ont manqué d'affection et de soutien et qui ont dû s'en inventer. C'est l'envers de la littérature et de la critique, cette invention, ces ruses de femmes venues à l'écriture, qui retiennent à présent notre attention. De vieilles histoires, de vieux désirs, de vieux prétextes, aux accents parfois bien contemporains...

Les liens entre deux vocations inusitées, deux choix extraordinaires de la part de femmes – l'entreprise missionnaire au XVIIe siècle et l'entreprise d'écrire –, sont évidents. Élisabeth Dufourcq, dans *Les aventurières de Dieu. Trois siècles d'histoire missionnaire française*, note justement qu'« à partir du XVIIIe siècle, les lettres des religieuses se font de plus en plus rares », que les religieuses sont désormais devenues « anonymes », qu'on ne retrouve dans leurs lettres de fonctionnaires de leur administration « aucun élan mystique, aucune passion brûlante, aucune référence spirituelle » ! Elle conclut en ces termes : « si la mission devient sinécure plutôt qu'aventure, elle n'a plus de sens[2] ».

Prendre la plume est indéniablement, dans un contexte exceptionnel, un atout pour défendre ses idées, ses projets, prendre pays et le décrire, s'y adapter et y trouver « son centre », selon la formule de Marie de l'Incarnation. Cette dernière ne s'est pas privée d'en faire le tour, d'exercer sa réflexion et son sens critique, de coucher sur le papier le fond de sa pensée et de « dilater [s]on cœur selon [s]on souhait ». Ce qui frappe dans les textes de nos écrivaines, c'est le désir, la pulsion, l'urgence d'écrire : la dramatisation de l'écriture y est omniprésente. Marie de l'Incarnation, à peine arrivée, dresse la liste de tout ce qui lui manque en Nouvelle-France, à commencer par le papier à écrire.

On l'a vu, le contexte canadien de l'époque ne facilite rien, qu'il s'agisse de la tâche – « Je vous prie d'excuser ce brouillon dans la presse de plus de deux cents lettres » (*C* 1643 : 196)[3] –, du départ des bateaux – heureusement retardé parfois : « Je ne serois pas satisfaite si voiant un vent Nord-est qui arrête le navire à notre port, je ne prenois un moment de loisir pour vous dire un mot [...] » (*C* 1655 : 563) –, de la promiscuité ou du froid glacial de l'hiver :

> J'ay fait [dit-elle à son fils au sujet de l'autobiographie qu'elle lui a promise] ce qui a été possible pour vous donner cette satisfaction ; je vous diray que l'on n'écrit icy en hiver qu'auprès du feu, et à la veue de tous ceux qui sont présens : Mais comme il n'est nullement à propos que l'on ait connoissance de cet écrit, j'ay été obligée contre l'inclination de mes désirs d'en différer l'exécution jusques au mois de May. Depuis ce temps-là j'ay écrit trois cahiers de seize feuillets chacun *in quarto* dans les heures que j'ay pu dérober à mes occupations ordinaires. (*C* 1653 : 515)

> Nostre cheminée est au bout du dortoir pour eschauffer le courroir et les celles dont les séparations ne sont que de bois de pin. L'on n'y pourroit eschauffé autrement, car ne croyez-pas qu'on puisse estre longtemps en sa celle l'hiver sans se chauffer. Ce seroit un grand excez d'y demeurer une heure, encore faut-il avoir les mains cachées et estre bien couvert. Hors les observances, la demeure ordinaire pour lire, escrire et estudier est de nécessité auprès du feu, ce qui est une incommodité et assujetissement extrême [...]. (*C* 1644 : 220)
> Je vous écris la nuit, enfermée dans notre chambre, comme dans un coffre, [à] cause du froid. (*C* 1648 : 356)

En dépit des difficultés matérielles, sa compulsion d'écrire est surprenante :

> Ce n'est pas que je m'arrête à écrire mes dispositions, s'il y a de la nécessité : mais en cette occasion une sentence de l'Escriture sainte m'attira si fort l'esprit, que ma foiblesse ne pouvant supporter cet excez, je fus contrainte de me soulager par ma plume en écrivant ce peu de mots, qui vous feront connoître la voye par où cette lumière me porte. (*C* 1647 : 316)

Et, comme bien des intellectuels, elle avoue, citant François de Sales :

> Je soupire après la retraite et la solitude, mais il n'est pas en ma disposition de choisir cet état. [...] Monsieur de Genève dit qu'il y a des oyseaux qui en volant prennent leur refection. J'en suis de même en matière de la vie de l'esprit. (C 1660 : 641)

L'ambivalence à écrire – à bien écrire et à bien s'exprimer, entre simplicité et recherche, contrainte et plaisir, culpabilité et fierté, transparence et réserve – est manifeste chez nos écrivaines. Autocritique et autocensure sont en règle générale leur lot et, se méfiant de la critique, elles la devancent. Les précautions oratoires, le topos de l'exorde[4] – qui sert à justifier l'œuvre et à excuser ses imperfections –, celui de l'obéissance, et son corollaire obligé chez les femmes auteures, celui de l'humilité, soulignent le statut problématique de l'écrivaine, statut incertain qui provoque leur attitude réflexive sur l'acte, le métier d'écrire. Marie Morin, annaliste de l'Hôtel-Dieu de

Montréal, l'exprime sans ambages : « [...] si je ne savois pas vous faire pleisir en ecrivant sesy, je ne l'orois jamais commancé, ne voulant pas m'exposer à la sansure des sages qui possible se mocquerois de mon antreprise. » (*AHDM* : 8) En forme d'excuses, elle avoue que la surcharge de travail l'oblige à interrompre souvent le récit de ses annales – « cela me distrait de mon sujet et me fait faire des repetitions mal a propos et couper trop cour un discours commancé » (*ibid.*). Élisabeth Bégon s'obstine à nier son propre talent, à dévaloriser ses écrits. Elle s'accuse d'écrire « comme une chatte », une « écrivante », de laisser des « rien », des « pauvretez », « fagos », « gâchie », « sornettes », « folies », « galimatias », « grifons », etc. Cela ne l'incite cependant pas à lâcher la plume, mais elle demandera instamment à son gendre de brûler toutes ses lettres – ce qu'il ne fera heureusement pas ! Marie de l'Incarnation nous a d'ailleurs aussi accoutumés à ce genre de recommandation[5].

L'une des métaphores de l'oscillation entre héroïsation et dépréciation de soi est, ici sous la plume de Marie de l'Incarnation, celle du fragile vaisseau de terre :

> (Lorsque vous lirez ce que sa divine Majesté a fait à mon âme, tremblez pour moy, parce qu'il a mis ses trésors dans un vaisseau de terre le plus fragile qui soit au monde, que ce vaisseau peut tomber, et en tombant se briser, et perdre toutes les richesses qu'il contient), (et enfin qu'il n'y a rien d'assuré en cette vie, où quelque apparence que nous ayons de sainteté, nous ne pouvons dire si nous sommes dignes d'amour ou de haine. Je suis seulement assurée d'une chose, que Dieu ne me manquera jamais de sa part, mais que de mon côté je puis me perdre en mille manières par mes fautes et par mes infidelitez. C'est pourquoy je vous prie, mon très-cher fils, d'avoir un grand soin de mon salut [...]. (*C* 1654 : 528)

Marie de l'Incarnation sait aussi, nous reviendrons sur ce point, qu'elle fait partie des « âmes choisies » de ce monde – ayant « receu plus de grâces et de miséricordes qu'il n'y a de grains de sable dans la mer » (*C* 1668 : 826) – et que, par ricochet, pour l'amour de Dieu, de bonnes âmes protégeront son vaisseau de terre et ses écrits.

Peur d'écrire, devoir d'écrire, urgence d'écrire, plaisir de communiquer et d'exercer sa plume aussi... « Pour moy, ce m'est une singulière joye de me pouvoir dire » (*C* 1644 : 239) ; « Je divise la réponse en deux, afin de multiplier le plaisir que j'ay à vous entretenir », écrit Marie de l'Incarnation (*C* 1652 : 493). Son plaisir de raconter, son art de la description et une pointe d'héroïsation se retrouvent dans un épisode dramatique pourtant – qu'elle raconte plusieurs fois, à différents correspondants, variantes à l'appui –, celui du récit de l'incendie du monastère le 30 décembre 1650 :

> [Une religieuse qui] s'éveilla en sursaut au bruit de la flamme [...] courut par tout ; elle sonne la cloche, elle crie que l'on se sauve [...]. J'estois demeurée seule dans le dessein d'exécuter ma première pensée, aïant dans l'esprit que les sœurs s'estant sauvées à demi-nues, il falloit de quoi les couvrir. Je voulus donc aller à notre petit magazin, mais je trouvé que le feu estoit déjà au dortoir, et non seulement au lieu où je voulois aller, et où je fusse demeurée[6], mais encore au long du toît, et dans les offices d'en-bas. Enfin j'étois entre deux feux, et un troisième me suivoit comme un torrent. Je ne fus point incommodée des flâmes, mais peu s'en fallut que je ne fusse étouffée de la fumée. Pour me sauver, il me fallut passer sous la cloche, et me mettre en danger d'être ensevelie sous la fonte. [...] Je demeuré nue comme les autres, que je fus trouver sur la neige, où elles prioient Dieu en regardant cette effroiable fournaise. (C 1651 : 408, 413-414)

L'abbé Henri Bremond, qui n'a pas manqué de circonscrire, tout en le déplorant, le travail éditorial, la « pesante main » du fils, apprécie le style « guyartien »[7]:

> [...] cette façon de massacrer les textes nous exaspère, mais, somme toute, les modifications n'ont dû porter, pour la plupart, que sur des vétilles, laissant subsister, non seulement la pensée de la Vénérable, mais, d'ordinaire, la couleur et presque le mouvement de son style, lequel est d'ailleurs très supérieur à celui de Dom Claude [...]. (p. 5)
> Il y a là une vivacité, un abandon, une liberté qui sont du monde plus que du couvent. Sauf quelques contaminations inévitables, Marie de l'Incarnation est restée ce qu'était Mme Martin : elle n'a pas essayé de changer de voix, d'éteindre son originalité, de contrefaire le ton, les tours prévus, l'onction un peu fade d'une certaine littérature dévote. Son style n'a pas pris le voile. [...] elle écrit à ravir. [...] assurément cette aisance parfaite, ce primesaut, cette fermeté flexible, cet esprit, cette grâce ne sont pas de lui. [...] Quand elle en a le temps, ce qui est très rare, il lui arrive de s'appliquer, de se conformer, avec le

> sûr instinct du génie, aux règles de l'art [...]. Mais d'ordinaire, elle écrit à course de plume. (105, 111-112)

Isabelle Landy-Houillon rappelle les qualités de Marie de l'Incarnation vantées par l'abbé Bremond, mais aussi « l'exceptionnelle qualité de la langue parlée en Touraine, terre des Rois, où vécut Marie de l'Incarnation durant 40 ans », « où l'on parle le français le plus pur » ; elle affirme que

> [...] les femmes, loin de l'excessive régularité cicéronienne [...] forment leur esprit par la conversation et la lecture et préservent de tout contrôle intempestif la spontanéité, le naturel, la facilité voire la négligence de leur style, toutes vertus qui passeront à la fin du siècle pour les qualités spécifiques de l'écriture féminine particulièrement adaptées à la liberté du style épistolaire. (74-75)[8]

Jeanne Lapointe estime qu'

> [il] y aurait toute une autre étude à consacrer à la libération progressive du langage et du style à travers notre littérature. Depuis les grands styles perdus de notre haute époque, avec Marie de l'Incarnation, et dont on retrouve des traces dans les archaïsmes à la Sévigné et la qualité soutenue de l'écriture de Laure Conan ; – les ursulines, à Québec, jusqu'à l'uniformisation entraînée par les programmes de baccalauréat, gardaient une tradition très soignée du style, grâce à quoi bon nombre de nos grands-mères savaient fort bien écrire[9].

Élisabeth Bégon se laisse volontiers couler dans l'écriture : « Le moment de tranquillité que j'ai me fait écrire plus longtemps que je ne m'étais proposé dans la crainte de t'impatienter. Quand je puis m'entretenir avec toi à mon aise, si je me croyais, je ne ferais autre métier. » « [...] j'imagine te voir, cher fils, en décachetant mes écrits et dire : "Ma foi ! Il faut que ma mère me croit bien désœuvré pour lire tout ce griffonnage." Compte donc que c'est pourtant tout mon plaisir. » (*LCF* 1750 : 169)

Si aucune de nos épistolières et de nos annalistes ne revendique le statut et le talent d'écrivaine, leurs textes révèlent bien un savoir, un art d'écrire, l'envie de faire, à part entière, une œuvre et de déjouer la critique. Martin Robitaille est convaincu que ce n'est pas pour son gendre,

> mais pour elle-même qu'Élisabeth écrit. Si elle s'écoutait, elle « ne ferai[t] autre chose ». C'est donc qu'au-delà de la solitude, du silence et du froid, l'épistolière trouve dans l'écriture un apaisement à ses peines et une satisfaction profonde à son besoin intense de se sentir exister. En rompant la glace, en triomphant du froid et de la solitude qui l'envahissent, en allant au-delà de ce qui « ne répond pas », elle laisse s'infiltrer en elle, lettre après lettre, une inspiration, qui vient du vide créateur et qu'elle cherche à (ré)atteindre jour après jour, dans un dépassement. (56)[10]

Un peu jalouse sans doute, Élisabeth Bégon valorise la fonction du « petit La Gorgendière [qui] a été fait écrivain principal pour St Domingue. Je l'ai vu aujourd'hui, il en est tout enthousiasmé... » (*LCF* : 169) ; elle s'empressera par ailleurs – douce revanche –, ravie de l'esprit vif et des « saillies » de sa petite-fille, de rapporter – féminisation du terme à l'appui – que l'on a « donné matière à cette orateure[11] à beaucoup parler » (*LCF* : 45).

À la suite du naufrage des Anglais à l'Île aux Œufs, en 1711, « les poètes épuisèrent leur veine pour rimer de toutes les façons sur ce naufrage », notent les annalistes de l'Hôtel-Dieu de Québec, fières de souligner aussi que,

> En fin le parnasse devint accessible a tout le monde ; les Dames même prirent la liberté d'y monter, et ce fut quelqu'unes d'entr'elles qui commencèrent et qui mirent les Messieurs en train d'exercer leur esprit et leur plume [...]. (*AHDQ*: 369)

Toutes nos écrivaines se sont essayées à l'écriture de l'Histoire, conscientes que leur vision, leur mode d'appréhension de la réalité différaient de ceux de leurs homologues masculins. L'annaliste Marie Morin, nous le verrons, nous en donne un bel exemple. L'épisode de la célèbre rencontre entre Frontenac et l'envoyé de Phipps, longuement raconté et décrit à leur façon par les annalistes de l'Hôtel-Dieu de Québec, en témoigne :

Des qu'ils eûrent mouillé, le general de la flote, nommé Guillaume Phlips envoya un trompette sommer Monsieur le Comte de Frontenac, notre gouverneur, de luy rendre la place. Cet envoyé fut reçu d'une maniere assez plaisante, et on se servit pour le tromper de bien des ruses que la guerre permet. Mr le Major, qui l'attendoit sur le bord de leau, luy fit bander les yeux, afin qu'il ne vit pas la faiblesse de nos retranchements ; puis le fit conduire par deux sergents qui le soutenoient, et qui le firent passer expres par des chemins impraticables pour aller au fort. On crioit de tous côtez qu'on eut a se ranger, comme si la foulle eût fermé le passage ; et pour mieux persuader a cet étranger que le monde abondoit dans Quebec, dix ou douze hommes eûrent soin de le presser et de le pousser pendant tout le chemin, sans qu'il s'apperçut que c'étoit toujours les mêmes qui ne faisoient que passer et repasser au tour de luy. Les Dames qui eûrent la curiosité de le voir l'appeloient en riant Colin Maillard, et tout ce qu'il entendoit luy paroissoit si résolu qu'il en trembloit de tout le corps, quand il entra dans la chambre de Mr le Gouverneur, ou tous les officiers l'attendoient. Ils s'étoient tous habillez le plus proprement qu'ils pûrent : les galons d'or et d'argent, les rubans, les plumets, la poudre et la frisure, rien ne leur manquoit, de sorte que, quand ce pauvre Anglois eût les yeux libres, il vit quantité d'hommes bien faits et bien mis, qui n'avoient point la mine craintive, mais au contraire la joye se lisoient sur leur visage, et l'air martial de tous ces braves gens le rendit tout interdit. Il salüa Mr le Comte de Frontenac, le pria fort humblement de trouver bon qu'il s'aquitât de la commission dont son maître l'avoit chargé, s'excusant sur la necessité ou il êtoit de faire un compliment qu'il jugeoit ne devoir pas être agreable.

Il dit donc a Mr le Gouverneur que Guillaume Phlips le sommoit de la part du Roy Guillaume de rendre la ville dont il avoit le commandement et qu'il luy donnoit une heure pour y répondre ; en même tems il tira de sa poche une montre, et la posa sur la table. Mr le Comte de Frontenac, qui avoit beaucoup d'esprit, ne parût pas embarassé de ce qu'il avoit a faire. Il luy repondit qu'il ne connaissoit point le Roy Guillaume, qu'il ne reconnaissoit pour le Roy d'Angleterre que le Roy Jacques deuxième, et que, pour la ville qu'il demandoit, il n'êtoit pas d'avis de la luy rendre, que tous ses braves officiers s'y opposeroient, qu'ainsy il ne feroit point d'autre reponce que par la bouche de ses canons. Aussy tôt l'Anglois reprit sa montre, on luy remit son bandeau, et il fut reconduit avec les mêmes précautions qu'on avoit prise pour l'amener.

La reponce genereuse[12] de Mr le Gouverneur fût admirée avec raison de tous ceux qui en furent temoins, ou qui en entendirent parler. On eût lieu de croire qu'elle surprit beaucoup nos ennemis, car ils tinrent

> plusieurs conseils pendant trois jours et garderent un profond silence ; on voyoit seulement les chaloupes de tous ses vaisseaux aller souvent a bord de l'amiral. (*AHDQ* 1690 : 250-251)[13]

Les *Annales* ont été rédigées entre 1717 et 1720 – à partir des « petits cahiers » laissés par l'une des trois fondatrices arrivées en 1639, mère Marie de Saint-Bonaventure, décédée en 1698, des notes de Marie-Catherine de Saint-Augustin et de celles de Marie-Renée de la Nativité – par Jeanne-Françoise Juchereau de Saint-Ignace (Québec, 1650-1723) et Marie-Andrée Regnard Duplessis de Sainte-Hélène (Paris, 1687 - Québec, 1760)[14]. Dans l'épisode retranscrit ici, le désir de rapporter « l'événement », à partir de ce qui a été vu et entendu par plusieurs personnes, est manifestement doublé par le plaisir de le raconter. Relation historique / témoin de l'histoire, et récit littéraire / art de mettre en mots et en scène se superposent ici.

Dans les chambres d'écho des couvents et des maisons, les voix multiples de l'histoire du dehors se croisent, se décantent et permettent de mieux relativiser et philosopher. La vision du monde perd son aspect monolithique, le vrai se diffracte, l'histoire sans qualité permet enfin d'écouter plusieurs voix en stéréophonie et de mieux faire la part des choses[15].

La dialectique du Tout et du Rien, comme la métaphore du vaisseau, utilisées, entre autres, par Marie de l'Incarnation, sont bien connues. Nous la retrouvons, plus près de nous, sous la plume de l'écrivaine Anne Hébert, dans *Les songes en équilibre* (1942). « À l'instar de modèles comme la Sainte Vierge, sainte Thérèse de Lisieux et sa propre mère, dont elle évoque la passivité exemplaire, la poète », note l'essayiste Patricia Smart , « n'aspire qu'à être le vaisseau vide à travers lequel s'exprimera un Autre plus grand qu'elle[16] » :

> Mon Dieu, j'ai peur
> J'ai peur d'écrire...
> Guidez ma main
> Soyez la main elle-même
> Moi, je veux bien être le crayon...
> Au fond, vous êtes tout
> Moi, je veux bien être votre petit rien (S : 119).

Anne Hébert, entre foi et dérision, rendra justice, parole et pouvoir aux « petits riens » et aux filles d'Ève, « celles qui sont sans nom ni histoire » (« Ève » : 88[17]). Dans *Mystère de la parole*, « des dieux captifs » sont libérés grâce à leurs « sœurs vives », « désirées comme la couleur-mère du monde » :

> Des dieux captifs ayant mis en doute le bien-fondé de nos visions / [...]
> Nous décidâmes par des chemins de haut mystère de les mener au bord de l'horizon / [...]
> La vie est remise en marche [...] la marée se fend à l'horizon, se brise la distance entre nos sœurs et l'aurore debout sur son glaive.
> Incarnation, nos dieux tremblent avec nous ! La terre se fonde à nouveau [...]. (91-92)[18]

Si les religieuses et leur écriture se sont souvent mises sous le couvert de Dieu, on se rappellera que la première mandatrice et protectrice est bien la Vierge, qu'elles présentent et héroïsent, nous le verrons, de manière surprenante. Cette figure appelle un autre rapprochement, cette fois-ci avec *Angéline de Montbrun*, le premier roman canadien-français, publié en 1882. Laure Conan (1845-1924) voue Angéline, son personnage principal, à la Vierge, l'habille de bleu et blanc, la présente aussi en amazone et la fait vivre avec son père adoré « un peu comme les Saints vivent en Dieu ». L'auteure laisse pourtant sa narratrice tuer le père en quelques lignes... Défigurée ensuite par un accident, boudée par son fiancé, recluse dans son manoir et « habillée de deuil éternel », Angéline accédera... au statut d'écrivaine. Son amie Mina, aux idées trop libres pour l'époque, entrera... chez les ursulines. Laure Conan, ancienne élève des ursulines, ne manque pas de rendre hommage à Marie de l'Incarnation et aux femmes de la Nouvelle-France. Mina dit à son frère Maurice, fiancé à Angéline :

> Oui, elle aime le courage – comme toutes les femmes d'ailleurs – et il y a longtemps que nous avons décidé que c'était une grande condescendance d'agréer les hommages de ceux qui n'ont jamais respiré l'odeur de la poudre et du sang. Pour moi, j'ai toujours regretté de n'être pas née dans les premiers temps de la colonie, alors que chaque Canadien était un héros.

/ N'en doute pas, c'était le beau temps des Canadiennes. Il est vrai qu'elles apprenaient parfois que leurs amis avaient été scalpés mais n'importe, ceux d'alors valaient la peine d'être pleurés. Là-dessus, Angéline partage mes sentiments, et voudrait avoir vécu du temps de son cousin de Lévis.

L'héroïsation des femmes de la Nouvelle-France, qu'elles aient été religieuses ou laïques, françaises, canadiennes, amérindiennes ou métisses, libres ou esclaves[19], indique la détermination des écrivaines à graver dans les mémoires, à la pointe de leur plume, le souvenir de femmes-sujets :

> Ne croyez pas, mes sœurs, que j'exagère, écrivait Marie Morin, mais persuadez-vous que ce n'est pas la moindre partie et que c'est pour votre récréation que je prends plaisir à écrire ceci, car c'en est une de savoir les aventures et les actions mémorables de [celles] qui nous ont précédées. (*AHDM* : 7)

La mère Marie-Andrée Duplessis achèvera les annales de l'Hôtel-Dieu de Québec par ces phrases éloquentes :

> Je compteray pour rien la peine que j'ay prise a réünir tant d'evenements differents, pour l'instruction, la consolation et l'edification des religieuses qui me survivront, si, en effet, elles trouvent quelque plaisir a les lire [...]. Je me trouve même assez dedommagée de ce petit travail, par la satisfaction que j'aye ressentie de parler de leurs vertus et de retracer un peu dans la mémoire des hommes, l'idée de ces ames choisies a qui nous avons tant d'obligation, et dont les actions seront écrites éternellement dans le souvenir de Dieu, quand même sur la terre on les enseveliroit dans l'oubly. (*AHDQ* : 424)

Ces écrivaines ne se sont pas contentées du « souvenir de Dieu » puisqu'elles ont tenté, par leurs propres écrits, de perpétuer leurs mémoires et celles de leurs sœurs. Comme Anne Hébert qui, dans *Le premier jardin*[20], « s'est mis[e] à éplucher la ville [de Québec] de toutes ses vies, siècle après siècle », à évoquer des figures de femmes de la Nouvelle-France, tentons, nous aussi, de renforcer nos vaisseaux et de sauver nos richesses, d'éviter à ces textes, et à leurs auteures, de tomber dans les trappes de l'oubli.

NOTES

[1] Dans « Le plaisir des livres : la critique littéraire », *Le Devoir*, samedi 10 novembre 1990 : D2.

[2] Élisabeth Dufourcq, *Les aventurières de Dieu. Trois siècles d'histoire missionnaire française*, p. 75-77.

[3] Marie de l'Incarnation mentionne tour à tour la main comme unité de mesure et précieuse adjuvante humaine : « Une main de papier est aussi-tôt expédiée, et j'en ai la main si lasse qu'à peine la puis-je porter ; et néanmoins il faut qu'elle prenne courage jusqu'à la fin, il ne m'en reste plus qu'environ quarante [lettres] qui doivent être expédiées vers la fin de ce mois. Mon Dieu, que je serai heureuse quand je me verrai déchargée de ce fardeau qui est attaché à la supériorité. » (*C* 1668 : 816)

[4] Ernst Robert Curtius, *La littérature européenne et le Moyen-Âge latin*, Paris, PUF (Agora), 1956, t. 1, chap. V, « La topique ».

[5] La réalité se charge régulièrement de cette tâche, sans discriminer les écrits intimes des autres. Plusieurs des manuscrits de Marguerite Bourgeoys ont disparu dans les incendies de sa congrégation, en 1768, puis en 1893.

[6] « Le peu de temps que j'employai [à sauver les papiers de la communauté] me sauva la vie [...]. Si je fusse allée en ce lieu, j'y eusse péri, parce qu'en moins d'un *Miserere*, les avenues fussent prises du feu. » (*R 1654* : 322)

[7] Dans *Histoire littéraire du sentiment religieux en France*, Paris, Bloud et Gay, 1926, t. VI, « La conquête mystique. Marie de l'Incarnation », Première partie, p. 3-176.

[8] « Marie de l'Incarnation et les jésuites : une exception culturelle ? », dans *Femme mystique et missionnaire. Marie Guyart de l'Incarnation*, Raymond Brodeur [dir.], Québec, Presses de l'Université Laval, 2001, p. 69-97.

[9] « Quelques apports positifs de notre littérature », dans *Présence de la critique*, Ottawa, HMH, 1966, p. 109, note 1. Jeanne Lapointe (Québec, 1915-2006), ancienne élève des ursulines, fut l'une des premières professeures de littérature à l'Université Laval ; elle a été critique littéraire à Radio-Canada, membre des prestigieuses commissions Parent (sur l'éducation) et Bird (sur la situation des

femmes au Canada). Elle a créé officiellement le poste de littérature dans une perspective féministe à l'Université Laval en 1985.

[10] « Du rapport à l'Image dans les lettres d'Élisabeth Bégon », dans *Femmes en toutes lettres. Les épistolières du XVIIIe siècle*, p. 41-57.

[11] Dans sa réédition des *Lettres au cher fils*, Nicole Deschamps précise que Claude de Bonnault (le correspondant en France pour les Archives de la Province de Québec qui, en 1932, a découvert les lettres d'Élisabeth Bégon) a édité le texte en mettant ce terme féminisé entre guillemets alors qu'il n'y en a pas sur le manuscrit original (Montréal, Boréal, 1994, p. 62).

[12] « Généreuse », au sens étymologique : courageuse.

[13] Lire, de Réal Ouellet, « Une bataille, trois récits [...] » (il s'agit du récit de la bataille de Phips devant Québec en 1690, par Charlevoix, Lahontan et Juchereau de Saint-Ignace), dans *Quaderni del seicento francese*, 10 : *Les mentalités*, Bari / Paris, Adriatica / Nizet, 1991, p. 329-346.

[14] Voir sa notice biographique dans le *DBC III* : 592-594 ; Mary Loretto Gies, *Mère Duplessis de Sainte-Hélène, annaliste et épistolière*, thèse de doctorat, Université Laval, 1949; François Melançon et Paul-André Dubois, « Les amitiés féminines et la construction de l'espace savant du XVIIIe siècle », dans *Érudition et passion dans les écritures intimes*, Manon Brunet [dir.], Québec, Nota bene, 1999, p. 97-113.

[15] Quelques voix discordantes se font encore entendre, de plus en plus rarement, dans l'ensemble des historiens et des critiques littéraires. Dans *Le Québécois et sa littérature* (sous la dir. de René Dionne, Naaman, 1980), Léopold Leblanc note dans le chapitre consacré aux origines françaises (1534-1760) que les lettres de Marie de l'Incarnation, « dont quelques-unes sont très longues, véhiculent les mêmes valeurs et les mêmes préoccupations que les *Relations des Jésuites* et ne méritent guère une attention particulière ». Ambivalents et mitigés, les propos du critique se terminent sur une ode aux *Écrits spirituels* de Marie de l'Incarnation : « Le plus beau monument lyrique de notre littérature à venir jusqu'aux temps les plus récents. » (p. 53-54) L. Leblanc avait tenu sensiblement les mêmes propos en 1978, dans le vol. I de l'*Anthologie de la littérature québécoise* (sous la dir. de Gilles Marcotte, La Presse) ; au sujet de sœur Duplessis, il écrivait ceci : « Le style n'a peut-être aucune qualité particulière, si ce n'est une étonnante justesse et simplicité. La vision du monde non plus n'a guère de force ; [Sœur Duplessis semble] plus près des Salons et de la société policée du dix-huitième siècle. Elle échangeait, dit-on, des épigrammes avec Talon. » (p. 226) Charlevoix, dans son *Histoire générale de la Nouvelle-France,*

écrivait : « La Mère de l'Incarnation dans ses Lettres, qui sont si estimées & si bien écrites, & qui renferment d'excellens Mémoires de ce tems-là [...]. » (Livre VII : 317)

[16] Dans *Écrire dans la maison du père*, chap. IV : « Le fils détruit, la fille rebelle : la poésie de Saint-Denys Garneau et d'Anne Hébert. »

[17] Anne Hébert, *Œuvres poétiques 1950-1990*, Montréal, Boréal Compact, 1992.

[18] À lire, d'Anne Ancrenat, *De mémoire de femmes*: « *La mémoire archaïque* » *dans l'œuvre romanesque de Anne Hébert*, Québec, Nota bene, 2002.

[19] Des esclaves, noire comme Marie-Josèphe Angélique (†1734) ou indienne comme Marguerite Duplessis, sont connues pour leurs manifestations contestataires, qui coûtèrent la vie à la première, condamnée à Montréal, et la déportation aux Antilles pour la seconde. Voir, de Marcel Trudel : *L'esclavage au Canada français*, Québec, Presses de l'Université Laval, 1960 ; *Dictionnaire des esclaves et de leurs propriétaires au Canada français*, LaSalle, Hurtubise HMH, 1990.

[20] Anne Hébert, *Le premier jardin*, Paris, Seuil, 1988. Elle relate, entre autres, l'histoire de Guillemette Thibault, « une fille avec un tablier de cuir jusqu'aux pieds qui fait un ouvrage de garçon dans la forge de son père, rue Saint-Paul. » Faute de pouvoir, à cause de la pression familiale et sociale, exercer comme elle le désirait le métier non traditionnel de forgeronne avec son père, elle choisit d'entrer au couvent non sans avoir « obtenu de son père de forger sur l'enclume et dans le feu une paire de ciseaux et un petit marteau si fins et bien faits qu'elle les a emportés avec son trousseau et sa dot à l'hôpital général, en guise d'offrande ».

Chapitre 8

Marie Morin : vivante mémoire de Ville-Marie

Dans ses Annales de l'Hôtel-Dieu de Montréal, qui racontent entre 1659 et 1725 « les advantures et les actions memorables » de pionnières du Canada, Marie Morin n'a plus, comme Marie de l'Incarnation ou les premières hospitalières de Québec, à « prendre pays ». Elle est, comme le soulignera plus tard la Montréalaise Élisabeth Bégon, d'ici. Un ici bien précaire, qu'il faut encore bâtir contre l'adversité, de maisons et de mots, entre découragement et résistance infinie, humeur et humour. « Bâtisseuses » et « amazones », les mots sont bien dans le texte de la première historienne canadienne[1], qui n'aura de cesse de bâtir et d'écrire dans un même souffle sa vie et sa ville, d'héroïser des femmes, religieuses et laïques.

Marie Morin est née à Québec, le 19 mars 1649. Elle est pensionnaire chez les ursulines quand, en 1659, elle est impressionnée par le retour de France de Jeanne Mance enfin accompagnée cette fois – arrivée en 1642, elle y était déjà retournée en 1649 – des trois premières hospitalières de Montréal (Marie Maillet, Catherine Macé et Judith Moreau de Brésoles). Elle sera, à l'âge de treize ans, en 1662, la première religieuse canadienne à se joindre à elles. Tour à tour maîtresse des novices, économe et supérieure de la communauté, elle accepte en 1697, à l'âge de quarante-huit ans, de prendre la plume et de rédiger – vingt-huit années durant – les Annales de l'Hôtel-Dieu de Montréal. Elle le fait d'abord à la demande des sœurs hospitalières de Saint-Joseph en France – « Plusieurs de nos sœurs de nos couvents de France m'en ont pressee fortement » (*AHDM* : Préface, 8) –, désireuses de connaître la vie et l'œuvre de leurs consœurs, pionnières en Nouvelle-France.

Le cœur de la Canadienne française Marie Morin, première écrivaine et historienne de la Nouvelle-France, penche incontestablement vers ses sœurs d'ici. Dans ses Annales, Marie Morin assume en fait le rôle de l'aînée canadienne-française et se présente comme la première d'une lignée de religieuses canadiennes cloîtrées aux vœux solennels[2], lignée qui peut enfin exister, se raconter, et doit se poursuivre par « celles qui viendrons apres » (*ibid.* : 254). Ce qu'on peut aussi lire entre les lignes des Annales, c'est la petite histoire d'une émulation, voire d'une rivalité, entre la France et la Nouvelle-France :

> J'ay cru qu'il estoit a propos, mes tres cheres sœurs, de vous dire quelque chose de ces neuf premieres professe du peys afin que quand j'an parleré, vous les connessiés et compreniés mieux ce que j'an diré a la suitte, Ec. (*Ibid.* : 13)

écrit Marie Morin dès la préface, précisant fièrement « [d]'aillieurs, [que] les filles du peys commancent a bien faire » et que « [p]lusieurs sont des premieres familles du Canada ». Celles qui se sont installées ici bénéficient des ressources propres au pays, comme en témoigne, par exemple, cette louange de l'apothicairesse, la sœur de Brésoles, qui composait sur place ses remèdes : « Elle en fesèt de mesme pour toutes sortes de maladie, qui fesois un effet tout autre que ceux qu'on aportèt de France. Aussy disèt on que ces medecines estois miraculeuses. » (175)

Dans ces Annales destinées à faire connaître « les advantures et les actions memorables de [celles] quy nous ont precedé » (7), le souci d'édification prime et les portraits hagiographiques foisonnent. Chaque religieuse, chaque laïque héroïsée peut cependant être considérée comme un sujet transindividuel : l'éloge de l'une d'entre elles constitue un prétexte pour se dire à travers elle, s'héroïser par personne interposée, répondre à un principe d'identification élémentaire (je te raconte, tu me racontes, on se raconte) ; l'autobiographie se déguise en biographie autorisée. Marie Morin s'identifie aussi à l'Hôtel-Dieu de Montréal et le « nous » omniprésent signe son appartenance très étroite à la communauté : leur histoire est un peu la sienne et les années brossées par les Annales recoupent en grande partie celles que Marie Morin a passées au monastère, quelque soixante-trois années, entre 1662 et 1725... Les Annales font à ce point partie de sa vie qu'elle précise bien qu'elles ne seront lues qu'après sa mort : « Je vous asures, mes cheres sœurs qui liré secy apres ma mort » (7)[3]...

Le genre des annales ne figure pas d'habitude au registre des écrits qui fondent la littérature personnelle, mais Marie Morin nous offre en filigrane de précieux renseignements sur elle-même qu'elle n'aurait pas osé avouer explicitement : dans ce genre plus proche de l'Histoire se glisse aussi une personnalité, des témoignages autobiographiques, des microrécits fictifs, un style d'écriture. Comme Ghislaine Legendre le mentionne dans son introduction, le texte de Marie Morin ne peut guère être rattaché à un seul genre spécifique : elle y voit certes des annales – plus libres que celles de l'Hôtel-Dieu de Québec – mais aussi « [u]ne épopée, le premier texte d'une littérature », des « mémoires »,

> une ferveur et une passion pour que les choses durent et soient ce qu'on en dit. La perspective historique est d'autant modifiée. Une autre histoire, par touches, impressionniste et personnalisée, prend forme au fur et à mesure que le récit progresse, aussi vrai que tout est vrai suivant la lecture qu'on veut en faire.

Dans son excellent article « De la "Primitive Ville" à la Place Ville-Marie : lectures de quelques récits de fondation de Montréal[4] », Ginette Michaud va plus loin encore. Évoquant, dans les Annales, des éléments

> qui appartiennent à une logique autre, différente, celle du Mystère qui met en échec la raison commune, il serait par ailleurs trop aisé de les rejeter, en adoptant un point de vue sceptique ou rationaliste, à titre de fabulation : tout discours mystique apparaîtra proprement incroyable, du moins aux yeux du non-croyant. Le problème d'interprétation particulier suscité par ce genre d'informations gagne, me

> semble-t-il, à être déplacé et considéré d'un autre point de vue, moins dans son rapport à la question de la vérité proprement dite, qui restera toujours indécidable dans son fond, que dans son rapport à la question de l'écriture elle-même. Car il s'agit pour Marie Morin d'intégrer, par ce recours au mode de la pensée mythique, mystique et épiphanique, non seulement des ordres de réalité hétérogènes, voire incompatibles, mais encore de manière plus significative de mêler les styles, de renverser, même modestement, un certain rapport aux mots et aux choses, et c'est sans doute là une des raisons qui fera de l'*Histoire simple et véritable* un véritable récit de fondation. (40)

On s'interrogera d'abord sur le statut d'écrivaine de notre annaliste. Elle nous présente son projet d'écriture comme une commande, un geste de confiance de la part des membres de sa communauté plutôt que comme l'expression d'une volonté, d'un désir personnels. L'astucieuse Marie Morin justifie son rôle d'annaliste et d'écrivaine – dont elle est implicitement très fière – par cette explication inusitée : elle avoue qu'étant moins parfaite et moins vertueuse que les autres, elle a dû se contenter d'aider ainsi ses sœurs dotées de plus de moyens et de talents... Dans la suite des Annales, rédigées par sœur Véronique Cuillerier pour les années 1725 à 1747, Marie Morin est pourtant présentée comme « un esprit vif, solide et pénétrant, une mémoire des plus heureuses » et un « phénix de la vertu[5] ». On peut certes voir dans cette Marie Morin qui se dénigre un exemple d'humilité chrétienne, la faire-valoir de ses compagnes, mais aussi une sorte d'antihéroïne, un contre-exemple, ce qui lui permet, plus ou moins implicitement, de prendre une distance, voire de critiquer les règles trop rigoureuses de sa communauté :

> Elle etoit bien plus advancee que moy dans les vertus religieuses, d'ou vient que tous les jours on me la donnèt pour modelle [...]. Je n'estois pas for contante que sa vertu servit a me faire des corrections comme peu humble et baucoup superbe et m'an suis plaint plusieurs fois, ce qui m'atirèt de nouvelles mortifications. [...] il n'an etoit pas ainsy de moy. Sepandant le Seigneur ne m'a point rejettee de son service [...]. (123)
>
> Elles ce confessois et communiès dans un cabinet de planches for mal propre et petit, qui estoit soubs ce jubé [...]. Je vous die, mes sœurs, que c'etoit une grande penitance d'estre huit jours de suitte enfermees dans ce trou sans air et sans jour. Quand je voulu les ymiter et y

> faire ma retreite, je ne pu soutenir cette mortification que pandant 4 jours et demeuré malade. (101)

En fait, Marie Morin se dédouble, met l'accent tantôt sur son existence individuelle, sa dissidence, tantôt sur sa fonction de supérieure pointilleuse et son rôle de porte-parole autorisée. L'ambivalente Marie Morin – qui rêvait pourtant de devenir martyre des Iroquois à Montréal et louait la pratique de « la mort a soy mesme par la mortification des sans » – sait cependant apprécier les plaisirs de la vie comme en témoignent, par exemple, ses inaptitudes ou ses réticences face aux privations, mortifications et autres macérations, ou la part importante des Annales consacrée à la peur des Iroquois, au froid, à la faim, à la nourriture...

> On ne savèt ce que c'etoit de manger du beuf qui vallèt dix sous la livre. [...] C'etoit de grans festins que ces repas et quand on servèt des œufs ou de la bouillie. Je peux vous asurer, mes sœurs, que j'ay esté au moins dix ans dans cette meison sans y avoir veu servir aucun fruit au refectoir que des prunes sauvages [...] jusquasse que nous eussions de ces fruitiers, et mechantes qu'on ne voudrèt pas les ramasser de terre aujourd'huy. Jamais de fraisse, franboisse, meure, qui sont devenue sy communes depuis et qui pour lors etois tres rares a cause [...] qu'on ne pouvèt les cullir sans risquer sa vie. (139)

Son plaisir le plus manifeste transparaît bien, comme nous le verrons, dans la pratique même de son écriture, dans le souci de son but et de ses effets : « Ne creyé pas, mes sœurs, que j'exagere, mais persuadé vous comme il est vray que ce n'est pas la moindre partie et que c'est pour vostre récreation que je prans pleisir à ecrire secy. » (7) Dans ses Annales, Marie Morin assume un triple rôle : celui de narratrice-écrivaine, d'historienne et de personnage. Comme écrivaine, particulièrement sensible aux conditions de production, aux circonstances de l'écriture, elle sacrifie dans un premier temps à l'un des classiques principes de l'exorde – s'excusant de sa « petite capacité » afin de devancer les critiques – mais, dans un second temps, décrit aussi son expérience particulière, la petite histoire, les coulisses de l'écriture, les difficultés comme la dimension symbolique de l'entreprise. Elle se plaît à commencer ses Annales au jour et au mois anniversaire du départ de France des premières religieuses et les achève sur ces mots : « J'ecris ceci le 16 7bre 1725. » Elle explique aussi qu'elle a « atandu jusqu'aujourd'huy a y travailler pour deux reisons : la premiere, mon incapacité, la segonde, mon peu de loisir, qui sont deux grans optacles a surmonter tout a la fois [...][6] ». Marie Morin est alors responsable des travaux de reconstruction du monastère détruit par le feu en 1695 :

> [...] cela me distrait de mon sujet, poursuit-elle, et me fait faire des repetitions mal a propos et couper trop cour un discours commancé. Ce qui me servira d'excuse aupres de vous, mes cheres sœurs, je vous en prie, pour plusieurs fautes telles que je viens de marquer que vous remarqueré aisement. (8)

Ces nombreuses digressions sont si expressément soulignées à maintes reprises dans le texte[7] que les Annales, cette histoire longue de soixante-six années, écrite de bouts et de rajouts, finit vraiment par faire penser aux vêtements des religieuses, décrits rétrospectivement avec humour par Marie Morin (140). Ces vêtements, ancêtres du patchwork, à ce point rapiécés et reprisés que l'on ne parvient plus à reconnaître le tissu d'origine, symbolisent à la fois le dénuement des religieuses et les prouesses accomplies pour qu'un vêtement / une histoire tiennent... contre le temps et l'Histoire. Marie Morin n'écrit pas mal l'Histoire : ses morceaux d'anecdotes qui finissent par l'emporter sur l'Événement, l'histoire du quotidien et des émotions, le bâti-brouillon apparent (mentions explicites sur les conditions d'écriture, précautions oratoires, etc.) font des Annales non seulement un récit extrêmement vivant et attachant, mais plus encore, selon Ginette Michaud, « l'un des récits-maîtres de Montréal » :

> Si l'*Histoire simple et véritable* a pu servir de récit modèle de la fondation, et ce, bien au-delà des espoirs les plus ambitieux de sa "chétive historienne" (p. 17), c'est que son exposé des faits, tout sobrement mené qu'il soit, parvient aussi, à travers un habile repiquage de sources orales et de textes déjà connus à l'époque, à fixer et à agencer les faits et les détails, les épisodes-noyaux porteurs de sens, dans une version convaincante sur le plan de l'écriture de l'Histoire. (37)

Marie Morin s'est bien essayée à l'écriture de l'Histoire, consciente que sa sélection et son interprétation des événements, sa vision, son mode d'appréhension de la réalité, ses techniques narratives pouvaient d'abord déconcerter ses lectrices mais, plus encore, choquer ses homologues masculins prompts à juger ou à se gausser : « et si je ne savois pas vous faire pleisir en ecrivant sesy, je ne l'orois jamais commancé, ne voulant pas m'exposer a la sansure des sages qui possible se mocquerois de mon antreprise » (8). Marie Morin, après s'être excusée d'être « une si chétive historienne », avoir bien modestement qualifié son texte de « petit recueil », « petit détail », « petit ouvrage » ou « petit narré », ose cependant se présenter comme auteure à part entière : « Et comme tout cela est vray, je le signe de nom : Sœur Morin Religieuse hospitaliere de Saint Joseph. » (271) Marie Morin assume donc ses choix, sa sélection des données, sa manière de raconter, consciente de la valeur de son travail, de l'originalité de ses Annales. Son titre, *Histoire simple et véritable de l'Hôtel-Dieu de Montréal [...]*, est en soi instructif : histoire simple, certes, mais véritable... Les historiographes ont longtemps reproché à Marie Morin d'être une pseudo-historienne, trop naïve, trop subjective, friande d'anecdotes. Ce qui pouvait relever, aux yeux des historiens traditionnels, de l'accessoire – la chronique « domestique », l'anecdote tragique ou drôle, le détail apparemment inutile – est aujourd'hui pour nous autant d'éléments révélateurs de l'essentiel. Marie Morin s'impose comme historienne de l'Histoire des femmes et de l'histoire dite « sans qualité », valorise la petite histoire, celle de la vie quotidienne, et s'attache aux attributs qualitatifs plutôt que fonctionnels.

Marie Morin oscille sans cesse entre le souci d'objectivité et la tentation de la subjectivité. En tant qu'historienne, elle s'efforce d'assurer sa crédibilité, de souligner son objectivité et son impartialité, de convaincre lectrices et lecteurs de la véracité de ses dires : « Je peux vous assurer, mes sœurs, que », « Ne creyé pas, mes sœurs, que j'exagere », « Je ne dois pas obmettre que », « Je l'avances d'autant plus asurement que j'ay veu et lu les lettres »... Notre historienne en herbe est aussi désireuse d'affirmer ses dires que d'avouer en toute humilité son ignorance ; elle fait de cet aveu – que bien des historiens préfèrent passer sous silence – un gage de franchise, d'authenticité :

« pour des raisons que je n'é jamais sçu assé bien pour en faire part aux autres, ce qui fait que je n'antreprans pas de l'ecrire » (50) ; « Je ne me souviens pas » (168, 171) ; « je l'é oublié » (173) ; « Je n'é pu savoir au vray l'annee et le jour » (77) ; « Je n'é point su présisement ce qu'on fit alors, c'est pour quoy j'an demeure la » (83) ; ou, dans le cas du naufrage de l'Île aux Œufs, en 1711 : « Je ne parleré que de ce qui se fit a Montreal, ou je suis, pour n'estre pas assés informee de ce que firent les autres » (267). Cela lui donne la possibilité de relativiser, de laisser à ses lectrices et à ses lecteurs l'occasion de se faire leur propre idée : « Quand a moy, je n'an say rien d'asuré et lesse la liberté a chacun d'an croire ce qu'il voudra » (85) ; « Je ne vous donne pas se songe pour une revelation, chacun en jugera comme il luy pleira, *Ec* » (279). Sa naïveté, parfois feinte, est plus souvent une manière de préciser qu'elle esquisse rapidement, résume sans prétention – « Voisy, mes cheres sœurs, une description naïve » (98) –, qu'elle raconte vite ou à demi-mot – « à petit bruit » (149) – pour ne pas froisser...

Son souci d'objectivité et son sens de la relativité ne l'empêchent pas, par ailleurs, d'exprimer son opinion personnelle, de faire allusion aux différends et aux jeux de coulisses politico-religieux, de signaler son incompréhension, son désaccord et ses griefs à l'égard, par exemple, de la conduite répréhensible des Montréalais lors de l'un des incendies du monastère ou de celle de ses supérieurs, Mgr de Laval ou l'abbé de Queylus :

> Or cet abbé estoit un homme de grande calité, fort consideré dans le monde, en outre seigneur du Montréal. Tout cela, ramassé et consideré a part, luy donnoit le pouvoir de nuire a nos sœurs, comme il fit premierement. (5)

Lorsqu'on relève systématiquement les passages où elle se sous-estime en tant que spécialiste, on note que ses compétences « académiques » ne sont guère en cause, mais qu'il s'agit de prétéritions, de restrictions liées à l'expression d'émotions si intenses qu'il n'y a pas de mots assez forts pour les exprimer[8]:

> [...] il faudrèt une meillieure plume que la mienne pour vous faire comprandre quelque partie de la perfection et ferveur [...]. (57)

> Il faudrèt un historien plus habille que moy pour dire isi et vous faire connestre, mes tres cheres sœurs, la douleur [...]. (184)
> [...] dans une paix et une tranquillité qui ne se peut exprimer par une sy chetive historienne, Ec. (17)
> La joie que nos cœurs resantirent resiproquement a cette arrivee ne se peut ecrire ni exprimer. Je vous la lesse a mediter, mes cheres sœur, qui liré cesy a l'advenir [...]. (224)

Elle fonde en grande partie son *Histoire simple et véritable* sur les sentiments, les émotions, la conviction intime, l'expérience et le témoignage personnels. Marie Morin – qui se conçoit comme vivante mémoire de la communauté – est une annaliste toute désignée, une témoin privilégiée :

> Et comme j'ay plus de connessance de ces choses que baucoup d'autres, j'an parles hardiment, estant la premiere Fille qu'elles resurent [...]. (Préface)
> J'ay eu le bonheur d'estre temoin oculeire de presque tout ce qu'elles ont fait et soufert, et ne creyé pas, mes sœurs, que j'exagere [...]. (7)
> [...] ce qui m'a randu temoin oculeire et oriculere de ce qu'a fait et dit ma sœur de Bresoles pandant plusieurs annee que j'ay eu l'honneur de l'eider. (177)
> Je peux en parler seurement puisque j'ay eu l'advantage d'estre sa compagne plusieurs annee. (198)

Notre « temoin oriculere », qui valorise ses sources orales, développera l'art de l'entretien, du dialogue, le style du vu / entendu sur le vif :

> Il me semble luy avoir ouy dire [...] (83) ; [...] elle me l'a dit elle mesme bien des fois [...]. (39)
> Ce que j'orais peine a croire sy une autre que la sœur Bourgeoys me l'avoit dit [...]. (70)
> [...] laquelle m'a raconté ce que je vas ecrire. (81)
> [...] je viens m'antretenir un peu avec ma tres honoree sœur Le Jumeau. (224)

On suppose que Marie Morin, témoin et confidente privilégiées, certes, lit d'autant mieux dans l'âme de ses consœurs qu'elle a dû éprouver les mêmes sentiments. Son regard omniscient tient à la fois à son expérience personnelle et à son rôle de supérieure à qui rien ne doit échapper : « Je le die sans crainte de mansonges, etant temoin des santimens de leur cœur sur cela » (140) ; « J'ay ouy dire a notre directeur que cette fille portoit des estats interieurs des plus penibles et affligeant, Ec., bien eloigné de la voie de sa sœur qui n'etoit que sucre et miel » (19).

Lorsqu'il s'agit d'elle, Marie Morin emploie tour à tour pour se désigner la première ou la troisième personne, insistant sur son rôle de narratrice autodiégétique ou d'annaliste homodiégétique :

> [...] je vingt me joindre a elle[s], ce qui leur fit pleisir a la verité, mais leur fut un tres petit secours a cause de ma grande jeunesse et peu de capacité et de talans. (176)
> Dans le mois d'aoust, en 1662, elle reçourent la 1e professe de cette maison, apellee Marie Morin. C'etoit une jeune fille aagee seulement de 13 ans et demy [...] qui n'avèt ni dot ni pansion. Elles [...] luy marquerent autant de joie de l'avoir que sy elle leur ut aporté un million d'or. [...] elle ut deux grandes maladie qui la menerent aux portes de la mort [...]. (127-128)

On mesure, au ton et au nombre des passages qui évoquent ses premières années passées dans la communauté naissante, à quel point les souvenirs de Marie Morin sont restés aussi présents que douloureusement sensibles à sa mémoire ! Son combat, livré pendant deux ans et demi, lui a permis de surmonter les « repugnances » qui l'incitaient à « recullèt en ariere », à sortir du cloître : « la tendresse qu'elle avait pour ses parents » d'abord, le sentiment de son imperfection ensuite (129), et surtout, la solitude :

> J'ay esté seule novice pandant 4 ans et je m'an n-annuyé assé, n'ayant point d'autre compagnie que nos trois premieres meres qui estois for serieuse et advansee en aage. (10)
> [...] sans presque d'esperance d'avoir des compagnes dans son estat que de lonstamps, ce qui l'affligeoit et luy donnoit bien des peines d'esprit. (128)
> [...] ma sœur Morin qu'on disèt devoir mourir bien tost, estant impossible, ce leur samblèt, q'une jeune fille peut vivre contante avec 3 vielles. (132)

Ces hésitations et ces souffrances que toute psychologie élémentaire légitime, Marie Morin les attribue... au démon. En 1666 heureusement, « ma sœur Morin ut une consolation particuliere », celle de pouvoir enfin accueillir Catherine Denis : « elles se connesseis un peu estant du mesme lieu et d'un aage et humeur revenant au sien. Cela leur servit a toutes deux a atandre en paix et patiance » (133) les sœurs à venir.

Le principe de distanciation est plus manifeste encore lorsqu'il s'applique au personnage de Marie Morin pris dans ses rôles administratifs, au point qu'il est nécessaire de vérifier les dates de ses fonctions comme dépositaire ou supérieure afin de se convaincre qu'il s'agit en effet d'elle, comme dans le cas de l'incendie de 1695 :

> Vous pouvés [...] juger en quelle disposition interieure nous estions toutes, particulierement celles qui sont les plus chargee de la maison comme la superieure et premieres officieres, de nous voir a un momand pres de tout perdre [...]. O que ces momans furent douloureux. Il faut l'avoir resanty pour le creire. (239)
> La superieure fit son possible. (242)

Ce malheureux événement, qui fait l'objet d'un long récit détaillé à part, a été personnellement et dramatiquement vécu par la supérieure Marie Morin qui voyait brûler – en quelques heures et si peu de mois après leur construction – les bâtiments que les religieuses avaient attendus... trente-six ans ! Le recours à des tournures impersonnelles permet de mettre en sourdine la peur, la déception et la détresse de Marie Morin, son rôle de supérieure responsable – comme celui d'une capitainesse de navire – exigeant d'agir rapidement et pour le mieux, de veiller à tout, de surmonter ses propres défaillances, d'encourager ses sœurs et de mettre religieusement et thérapeutiquement en pratique l'art de se résigner...

> Dieu les voulèt faire passer par le feu toutes. Et se jettant a genoux elle luy fit le sacrifice de ce cher monastere, qui luy avoit cousté tant de peines et de soins a le bastir et qui n'etoit achevé que depuis quatre mois, pour la construction duquel elles avois fait plusieurs deptes qui n'etois pas aquitee, et que cet accidant les reduisoit dans un estat a ne le pouvoir faire de bien des annee et peut estre point du tout, ce

qui la touchèt vivement, mais enfin elle s'abandonna a toutes les peines qu'il voudrèt leur envoi[e]r [...]. (242)

Après le nouvel incendie du 19 juin 1721, le courage de Marie Morin (qui mourra en 1730) faiblit quelque peu et s'inscrit, quelques lignes avant la fin des Annales, dans cet oxymore étonnant : « [...] notre batisseuse [...] avec une confiance desesperee de la prudance humaine. » (293)[9] Il est très significatif que la rédaction des Annales ait commencé pendant la difficile reconstruction de l'hôpital : Marie Morin devenue économe [« la supérieure fut mise depositeire » (263)] mesure bien les pertes matérielles – papiers et livres de compte, entre autres – faites par la communauté : « Nous alions toutes tour a tour chercher et foullier les sandres » (251)... En rédigeant les Annales, Marie Morin s'efforce de mettre sa mémoire / la mémoire de la communauté en lieu sûr, de lui donner des assises historiques. Ce travail d'archiviste, de mise en mots et en pages de l'histoire de l'Hôtel-Dieu, exorcise le malheur et compense en quelque sorte les pertes qui viennent d'être faites, suspend la menace d'extinction qui pèse sur l'Hôtel-Dieu, permet d'évaluer, à leur juste mesure humaine, les souffrances et le dénuement des pionnières :

J'ay lu par le passé, nous dit Marie Morin, les fondations de ste Therese avec assé d'application par le pleisir que j'y trouvois, mais il y en a peu qui ais raport a celles sy pour les contracdictions et oppositions [...] et la pauvreté qu'on y a soufert. (Préface)

Elle écrit, en chair et en mots, leur expérience et leur patience obstinée, leur incroyable résistance :

[...] je vous asure, mes sœurs, que nul ne le sçait que ceux qui y ont passé. Pour moi, je croy que la mort aurèt esté plus douce de baucoup q'une vie melangee et traversee de tant d'alarmes. (134)
Je vous asures, mes cheres sœurs [...], que tout ce que vous soufré aujourdhy dans cette maison est doux aupres de ce qu'elles y ont soufert dans son commansement. Vous cuillé des roses et elles ont eu les espines. (7)

Le recul temporel qui lui fait raconter rétrospectivement les événements joue le rôle de catharsis, lui permet de sourire, de rire même de situations de dénuement extrême, d'événements graves : l'humour, antidote certes, est l'une des grandes qualités de Marie Morin. Les anecdotes savoureuses[10] et les descriptions étonnantes, l'attention accordée à la peinture de la vie quotidienne[11] font qu'on lit ses Annales avec plaisir et intérêt, comme un roman historique parfois. L'humour est aussi l'antidote à une Histoire qui se prend au sérieux, gomme « l'accessoire » et occulte trop souvent les femmes.

Marie Morin ne manque pas de louer tout particulièrement les compétences professionnelles des hospitalières. Jeanne Mance parlait « bien mieux que plusieurs docteurs ne sorois faire » (47), quant à la sœur de Brésoles, nommée par les Sauvages « "le soleil qui luit" a cause [...] qu'elle redonnèt la vie aux malades par ces soins et ces medecines comme le soleil la donnes aux plantes de la terre » (137), un article ne suffirait pas à lui rendre justice. Qu'on en juge.

> On la mit aussy tost a l'apotiquererie ou elle travailla extraordinerement, a cause que les sœurs avec qui elle etoit en office antreprirent d'aprandre d'un habile chimique le secret de tirer les esprits, les essances et autres choses les plus dificiles de la pharmatie, a quoy notre chere novice ce porta avec un zelle incomparable. [...] Elle etudia si bien son maistre et sçut si bien le gagner pour ne luy rien cacher qu'elle a passé depuis pour des plus habille en cet art et dans la pharmatie, qu'elle a exercé avec tant de succes que j'ay connu quelques personnes savantes en ces sciances qui ont cru et dit plusieurs fois que ce qu'elle fesèt en cette matiere de ces mains etoit miraculeux. Et si mon santiment pouvèt autoriser les leur, je produirois des examples que j'ay veu qui les confirmerèt aisement [...]. (171)
> [Elle] fit de ces mains la plus grande partie de ces ustancilles [...]. Elle estoit medecin [...]. On avoit plus de confiance a ces remedes, quoy qu'invantionnés pour la plus grans partie et composé d'herbes sauvages, qu'a ceux d'un habille chirurgien qui estoit estably dans Ville Marie. [...] Sa reputation de bonne infirmiere et medecine s'etablit si bien qu'on la preferèt a tout ce qu'il y avèt en Canada de cet art. (100)

Implicitement, Marie Morin se sent, se sait de la trempe de ces amazones chrétiennes dont elle raconte la vie, l'histoire, à travers des récits quasi picaresques, comme l'épopée de sœur Judith Moreau de Brésoles, « leur chère fugitive », qui voulait, contre la volonté de ses parents, être hospitalière : elle dérobe les clefs, enfile plusieurs vêtements les uns par-dessus les autres, s'enfuit de nuit à cheval (le 5 novembre 1645), se réfugie incognito dans la communauté des hospitalières de La Flèche, fait le voyage du Canada, devient, on l'a vu, la meilleure apothicairesse du pays et résiste, lors de son mandat de supérieure, comme une « Judith en courage et en fidélité », à Mgr de Laval qui voulait les unir aux hospitalières de Québec ou les obliger à repartir en France !

La vie, étonnante, qui inspire bien des romans, se transpose parfois sur la pellicule du souvenir comme une image... de film. Lorsque les deux religieuses de l'Hôtel-Dieu de Québec – envoyées à Montréal, en l'absence de Jeanne Mance, pour évincer les hospitalières de Saint-Joseph –, finalement rappelées à Québec[12], croisent précisément sur le Saint-Laurent les trois hospitalières françaises qui arrivent enfin en renfort, Marie Morin écrit ceci :

> Elles rancontrerent la barque qui portèt les 2 religieuses dont j'ay parlé et ce firent baucoup de caresse, sans s'aprocher plus pres de dix ou 15 pas, qui avoit le vant en poupe et marchèt for viste, ce qui fut cause que les complimens furent cours. (94)

Censée rapporter ici les paroles de la sœur Macé, notre moqueuse Marie Morin semble savourer une douce revanche : elle ne manque pas de laisser affleurer dans ce passage – digne d'un scénario de cinéma muet – bien de l'ironie de son cru ! Elle décrit souvent les événements parce qu'elle les a vus ou comme si elle y avait assisté et ses excellentes descriptions font souvent penser à un reportage pris sur le vif. L'œil et l'oreille de la sœur Marie Morin sont partout ! Le monde semble venir à elle, l'élire comme vivante mémoire, lui donner le don d'omniscience, d'omniprésence : « Moy qui saveis le lieu de leur retreite » ; « un lieu assé segret » ; « J'esuiyé une partie de l'orage m'ettant trouvee la par hasarz » ; du clocher pris comme observatoire, elle note que « c'etoit un plaisir d'estre la montees voir tout le monde courir au secours de leurs freres et exposer leur vie » (134) ; et si quelque obstacle la gêne, à témoin très informée rien ne doit être impossible : elle n'hésite donc pas – sans aucune mauvaise conscience – à jouer les voyeuses :

> Vous seré peut estre estonnee, mes cheres sœurs, que je puisse savoir ces particularitee, mais vous ne le seré plus, je m'asure, quand vous sçauré qu'il n'i avèt q'une simple planche entre sa chambre et la mienne dans laquelle j'avois fait un petit trou pour la voir et l'antandre a mon aise, a son insçu, et que j'ey esté sa voisine environ 15 ou 16 ans de suitte et encore a plusieurs reprise, par mois et semeines [...]. (179)

Marie Morin est non seulement écrivaine et historienne, mais une précurseure du cinéma-vérité, de la caméra tous azimuts, une vidéaste avant la lettre. Cette volonté d'information et de transparence qui la cheville au corps, cette omniscience qui la caractérise, son désir et plaisir de raconter font d'elle l'une des toutes premières bâtisseuses, en gestes, en mots et en images, de Montréal. Pourtant, Marie Morin ne se sentait pas à l'abri de l'enfer, elle qui adresse cette prière aux lectrices auxquelles elle lègue ses Annales : « Souvené vous aussy de prier Dieu pour celle qui a ecrit cesy pour votre recreation, qui cera peut estre en purgatoire si Dieu luy fait misericorde, quand vous le liré. » (11)[13] Les Annales de Marie Morin lui tiennent lieu de testament et de passeport, porte-bonheur et viatique en quelque sorte pour l'au-delà et les temps à venir.

Et l'on se surprend alors à songer que ses intercesseures, ses juges-narrataires à venir, c'est peut-être nous : « Je vous la lesse a mediter, mes cheres sœurs, qui liré cesy a l'advenir » ; « Vous pouvés, mes tres cheres sœurs qui lisé cesy ou qui l'ecouteré lire, juger » et sauver – sa mémoire du moins – Marie Morin...

Notes

[1] Dès 1959, Esther Lefebvre lui rendait justice : *Marie Morin, premier historien canadien de Villemarie*, Montréal, Fides.

[2] Lorsque Mgr de Laval lui donna enfin l'autorisation, en 1669, de prononcer ses vœux lors d'une « cérémonie solennelle », « la pauvre sœur Morin en fut la plus joyeuse, comme y estant plus interessee », convaincue que son cas, exemplaire, créait un précédent, que « cette reception [...] donnèt asurance de leur etablissement a Ville Marie, qui leur etoit disputé jusqu'a lors avec aparance de

fondement et bonnes reisons. Mais aussy apres, on ne leur en parla plus de cette maniere » (130). Marguerite Bourgeoys, Marie Raisin et Anne Hiou furent de la fête, acceptant d'y chanter. Ce n'est que le 27 octobre 1671 que les premières – Marie Morin et Catherine Denis – prononceront des vœux solennels. Voir Esther Lefebvre, *Marie Morin, op. cit.*, chap. VI et VII, « Les vœux solennels » et « Les vœux au Canada ».

[3] La lecture *post-mortem* est à la fois un pacte contractuel et testamentaire, un acte d'humilité et le passage d'un relais, gage de reconnaissance, de légitimation et de préservation de la part des sœurs de la communauté. Thérèse d'Avila, dont s'inspire à plusieurs reprises Marie Morin, y recourait : « Comme je l'ai déjà dit, j'ai beaucoup écrit sur cela dans deux livres que vous verrez après ma mort, si le Seigneur le permet. » (*PAD*: ch. 4, 933)

[4] Dans *Montréal imaginaire. Ville et littérature*, Pierre Nepveu et Gilles Marcotte [dir.], Montréal, Fides, 1992, p. 13-95.

[5] Dans la très élogieuse notice nécrologique de « ma très honorée sœur Morin », l'annaliste note qu'elle « fut reçue avec d'autant plus d'agrément que l'on voyoit le prodige de la grâce dans une jeune fille belle et bien faite », qu'elle « commença son noviciat avec une ferveur qui étoit plus d'ange que de nature » et qu'on ne la voyait « jamais abattue » : elle « dévorait avec un courage charmant toutes les peines de la vie » (157-158).

[6] Thérèse d'Avila l'exprimait en ces termes : « Chaque fondation sera traitée à part, et brièvement, si toutefois je le peux, car avec un style aussi lourd que le mien, je crains bien, en dépit de tous mes efforts, de fatiguer les autres en me fatiguant moi-même. Mais la grande affection que mes filles ont pour moi leur fera tout accepter, car c'est à elles que cet écrit reviendra quand je ne serai plus. » « À cause de mon peu de mémoire, j'omettrai probablement bien des choses de grande importance, et j'en mentionnerai d'autres que j'aurais pu laisser de côté. Enfin, mon travail se ressentira de mon manque de talent et de culture d'esprit, aussi bien que du peu de loisirs dont je dispose. » Dans le prologue des *Fondations*, *Œuvres complètes*, t. 1, Paris, Éditions du Cerf, 1995, p. 440 et 441.

[7] « Je me suis trop divertie de mon sujet. Je reviens aussy trouver mes sœurs » (242) ; « Je reviens sur mes pas pour dire quelque chose de » (182) ; « J'ay oublié de parler si devant de » (241), etc.

[8] Dans sa *Relation du siège de Québec en 1759*, l'annaliste de l'Hôpital Général de Québec utilise ce tour stylistique, courant à l'époque. Il s'agit ici de la bataille des Plaines ; les hospitalières soigneront les blessés des deux camps : « Il faudroit

une autre plume que la mienne pour peindre les horreurs que nous eûmes à voir et à entendre pendant vingt-quatre heures que dura le transport des blessés, les cris des mourants et la douleur des intéressés. Il faut dans ces moments une force au dessus de la nature pour pouvoir se soutenir sans mourir. » (20) Marie Morin n'hésite pas non plus à recourir à l'hyperbole : « après neuf mois d'exil qui leur avait duré un siècle entier » (261).

[9] La bâtisseuse au courage hors pair, ce sera Françoise Gaudé, supérieure en 1721, puis le 11 avril 1734... lors d'un autre incendie et de l'épidémie qui devait coûter la vie à neuf hospitalières, drames que racontera Véronique Cuillerier. C'est cette dernière qui rendra hommage à Jeanne Mance, décédée en juin 1673 ; le silence de Marie Morin sur le décès de la fondatrice en dit beaucoup sur leurs divergences de vues et la perception erronée et critique de Marie Morin (à propos des vœux solennels, de l'administration de l'hôpital, des sommes utilisées pour la recrue de 1653, etc.). (*AHDM* : 39-45)

[10] Lors de l'incendie de 1695, la pharmacie est transportée dans la rue : « [...] plusieurs frians, croyant boire des sirops et de bon vin, prires des medecines et vomitifs qui les purgerent a l'exes, les ayant pris sans mesure. D'autres mangerent divers electueires pour des confitures, qui firent le mesme effet, ce qui apresta a rire a ceux qui le surent. » (240)

[11] Comme la description incroyable « du froit qu'elles ont soufert » (104-105), de leur menu à table (139) ou du retour dans leurs murs après l'incendie de 1721, le 11 novembre 1724 : « [...] toutes les autres suiveis a pied, dans la crotte par dessus les souliers, et la pluye tombèt toujours, et malgré ces contretamps nous arivames a l'eglise, bien crottee. » (291)

[12] « Quoy que tous nos amis se fussent donnez bien du mouvement pour faire réüssir leur projet, l'affaire demeura toujours fort secrette, et le public crût qu'on n'avoit point eû d'autre raison de faire ce voyage que le pretexte qu'on avoit pris de rétablir la santé de la Mere Marie Renée de la Nativité » (*AHDQ* 1659 : 107) accompagnée de Jeanne-Thomas-Agnès de Saint-Paul. Jeanne Mance avait confié son hôpital à Marie Pournin de La Bardillère qui avait la consigne d'écarter les hospitalières de Québec qui s'occupèrent alors de l'école de Marguerite Bourgeoys. Voir Lucien Campeau, « Mgr de Laval et les Hospitalières de Montréal (1659-1684) », *op. cit.* En 1698, puis en 1700, les hospitalières accueilleront chaleureusement la supérieure des Filles de la Congrégation de Notre-Dame, Marie Barbier de l'Assomption, qui sera opérée avec succès d'un cancer du sein par Michel Sarrazin, « aussy habile chyrurgien que sçavant medecin » (*AHDQ* 1700 : 295).

[13] « À ceux qui liront ces pages je demande, pour l'amour de Dieu, un *Ave Maria*, afin de m'aider à sortir du purgatoire », disait Thérèse d'Avila dans le prologue de ses *Fondations*.

Chapitre 9

Marie de l'Incarnation, intime et intimée

Élue de et investie par Dieu, la mystique se présente comme le réceptacle des visions qu'il lui transmet. Marie de l'Incarnation, qui avoue faire partie des « âmes choisies » par Dieu, accepte de se concevoir et d'être perçue comme un relais, une messagère, un témoin exceptionnel, une traductrice de prédilection[1]. Le topos de modestie (cette rédaction a été faite en toute humilité, sous la dictée et avec le secours du Seigneur...), le topos de dédicace ou de dévotion (il s'agit de rendre grâce à Dieu de ses bienfaits, des trésors qu'il a confiés à un vaisseau de terre, « le plus fragile qui soit au monde » puisqu'il s'agit d'une femme[2]...) s'accompagnent du topos de l'obéissance, c'est-à-dire de la caution des autorités qui ont commandé l'écrit, qui le légitiment et s'en portent garants.

Marie de l'Incarnation précisera que ses directeurs spirituels successifs, sa supérieure de Tours et son fils l'ont vivement incitée à faire le récit de sa vie, à transcrire son expérience spirituelle. Dès 1633, le père jésuite Georges de la Haye lui commande un récit de vie, et c'est son fils, Claude Martin, resté en France et qui deviendra bénédictin, qui colligera soigneusement les lettres de sa mère et lui demandera instamment, relayé à Québec par Jérôme Lalemant, d'écrire sa seconde autobiographie – celle de 1654. Dom Oury considère cette dernière comme « le chef-d'œuvre le plus achevé de notre littérature mystique française[3] ». Ce n'est – humilité et pudeur obligent – que sollicitée, mandatée, intimée que Marie de l'Incarnation dit s'exécuter.

> Vous m'avez quelquefois témoigné, écrit-elle à son fils, qu'il n'y a rien d'où vous tiriez tant de profit pour vostre avancement dans la vie spirituelle que de ce peu de lumière que Dieu me donne et qu'il me fait coucher sur le papier, lorsque je suis obligée de vous écrire chaque année : cette pensée ne me fût jamais tombée dans l'esprit, mais si cela est, qu'il soit éternellement béni d'un succez si heureux [...]. (*C* 1654 : 526)
>
> Dans ce temps-là mon Supérieur et Directeur, qui est le R. Père Lallemant m'avoit dit que je demandasse à Notre Seigneur que s'il vouloit quelque chose de moy avant ma mort qui pût contribuer à sa gloire, il luy plut de me le faire connoître. [...] Il est vray que mon Supérieur m'avoit obligée de récrire les mêmes choses que j'avois écrites autrefois et qui avoient été brûlées avec notre Monastère ; mais c'estoit l'intention que j'avois de vous les envoyer, qui me faisoit de la peine pour ne l'avoir pas déclarée. Enfin pressée de l'esprit intérieur, je fus contrainte de dire ce que j'avois celé, de montrer mon *Index*, et d'avouer que je m'étois engagée de vous envoier quelques écrits pour votre consolation. Je luy dis l'ordre que j'y gardois, qu'il approuva : et il ne se contenta pas de me dire qu'il étoit juste que je vous donnasse cette satisfaction, il me commanda même de le faire. Je vous envoie cet *Index*, dans lequel vous verrez à peu près l'ordre que je garde dans l'ouvrage principal que je vous envoiray l'année prochaine, si je ne meurs celle-cy, ou s'il ne m'arrive quelque accident extraordinaire qui m'en empesche, et je tâcheray d'en retenir une copie pour suppléer aux risques de la mer. (*C* 1653 : 515-516)

Marie de l'Incarnation est partagée entre le désir de laisser et de ne pas laisser de traces écrites, entre l'oral et l'écrit, la prose et la poésie, et l'on se réjouit de ce que ses correspondants aient conservé ses écrits, avec son accord ou contre son gré :

> J'ai laissé deux exemplaires de tout cela car comme mon Directeur vouloit avoir mes originaux, j'en fis une copie dans un petit livret pour m'en servir dans les occasions. Lorsque j'étois sur le point de quitter la France je retiré adroitement les Originaux qui depuis sont demeurez avec les copies. J'ay depuis demandé les uns et les autres à cette Révérende Mère, afin qu'on ne vît aucun écrit de ma main dans le monde, mais elle me les a refusez absolument, comme elle me

> mortifia beaucoup avant mon départ parce que j'avois brûlé quantité d'autres papiers de cette nature. (*C* 1653 : 517)

À juste raison, Octavio Paz, après avoir rappelé que Juana Inés de la Cruz indiquait dans sa *Réponse à sœur Philotée* (1691) qu'elle ne voulait pas d'ennuis avec l'Inquisition, précise :

> Les lecteurs terribles sont une part – et une part déterminante – de l'œuvre de sor Juana. Son œuvre nous dit quelque chose, mais pour entendre ce *quelque chose*, il faut comprendre que son dire est un dire entouré de silence : *ce qu'on ne peut pas dire*. [...] La lecture de sor Juana doit se faire en affrontant le silence qui entoure ses paroles. Ce silence n'est pas une absence de sens ; au contraire : ce qu'on ne peut pas dire est ce qui touche, non seulement à l'orthodoxie de l'Église catholique, mais aux idées, intérêts et passions de ses princes et de ses ordres religieux. [...] souvent l'auteur adhère au système de défenses – tacites mais impératives – qui forment le code du *dicible* à chaque époque et dans chaque société. Assez souvent, néanmoins, et presque toujours malgré eux, les écrivains violent ce code et disent ce qu'on ne peut pas dire. Cela qu'eux-mêmes et eux seuls *ont à dire*. Par leur voix parle l'*autre* voix : la voix réprouvée, leur vraie voix. Sor Juana ne fut pas une exception. Au contraire : très tôt les contemporains perçurent, dans sa voix, l'irruption de la voix *autre*. Cette voix fut la cause des malheurs qu'elle connut à la fin de sa vie. Car de telles transgressions étaient et sont punies avec sévérité [...][4].

Comme sa consœur de la Nouvelle-Espagne, Marie de l'Incarnation, avec plus de latitude mais des précautions cependant, oscille entre le dicible et l'indicible, l'Une et l'*Autre* voix. Au père Poncet, après lui avoir fait « un petit craion » de ses états d'âme, elle précise : « [...] je vous le dis, parce que vous le voulez : mais le secret, s'il vous plaîst, et brûlez ce papier je vous en supplie » (*C* 1670 : 888) ; et à son fils : « Si j'avois votre oreille, il n'y a pas de secret en mon cœur que je ne vous voulusse confier [...]. Afin donc que cet *Index* demeure secret je l'enferme en cette lettre, laquelle par la qualité des matières que j'y traite, vous voyez qu'elle doit être particulière à vous et à moy. » (*C* 1653 : 517)

Elle valorise pourtant l'écrit comme mémoire vivante et gage de l'élaboration de soi :

> Il y a vingt ans que je l'aurois fait plus avantageusement et avec plus de facilité, et il y auroit des matières qui donneroient de grands sujets d'admirer la grande et prodigue libéralité de Dieu à l'endroit d'un ver de terre tel que je suis : car j'ay laissé quelques papiers à ma Révérende Mère Françoise de saint Bernard, qui sont mes oraisons [...] que l'obéissance m'obligea d'écrire : j'avois fait encore quelques autres remarques dans un livret touchant les mêmes matières. Si j'avois ces écrits ils me serviroient beaucoup et me rafraîchiroient la mémoire de beaucoup de choses qui se sont écoulées de mon esprit. (*C* 1653 : 516-517)

Son rôle de témoin privilégiée, son vœu de sincérité et de transparence lui permettent, auprès de ses intimes, de se confier d'abondance : « Non, mon affection ne vous peut rien céler, écrit-elle à son fils, et je croirais offencer la sincérité de la vôtre, si j'usois de réserve quand je communique avec vous », ce qui ne l'empêche pas, dans un même souffle, de se dénigrer encore : « [...] quoique je sois la créature du monde la plus indigne de la bienveillance dont il vous plaît de m'honorer. » La confiance semble établie puisqu'elle n'hésite pas, en prévision des missives perdues, à répéter ses confidences dans plusieurs lettres expédiées par des voies différentes. L'invitation, impérieuse, à raconter son « histoire intérieure » l'amènera à évoquer « l'extérieure » : « Dans le dessein donc que j'ay commencé pour vous, je parle de toutes mes aventures, c'est à dire, non seulement de ce qui s'est passé dans l'intérieur, mais encore de l'histoire extérieure, sçavoir des états où j'ay passé dans le siècle et dans la Religion. » (*C* 1653 : 516)

Souvent, la tentation de l'écrit spirituel émane de Marie de l'Incarnation elle-même. Elle présente ici, métaphores amusantes à l'appui, le fait de prendre la plume comme un exutoire salutaire :

> J'avais une si grande vivacité intérieure qu'en marchant elle me faisait faire des sauts, en sorte que si l'on m'eût aperçue, l'on m'eût prise pour une folle. [...] Quand j'avais bien chanté ses louanges, je prenais une plume et j'écrivais mes passions amoureuses pour évaporer la ferveur de l'esprit, car autrement, ma nature n'eût pu tant souffrir. [...] quand [Notre-Seigneur] me retirait ses grâces et ce soutien si fort, j'étais comme un oiseau en l'air qui n'a rien à quoi se prendre, et je demeurais dans la pure souffrance, en attendant qu'il plût à cette

> divine bonté de m'en retirer, ne tenant ce me semblait, qu'à un petit fil de sa miséricorde. (*R 1633* : 164-165)

Le fil de la voix, tout comme celui de l'écriture, semble assurer chez Marie de l'Incarnation un accord légitime et valorisé entre le corps et l'esprit. L'une de ses biographes, Françoise Deroy-Pineau, estime que l'exercice de sa voix constitue pour elle une sorte de yoga respiratoire[5]. L'importance qu'elle accorde au chant, sa fierté et le plaisir qu'elle éprouve à chanter sont évidents : « je souhaitterais que vous eussiez la voix aussi forte et aussi libre que moy pour pouvoir exprimer au dehors les lumières que Dieu vous donne », écrit-elle à son fils (*C* 1647 : 314), « nous nous portons fort bien et nous chantons mieux qu'on ne fait en France. L'air est excellent » (*C* 1640 : 109-110). Aussi, les menaces qui pèsent sur le chant des religieuses[6] la contrarient-elles au plus haut point :

> [...] il s'en est peu fallu que notre chant n'ait été retranché. [Monseigneur notre Prélat] nous laisse seulement nos Vêpres et nos Ténèbres, que nous chantons comme vous faisiez au temps que j'étois à Tours. Pour la grande Messe, il veut qu'elle soit chantée à voix droite, n'ayant nul égard à ce qui se fait soit à Paris, soit à Tours, mais seulement à ce que son esprit luy suggère être pour le mieux. Il craint que nous ne prenions de la vanité en chantant, et que nous ne donnions de la complaisance au dehors. Nous ne chantons plus aux Messes parce, dit-il, que cela donne de la distraction au Célébrant[7], et qu'il n'a point veu cela ailleurs. (*C* 1661 : 653)

L'abbesse Hildegarde de Bingen, qui a composé au XIIe siècle des poèmes et de la musique liturgique, percevait l'âme humaine comme « symphonique ». Elle désignait par le terme de « symphonia » l'accord entre le céleste et le terrestre, l'artistique et l'existentiel qui, par l'intermédaire de la voix humaine et des instruments de musique, peut se faire au tréfonds de l'être humain[8]. Les femmes mystiques, plus déchirées par le clivage aliénant entre corps et esprit, élaborent des discours où se relaient sensible et sensuel, spirituel et corporel[9]. L'expérience sensible et sensuelle du corps est considérée : l'Esprit peut aussi se révéler à travers le Corps. Marie Guyart s'est dite, en religion, « de l'Incarnation », concernée plus qu'une autre par ce Dieu fait chair en la personne de son fils, « suradorable cœur du Verbe incarné » (*C* : 659).

> Elles savaient vivre, écrit Elisja Schulte Van Kessel, l'union physique avec Dieu incarné de façon plus fréquente et plus directe, car elles étaient davantage concernées par le corps, la naissance et la mort, la nourriture, les soins et la consolation, le lait, le sang et les larmes. C'était bien chez les femmes qu'était né le culte de la *Pietà*: la *Mater Dolorosa* tenant sur ses genoux le corps du Christ, mort et non encore ressuscité, tendrement exhibé comme un nouveau-né en signe de renaissance de toute l'humanité. C'était aussi parmi elles que s'était développé le culte de l'Eucharistie, de l'offrande répétée du Corps. Beaucoup vivaient la transsubstantiation – du pain en Corps et du vin et de l'eau en Sang – de façon si intense qu'au moment de la prise de l'hostie s'accomplissait en elles une totale *imitatio Christi*. En consommant son corps, les femmes devenaient le Christ. Dans cette union parfaite, sa souffrance devenait chaque fois la leur. (*op. cit.* : 167)

Le cœur et le corps de Marie de l'Incarnation ont été tout particulièrement sensibilisés par sa maternité. Le rapport mère-fils, source d'émotion tendre et vive, de profonde et de poignante angoisse aussi, s'exprime à travers des métaphores très corporelles :

> Et lorsque je m'embarqué pour le Canada, et que je voyois l'abandon actuel que je faisois de ma vie pour son amour, j'avois deux veues dans mon esprit, l'une sur vous, l'autre sur moy. A votre sujet, il me sembloit que mes os se déboitoient et qu'ils quittoient leur lieu, pour la peine que le sentiment naturel avoit de cet abandonnement. (*C* 1664 : 725)
> Sçachez donc encore une fois qu'en me séparant actuellement de vous, je me suis fait mourir toute vive [...] en vous quittant, il me sembloit qu'on me separât l'âme du corps avec des douleurs extrêmes. (*C* 1669 : 836-837)
> [J']ay eu des sentimens de contrition de vous avoir tant fait de mal [...] je me suis trouvée en des détresses si extrêmes [...] que j'avois peine de vivre. (*C* 1670 : 898)

Marie de l'Incarnation vit bien intimement le principe de la transsubstantiation des corps, elle qui rappelle volontiers que l'entretien le plus ordinaire de sœur Anne Bataille de Saint-Laurent, « considérant le petit Jésus sur son cœur, estoit de luy dire avec amour : "Vous

vous donnez donc tout à moy, ô mon Jésus ! et vostre corps et vostre sang, vostre âme et vostre vie. Vous désirez de moy le mesme" » (*C* 1669 : 844)[10]. Paul Ragueneau n'hésite pas à rapporter le témoignage suivant de Marie-Catherine de Longpré de Saint-Augustin :

> Avant Matines, je vis en songe la sainte Vierge, comme étant nouvellement accouchée, qui avoit des mamelles si remplies de lait, qu'elles luy faisoient mal. Il me sembla qu'elle regardoit pour voir si quelqu'un ne la soulageroit point : Je pris de la hardiesse de m'offrir à elle & luy dis que je succerois si doucement son lait, qu'elle n'en sentiroit point du tout de douleur. Elle me fit approcher, & me donna permission de la tetter ; ce que je fis avec une grande joye[11].

Dans ces relations extrêmes, les transfusions de corps et d'amour s'opèrent aisément, l'amour humain est transposé, idéalisé, sublimé.

Le Christ est par excellence le Parfait Amant de la tradition courtoise : sous couvert du divin, la tendresse et l'amour humains peuvent se dire et se rêver, le don total se concevoir sans honte et en toute confiance : « Ah ! ma chère Fille, qu'il est bon de s'abandonner à corps perdu entre les bras de Dieu », confie Marie de l'Incarnation à sa nièce (*C* 1668 : 830) ; « En un mot, on peut dire que le cœur et l'âme est un paradis où il n'y a rien de secret entre l'aimé et l'amante » (*R 1633* : 266). Cet abandon en toute quiétude n'est pas sans évoquer le *locus amœnus*, bras, nid, mer, lieux paradisiaques et quasi utérins, où régresser en toute béatitude, comme deux cœurs indissociables, un petit oiseau dans son nid, un poisson dans l'eau ou une éponge dans la mer :

> Aussi, une fois, j'expérimentai qu'on avait ravi mon cœur et qu'on l'avait enchâssé dans un autre cœur, et qu'encore que ce fût deux cœurs, ils étaient si bien ajustés que ce n'était qu'un, et une voix intérieure me dit : "C'est ainsi que se fait cette union des cœurs." (*R 1654* : 115)
>
> Qu'est-ce que demeurer en Dieu et être logé en lui ? Cela ne se peut dire. La hardiesse croissait en mon âme qui jouissait de son Tout en ce *nid* d'amour. (*R 1633* : 198)
>
> Le premier état est l'oraison de quiétude [...]. [L'âme] se trouve comme une éponge dans ce grand océan [...]. L'âme étant ainsi attachée à son

> Dieu comme au centre de son repos et de ses plaisirs, attire facilement à soy toutes ses puissances, pour les faire reposer avec elle. D'où elle passe à un silence, où elle ne parle pas même à celuy qui la tient captive, parce qu'il ne lui en donne ni la permission ni le pouvoir. En suite elle s'endort avec beaucoup de douceur et de suavité sur ces mammelles sacrées [...]. (*C* 1665 : 747)
> [...] cette infinie Majesté était à mon égard comme une grande et vaste mer, qui venant à rompre ses bornes, me couvrait, m'inondait et m'enveloppait de toutes parts. [...] L'âme tombe dans un doux labyrinthe où elle est enchantée, ou plutôt saintement enivrée. Elle ne sait où elle est. Elle se sent seulement perdue dans cette mer d'amour, où étant anéantie, elle devient tout, et où ne possédant rien, elle jouit de ses richesses infinies par la communication de ses biens. (*R 1633* : 362, 365)

Les mystiques qui, note encore Elisja Schulte Van Kessel, « accordaient une grande importance à l'imagination et à la faculté de perception des sens [...] semblent avoir vécu cette relation tant enviée avec l'Amant divin de façon fort immédiate, personnelle et spontanée. Ici encore, elles étaient peu freinées par des modèles culturels, au point que leur parfait abandon suscitait souvent l'envie et la désapprobation des mystiques masculins » (*op. cit.* : 166)[12]. Bien des textes profanes de la littérature amoureuse et érotique pâlissent à la lecture des transports de nos mystiques. Les compagnes de Marie de l'Incarnation se doutaient bien que son commentaire du *Cantique des Cantiques*, « Dites-nous ce que c'est à dire : qu'il me baise du baiser de sa bouche » (*R 1654* : 175), ne serait pas terne :

> Je ne puis rien dire qui y ait plus de rapport, mais le fond expérimental fait bien d'autres impressions que ce que les paroles sonnent. C'est un sens qui porte un nourrissement divin que la langue humaine ne peut exprimer, une privauté et hardiesse, des revanches, des rapports et des retours d'amour inexplicables de l'âme dans le Verbe et du Verbe dans l'âme. (*R 1654* : 147)

Marie de l'Incarnation et Thérèse d'Avila ont toutes deux tenu à commenter, avec plaisir et *maestria*, le *Cantique des Cantiques*[13], ce merveilleux texte qui parle d'amour, sujet délicat et tabou – surtout lorsque les femmes osent le traiter –, qui suscite l'incompréhension ou l'étonnement, disent-elles, voire les rires :

> Je me souviens d'avoir entendu un sermon tout à fait admirable que donna un religieux et qui roula presque tout entier sur les délices que l'Épouse trouve en son Dieu. Mais comme il était question d'amour [...] il y eut de tels rires et la chose fut si mal prise, que j'en restais étonnée. (*PAD* : 907)

Thérèse et Marie sont convaincues qu'« un amour si puissant, si fort », celui du véritable, du parfait amant – « Trouverons-nous jamais un ami aussi patient ?» (*PAD* : 921) – « ne peut s'exprimer que par des paroles étonnantes » (*ibid.* : 908), qu'il est plus facile de le « goûter » que « de le rendre par le discours ! » (*ibid.* : 933) ; que l'expérience et les étranges raisons du cœur et du transport amoureux – qui nous mettent « hors de nous » – priment sur la raison et les discours. Elles mettent l'accent sur l'amour comme expérience inouïe et commune à l'Épouse du Cantique et à toutes les femmes, soulignant, pour mieux la légitimer, la hardiesse de l'Épouse à laquelle elles s'identifient, et qu'elles présentent comme modèle et comme guide : « Ne l'accuserait-on point de témérité ou de présomption ?» ; « [...] avec une hardiesse inouïe, sans crainte, sans respect [;] elle nous invite à l'imiter » (*ESEC*: 397-398).

La témérité, la présomption, la hardiesse de l'Épouse qui brûle allègrement les degrés et les étapes sont, à leurs yeux, justifiées : pas de gradation, même si, précise Marie de l'Incarnation, « les saints nous enseignent, et la raison nous l'apprend », qu'il y a trois étapes dans la progression de l'amour (*ESEC*: 397-398) ; elle affirme, tout au contraire, que « l'ordre de l'amour, c'est d'aimer sans ordre, comme la mesure de l'amour, c'est d'aimer sans mesure » (*ibid.*: 401).

Dom Oury estime que le vocabulaire de Marie de l'Incarnation est « d'une extrême hardiesse : elle a continuellement recours au vocabulaire de l'amour humain, on pourrait même dire de la passion humaine. Si l'épisode de l'abandon de son fils est de type cornélien, son expérience mystique la rapproche des grandes passionnées de Racine[14] ».

> Cette suradorable Majesté s'approchant de moi, mon cœur se sentit tout embrasé de son amour. Je commençai à étendre les bras pour l'embrasser. Lors, lui, le plus beau de tous les enfants des hommes, avec un visage plein d'une douceur et d'un attrait indicible, m'embrassant et me baisant amoureusement, me dit : "Voulez-vous être à moi ?" Je lui répondis : "Oui." (*R 1654* : 47)
> Ce fut par des touches divines et des pénétrations de lui en moi et d'une façon admirable de retours réciproques de moi en lui, de sorte que n'étant plus moi, je demeurai lui par intimité d'amour et d'union, de manière qu'étant perdue à moi-même, je ne me voyais plus, étant devenue lui par participation. (*R 1654* : 139)
> [...] étant dans le silence, le divin Epoux me faisait expérimenter un nouveau martyre dans ses touches et embrassements amoureux, me tenant plusieurs jours de suite, sans me permettre un respir ni aucun retour. (*R 1654* : 147)

Marie de l'Incarnation n'hésite pas, dans une incroyable lettre à dom Raymond, à passer, dans le feu de la passion, au tutoiement :

> Hé, amour ! quand vous embrasseré-je à nu et détachée de ceste vie ? [...] après mille embrassement et colement amoureux que je ne puis exprimer, je disois à l'amour de mon âme : « Sy tu voulois, ton foudre me consommeroit et me feroit mourir en un instant. Hé ! amour, sy tu voulois, je m'an irois avec toy. A ! fais donc que je meure, mon mignon et ma chère vie, mon cher et délectable amour ! J'é honte ; sela m'anpêche de parler comme je voudrois. » (*C* 1627 : 6)

L'expérience sensible et sensuelle se traduit en termes très poétiques[15] :

> Dans la psalmodie, je voyais [...] ses beautés, ses magnificences, ses libéralités, et enfin, qu'il avait au sens de l'Eglise, son Epouse, les mains faites au tour, toutes remplies d'hyacinthes, et autres fruitions[16] convenables pour découler leur plénitude de pureté sur les âmes, ses amantes. Je voyais que la bonté de ce divin Epoux m'avait mise en un pâturage gras et fertile, qui tenait mon âme en un bon point et qui en avait à regorger, car je ne me pouvais taire. (*R 1654*: 174)

La difficulté de la désincarnation, les résistances du corps, parlent encore le corps, bien vivant :

> Il me semble que je suis encore bien éloignée de la pureté que demande ce fond intérieur. J'en découvre quelque chose, mais je ne le tiens pas, parce que je suis encore attachée à une nature foible, fragile et susceptible des impuretez de la terre. Ah, mon dieu ! Quoique mort, ou que j'en entens parler, mon cœur s'épanouit et se dilate, parceque c'est elle qui me doit délivrer de ce moy-même, qui me nuit plus que toutes les choses du monde. (*C* 1657 : 594)

Elle chante l'Office de Notre-Dame, « ce chant [la] soulageant et [lui] donnant air », ou regarde « les champs et verdures » afin de faire une meilleure transition entre le corps et l'esprit : « [...] j'amusais la partie inférieure pour ensuite qu'elle servît à l'esprit et qu'à l'heure elle ne lui nuisît pas. » (*R 1654* : 146) L'intimité du corps malade ose aussi se dire et s'écrire par identification à la souffrance du Christ : Marie de l'Incarnation mentionne volontiers son flux hépatique, sa colique néphrétique, ses vomissements, ses abcès, sa rétention d'urine[17], etc., tout comme ses pudeurs[18]. Par ailleurs, elle ne manquait pas, on le sait, d'insister sur « les qualitez requises, tant de corps que d'esprit » (*C* 1644 : 239) des jeunes recrues, sur leur jeunesse, leur force et leur santé physique et morale : « Mais il me semble que vous soyez las de vivre. Hé ! pourquoi ne voulez-vous pas vivre [...] ?» lance-t-elle à son propre fils en 1667 (*C* : 795).

L'intime est lié au registre des émotions intenses, à la fragilité et à la vulnérabilité... L'intime est dans ce tremblement, cette effraction, cette césure, cette fissure qui se créent en nous dans les instants de désarroi, de souffrance ou de joie, entre tension et détente, méfiance et confiance, lorsqu'un événement ou un être nous « transeporte » au plus loin ou au plus profond de nous, *terra incognita intima*, nous atteint au plus tendre de notre chair, au plus authentique de notre âme, au plus inconnu de nos pensées, au plus inattendu de nos réactions, nous force dans nos retranchements, où, tremblant-e-s et désemparé-e-s, se dévoilent nos contradictions, nos ambivalences, nos souffrances, nos élans, nos aspirations et nos rêves les plus fous.

On ne peut alors que souligner le caractère quasi indicible, ineffable, de l'expérience intime, qu'elle soit humaine, mystique[19] ou poétique[20]:

> Lorsque je présenté mon *Index* à mon Supérieur, et qu'il en eut fait la lecture, il me dit : allez sur le champ m'écrire ces deux chapitres [...]. J'obéis sur l'heure et y mis ce qu'il me fut possible, mais le plus intime n'étoit pas en ma puissance. C'est en partie ce qui me donne de la répugnance d'écrire de ces matières, quoique ce soient mes délices de ne point trouver de fond dans ce grand abyme, et d'être obligée de perdre toute parole en m'y perdant moy-même. Plus on vieillit, plus on est incapable d'en écrire, parce que la vie spirituelle simplifie l'âme dans un amour consommatif, en sorte qu'on ne trouve plus de termes pour en parler). (*C* 1653 : 516)
>
> [...] mon âme expérimentait des caresses qui ne sauraient tomber sous la diction humaine. (*R 1654* : 47)
>
> Lorsque je dis qu'il embrassa [mon âme], ce ne fut pas à la façon des embrassements humains. Il n'y a rien de ce qui peut tomber sous le sens qui approche de cette divine opération, mais il [me] faut exprimer à notre façon terrestre, puisque nous sommes composées de la matière. (*R 1654* : 138)
>
> Oh ! que c'est une grande peine de ne pouvoir dire les choses de l'esprit comme elles sont ! L'on n'en parle qu'en bégayant, et encore faut-il chercher des similitudes pour s'exprimer ; autrement, il se faudrait taire. (*R 1633* : 266)
>
> J'ay dit en ces mots, je diray mieux en ces respirs qui ne me permettent pas de faire aucun acte et je ne sçay comme il faut dire quand il est question de parler des choses aussi nues et aussi simples [...]. (*C* 1668 : 826)
>
> Je veux dire ce que je ne puis exprimer, et ne le pouvant exprimer, je ne sçai si je le dis comme il faut. L'âme porte dans ce fond des trésors immenses et qui n'ont point de bornes : Il n'y a rien de matériel, mais une foy toute pure et toute nue qui dit des choses infinies. (*C* 1670 : 897)

Marie de l'Incarnation n'hésite donc pas à réclamer une écriture plus libre, plus spontanée, quasi automatique, à la fois matérielle et spirituelle, humaine et céleste, discrète et indiscrète, amoureuse et poétique[21]:

> Je vous ay simplement exposé mes sentiments sans ordre ni politesse, mais dans la seule expression de mon esprit et de mon cœur. Si j'avois voulu faire des comparaisons et des discours pour me faire entendre, cela auroit tiré à longueur, et j'aurois étouffé la pureté de l'esprit des choses que j'ay écrites qui ne peuvent souffrir de mélange. (*C* 1654 : 532)[22]

Après son septième état d'oraison, Marie de l'Incarnation notait que « les livres, ni la studiosité ne peuvent apprendre ce langage » (*R 1654* : 140)... Le peuvent-ils mieux aujourd'hui ?

Notes

[1] Ce rôle de messagère a permis à bien des femmes d'oser prendre la parole, de dire et de se dire par personne interposée : « Dilate-toi dans la fontaine d'abondance et coule dans une mystique érudition, afin que ceux qui te méprisent à cause de la prévarication d'Ève soient ébranlés par le débordement de ta source », écrivait l'abbesse bénédictine Hildegarde de Bingen (1098-1179). Lire l'excellent article de Danielle Régnier-Bohler, « Voix littéraires, voix mystiques », dans *L'Histoire des femmes*, t. 2, chap. 12, p. 443-500.

[2] Thérèse d'Avila s'était aussi employée à contourner, voire renverser, le principe d'« imbecilitas sexus » : « Lorsque Notre-Seigneur fait à une âme l'immense gloire de s'unir si étroitement à elle, quels désirs, quels effets, quelles œuvres héroïques ne naîtront pas de cette alliance, pourvu que l'âme n'y mette elle-même obstacle ? » (*PAD* : ch. 3, 931) « Les voix par lesquelles Notre-Seigneur contracte amitié avec les âmes sont en si grand nombre, que ce serait à n'en plus finir, me semble-t-il, que d'énumérer celles qui sont venues à ma connaissance, toute femme que je suis. » (*PAD* : ch. 2, 923) « [...] il a besoin de nous », finit-elle d'ailleurs par affirmer (*PAD* : 937).

[3] G.-M. Oury, *Marie de l'Incarnation. La Relation autobiographique de 1654*, Solesmes, 1976, p. 11. La copie manuscrite de la Relation originale de 1654, attribuée aux soins de la compagne ursuline de Marie, Cécile Richer, a été conservée au monastère de Trois-Rivières.

[4] Dans *Sor Juana Inés de la Cruz ou les pièges de la foi*, Paris, Gallimard, 1987, p. 20-21. Michel de Certeau, dans *La fable mystique*, parle de « pratiques traversières qui tracent dans le langage le transit indéfini d'écritures » : « À travers les mutations de la parole [les] mystiques explorent tous les modes possibles (théoriques et pratiques) de la communication, question posée formellement comme détachable de la hiérarchisation des savoirs et de la validité des énoncés. » Paris, Tel Gallimard, t. 1, p. 26 et 15.

[5] Dans *Marie de l'Incarnation*, Paris, Robert Laffont, 1989.

[6] Louise Courville, responsable de *L'Ensemble Nouvelle-France*, en résidence au Musée du Séminaire de Québec, poursuit ses recherches sur la musique ancienne et les chants sacrés des ursulines et des augustines de la Nouvelle-France. Sur la place et l'importance du chant et de la musique en Nouvelle-France, lire Paul-André Dubois, *De l'oreille au cœur*, Sillery, Septentrion, 1997.

[7] En présentant les membres du public « altérés comme des cerfs du désir d'entendre la Messe » (*C* : 160), Marie n'infirme pas la connotation « sensuelle » de la « distraction ».

[8] On peut entendre aujourd'hui maintes œuvres d'Hildegard Von Bingen, entre autres, par les ensembles *Sequentia* ou *Anonymus 4* (Harmonia Mundi).

[9] Voir l'ouvrage collectif *La femme, son corps, la religion*, sous la direction d'Élisabeth J. Lacelle, tout particulièrement les articles de Marie Couillard et de Monique Dumais.

[10] « Une autre bonne Huronne avoit coutume quand elle allaitoit son enfant d'adresser cette priere au saint Enfant Jésus : "Ah ! Seigneur ! que je me fusse estimée heureuse si pendant vôtre enfance la tres sainte Vierge m'eût permis de vous donner a tetter quelques goûtes de mon lait ! Mais puisque je n'ay pas eu le bonheur de me trouver au monde pour lors, et de vous rendre ce petit service, je vous le veux rendre au moins en la personne de mon fils, car vous avez dit que ce qu'on feroit au moindre des vôtres, vous le réputeriez comme fait a vous même." Elle en usoit ainsi toutes les fois qu'elle approchoit son enfant de son sein [...]. » (*AHDQ* 1664 : 130) Lire à ce sujet, de Denise Lemieux, *Les petits innocents. L'enfance en Nouvelle-France, op. cit.*

[11] *Vie de la Mère Catherine de Saint-Augustin*, Québec, 1923 [Paris, 1671], p. 86.

[12] D'autant plus, ajoute-t-elle, que parfois « les femmes dans leur plus profonde intimité devenaient Dieu, et que le Sauveur devenait Mère ». « Aussi en coûta-t-il bien des efforts aux réformateurs tridentins pour tenter de venir à bout de cette expérience bisexuelle, jugée désormais inadmissible, en expliquant aux fidèles que le Fils de Dieu devenu chair n'avait aucunement pris le corps d'une femme, mais uniquement celui d'un homme mâle (*d'huomo maschio*). »

[13] Marie de l'Incarnation, *Entretien spirituel sur l'Épouse des* Cantiques, dans *Écrits spirituels et historiques (Tours)*, t. 1, p. 397-404. Abrégé sous *ESEC*. Thérèse d'Avila, *Pensées sur l'amour de Dieu*, dans *Œuvres complètes*, t. 1, Paris, les Éditions du Cerf, 1995, p. 897-952. Abrégé sous *PAD*.

[14] Dans *L'expérience de Dieu. Marie de l'Incarnation*, Montréal, Fides, p. 30.

[15] Nicole Brossard et Lisette Girouard commencent d'ailleurs leur *Anthologie de la poésie des femmes au Québec* par des « exclamations » de Marie Guyart (Marie de l'Incarnation), Montréal, Éditions du remue-ménage, 1991, p. 29.

[16] *Fruitions*: jouissance ou fruits. Le premier sens, ordinaire, est passé dans le français moderne ; le second est resté celui de l'ancienne langue.

[17] À son fils : *C* 1665 : 744-745 ; 1667 : 790-791; au Père Poncet : 1667 : 784.

[18] « [...] il se forma des pierres dans les reins qui me causoient d'étranges douleurs [...]. L'on avoit résolu de me tirer cette pierre, mais entendant parler qu'on y vouloit mettre la main, j'eus recours à la très-sainte Vierge par un *Memorare* que je dis avec foy, et au même temps, cette pierre tomba d'elle-même, et les autres la suivirent. » (*C* 1665 : 745)

[19] Michel de Certeau pense que, « pour des raisons à élucider, l'expérience féminine a mieux résisté à la ruine des symboliques, théologiennes et masculines [...] la présence qu'attestent ces Mères et ces Dames se détache du Verbe. [...] un in-fini d'Autre dont les certitudes, nuits du corps, n'ont plus de repères dans les signifiants. [...] un discours érotique se met désormais en quête de mots et d'images » (*La fable mystique*, 1, p. 14-15). « Ce trouble n'est qu'un entre-deux des mots [...] la parole mystique est un artefact du Silence. » (p. 208) « À cet égard, la mystique est le cheval de Troie de la rhétorique dans la cité de la science théologique. » (p. 58)

[20] « Cependant toute imparfaite que je suis, et pour anéantie que je sois en sa présence, je me voy perdue par état dans sa divine Majesté, qui depuis plusieurs années me tient avec elle dans un commerce, dans une liaison, dans une union et dans une privauté que je ne puis expliquer. C'est une espèce de pauvreté d'esprit qui ne me permet pas même de m'entretenir avec les Anges, ni des délices des Bienheureux, ni des mystères de la foy : Je veux quelque fois me distraire moy-même de mon fond pour m'y arrêter et m'égayer dans leur beautez comme dans des choses que j'aime beaucoup ; mais aussi-tôt je les oublie, et l'esprit qui me conduit me remet plus intimement [dans mon fond] où je me pers dans celui qui me plaît plus que toutes choses. » (*C* 1670 : 896-897) « Et ne vous mettez pas en peine, écrit-elle à son fils, si un grand recueillement vous fait passer pour mélancholique ; l'on a presque toujours dit cela de moy, et c'étoit lorsque mon esprit étoit en de très-grandes jubilations avec Dieu. » (*C* 1659 : 609)

[21] « Écrire, c'est infinir » : Yves Navarre, dans *Carnet 1. La vie de l'âme*, *Le Devoir*, 22 septembre 1990, D10. « [L]a poésie ne se sert pas d'un langage ; elle est l'art

du langage même » : François Cheng, *Le Dialogue*, Paris, Desclée de Brouwer, 2002, p. 36.

[22] Hildegarde de Bingen a aussi voulu écrire, sans se soucier des lois de composition édictées (recourant à une logique des correspondances, à l'art de la digression et de la pensée associative), et inventer une langue (*lingua Ignota*) pour mieux transcrire l'ineffable.

CHAPITRE 10

L'Amazone céleste

La riche complexité des rôles que la tradition chrétienne des premiers temps avait assignés au personnage de la Vierge Marie a peu à peu disparu au profit des qualités de pureté, de tendresse et d'obéissance... Avec le dogme de l'Immaculée Conception surtout, le bleu de Marie a pâli et les comportements de femme effacée, sans volonté, caractère propre ni autonomie, ont remplacé les prestigieux attributs qui lui avaient été auparavant associés. Ce sont, nous le verrons, les modèles anciens d'une Vierge dotée de pouvoirs que l'on repère dans les écrits féminins de la Nouvelle-France.

Le premier rôle de la Vierge qui apparaît dans nos textes est celui de mandatrice céleste. Lorsque Marie de l'Incarnation entrevoit Québec en rêve à la Noël 1633, l'intervention de la Vierge est déterminante : « Il me semblait que [cette divine Mère] parlait [à son adorable Fils] de ce pays et de moi et qu'elle avait quelque dessein à mon sujet, et moi, je soupirais après elle [...]. Lors, avec une grâce ravissante, elle se tourna vers moi et, souriant amoureusement, elle me baisa [...]. Puis elle recommença de parler de moi comme auparavant. » (*R 1654*) Dans cette vision inaugurale de sa vocation missionnaire, Marie Guyart n'hésite pas à s'héroïser en se décrivant comme plus agile que Madeleine de la Peltrie, la donatrice laïque des ursulines, à s'élancer les bras tendus vers la Vierge, plus habile à capter l'attention de celle qui l'élira et la mandatera pour aller fonder une maison en Nouvelle-France. À travers le dialogue avec son fils, la Vierge est aussi la médiatrice, l'intercesseure privilégiée entre Terre et Ciel. Elle est, nous dit plus explicitement Marguerite Bourgeoys, « la première avocate du monde » : elle « fait l'office d'avocate pour obtenir, de sa Majesté, la rédemption du genre humain » (*ÉMB* : 105-106).

Les habitants du Canada étaient convaincus que la Vierge avait reçu de Dieu le domaine de la Nouvelle-France (*ÉMB* : V) et Montréal s'appela d'abord Ville-Marie. Cette reconnaissance de propriété faisait de chaque ville de la Nouvelle-France une Cité de la Dame des Cieux. Jeanne Mance, en faisant rédiger les *Véritables Motifs de Messieurs et Dames de la Société Notre-Dame de Montréal pour la conversion des Sauvages de Nouvelle-France*, indiquait à quel point les femmes étaient partie prenante dans la fondation de la ville. Dans la *Relation* de 1638, Le Jeune précise que, le jour de l'Assomption de la Vierge, des Sauvages assistèrent « à la procession que nous fismes pour recognoistre cette grande Princesse comme Superieure et protectrice de l'une et de l'autre France, selon les sainctes affections de nostre bon Roy » (29). Cette divine protectrice soutenait à la fois la ville et ses habitants[1] : « Je me sens encore puissamment fortifiée de la protection de la très Sainte Vierge qui est notre divine supérieure, écrit Marie de l'Incarnation. [Elle] nous assiste sensiblement, [...] nous donne un secours continuel dans nos besoins, [et] nous conserve comme la prunelle de son œil. [...] Que puis-je craindre sous les ailes d'une si puissante et si aimable protectrice ? » (*C* 1668 : 827) Marguerite Bourgeoys la compare « au poisson Remora qui arrête les grands et terribles châtiments » (*ÉMB* : 94) et croit en la « sauvegarde de la Reine du Ciel contre les attaques des ennemis » (85).

La première romancière canadienne-française, Laure Conan, qui, en 1900, raconte dans *L'Oublié*[2] les débuts de Ville-Marie, présente la Vierge comme « la Toute-Puissante » (22), la « Dame de la Garde » : « [...] l'héroïsme opiniâtre se fondait dans son culte, écrit-elle. L'image de Marie était brodée sur le drapeau ; elle brillait sur le mur de chaque maison comme une étoile ; et, grâce à elle, une sorte de paix planait au-dessus de toutes les angoisses. » (54) Marie est à la fois la châtelaine armée défendant ses biens et la Dame inatteignable aimée et chantée par les troubadours-soldats qui composent des hymnes en son nom. Et les images ne sont pas mièvres... Après les tentatives d'invasion anglaise de Phipps en 1690 et de Walker en 1711, elle est effectivement, dans les *Annales de l'Hôtel-Dieu de Québec*, notre « liberatrice », « Notre Dame des Victoires[3] ». En 1711, les Montréalais volent au secours de Québec en portant un drapeau marqué du nom de Marie autour duquel Jeanne le Ber, recluse dans la Congrégation de Notre-Dame, avait écrit :

> Nos ennemis mettent toute leur confiance dans leurs armes, mais pour nous, nous la mettons au Nom de la Reine des Anges que nous invoquons. Elle seule paroît terrible comme une armée toute entiere rangée en bataille ; soûs sa protection nous esperons vaincre nos ennemis. (*AHDQ* 1711 : 362-363)

Ces lignes, extraites du *Cantique des Cantiques* (VI, 4) et du Psaume XIX (8), brossent de Marie un portrait redoutable que la suite des événements va confirmer. La description que les *Annales de l'Hôtel-Dieu de Québec* font de la tempête et du naufrage des bateaux anglais, brisés dans l'estuaire du Saint-Laurent autour de l'Île aux Œufs, est, à dessein, effrayante :

> Les éclairs et le tonnerre, se mêlant au bruit des flots et des vents et au cri perçant de tous ces naufragiez, augmentoient l'effroy de tous les spectateurs, de sorte que ceux qui en ont été témoins nous ont dit depuis qu'ils s'etonnoient de ce que nous n'en avions rien entendu à Quebec, et que c'êtoit l'image de l'enfer. [...] Ils trouverent là un spectacle dont le seul récit fait horreur. Plus de deux mille cadavres nuds sur la grêve qui avoient presque tous des postures de désesperez [...]. Il y avoit des femmes jeunes et délicates ; ils en virent jusqu'a sept qui se tenoient par la main et qui apparemment avoient péri ensemble. (*AHDQ* 1711 : 366, 372)

Face à la détermination et au courage de cette Vierge guerrière, de cette « amazone céleste », les femmes canadiennes sont à bonne école – ou ont le modèle qu'elles méritent. « L'époque, nous dit l'historienne Natalie Zemon Davis, ne manque pas d'images de femmes armées : les amazones appartiennent au paysage littéraire de toute l'Europe occidentale et Jeanne d'Arc rappelle aux Français ce dont une femme est capable dans un grand combat.[4] » Le souvenir de Jeanne d'Arc hantait la vallée de la Loire, d'où venait Marie de l'Incarnation, comme le fera ensuite celui de Mlle de Montpensier, la Grande Mademoiselle (1627-1693), qui prendra part à la Fronde, fera marcher en 1652 ses troupes contre celles de son cousin Louis XIV et entrera de nouveau en triomphe dans Orléans. Dom Guy-Marie Oury évoque la force de Marie de l'Incarnation en ces termes : « Elle a une âme de soldat », « un caractère très combatif », « [on] relève dans son vocabulaire abondance de termes militaires ou guerriers[5] ».

On comprend que la figure de la Vierge, qui finalement, dérogeait à chacun des deux sexes, ait pu susciter les désirs d'identification des femmes. Élisabeth 1re d'Angleterre, rapporte Natalie Zemon Davis, « simulait en cas de nécessité un personnage masculin[6] capable d'exhorter ses soldats au courage, mais avait aussi valeur d'icône, sorte d'image de substitution à celle, catholique, de la Vierge Marie. (L'anniversaire d'Élisabeth tombait par un heureux hasard le jour de la nativité de Marie.) » Tour à tour « maîtresse, épouse et mère aux yeux de tout le peuple d'Angleterre et de ses courtisans », elle pouvait leur parler tous les langages de l'amour[7]. Marguerite Bourgeoys, pour sa part, affirme que la Vierge Marie « a présidé, comme une reine gouverne ses états durant la minorité de son petit Dauphin ; car ses apôtres n'étaient pas encore capables de conduire l'Église » (*ÉMB* : 83) et, dotant la Vierge d'autant de pouvoir que de savoir, elle en fait l'institutrice et la première supérieure de sa Congrégation, parce qu'elle a été « reconnue pour la plus éclairée, la plus savante, la plus adroite en toutes sortes d'ouvrages » (*ÉMB*: 109). Dans *Des femmes parmi les apôtres*[8], Catherine Barry – qui travaille sur la bibliothèque copte de Nag Hammadi – précise que, dans la tradition des gnostiques et dans certains textes chrétiens apocryphes exclus du canon de l'Église, les femmes avaient un rôle et un statut importants qu'il est temps aujourd'hui de connaître et de reconsidérer.

Lors de la fête de Notre-Dame des Victoires, la Vierge inspire ses filles autant qu'elle a su les galvaniser : « Enfin le parnasse devint accessible a tout le monde ; les Dames mêmes prirent la liberté d'y monter, et ce fut quelqu'unes d'entre elles qui commencerent et qui mîrent les messieurs en train d'exercer leur esprit et leur plume sur ce sujet. [...] à la loüange de nôtre Reine victorieuse. » (*AHDQ* : 369)

Par sa vocation d'ursuline, Marie de l'Incarnation valorise l'étude et la transmission des connaissances par les femmes, dans la lignée de sainte Anne et de la Vierge enseignantes. La Vierge de la chapelle des ursulines tient un livre et le parement d'autel de sainte Anne a été réalisé en 1667 par Marie de l'Incarnation. L'un des personnages religieux les plus populaires de l'histoire québécoise est, selon Nicole Cloutier, celui de sainte Anne éducatrice apprenant à lire à la Vierge[9]. Estrella Ruiz-Calvez affirme que, entre le XVe et le XVIIe siècles, les images de la Vierge enseignante apprenant à lire et à écrire à Jésus ont été condamnées par les clercs et peu à peu remplacées par celles de Jésus faisant la lecture et expliquant les Écritures à sa mère ; sainte Anne, chef de famille, fondatrice d'une lignée, représentée dans l'exercice de fonctions qui seront dévolues au sexe masculin, sera cantonnée, après le concile de Trente, dans le rôle de ménagère et d'humble éducatrice de sa fille, ou réduite au prototype idéalisé de grand-mère affectueuse[10].

L'expérience hors norme des femmes missionnaires, « pèlerines », disent-elles encore, est à l'image de leur divine Mère : « On nous demande pourquoi nous aimons mieux être vagabondes que d'être cloîtrées », nous répondons que « la Sainte [Vierge] n'a jamais été cloîtrée, [et] ne s'est jamais exemptée d'aucun voyage », réplique Marguerite Bourgeoys à ceux qui voulaient imposer la clôture aux religieuses séculières de la Congrégation de Notre-Dame. Ce refus de la clôture apparaît dans l'histoire de maintes communautés de femmes[11]. On se souvient que Marie de l'Incarnation valorise les Amériendiennes nomades, interprètes, ambassadrices de la paix, prédicarices[12], qui font office d'apôtres. Les hospitalières de l'Hôtel-Dieu de Québec rebaptiseront l'Île aux Oies qu'elles viennent d'acquérir, la nommant Île Marie, et leur barque, qui leur permet de sortir de leur monastère et de prendre l'air du large, s'appellera « la Marie ».

La culture amérindienne, qui conjugue différemment masculinité et féminité, a indéniablement donné aux Européennes de nouveaux modèles. La figure de la Vierge les y avait déjà prédisposées : les hospitalières, qui se présentent comme des « anges de Dieu », semblent se construire une sorte de figure androgyne, qui refond rôles et sexes, dépasse les stéréotypes traditionnels, mêle plus harmonieusement les valeurs considérées comme « féminines » ou

« masculines ». Elles préfèrent sans doute penser avec l'apôtre Paul que « dans le Christ Jésus, il n'y a plus ni homme ni femme » (Ga, 3, 38). Cela pourrait expliquer que l'ange Raphaël – peint en 1707 pour l'Hôtel-Dieu de Québec dans l'ex-voto de l'ange gardien attribué à Michel Dessaillant – apparaisse sous les traits d'une femme, l'une des annalistes, Marie-Andrée Duplessis de Sainte-Hélène[13]; ou que l'archange Gabriel et la Vierge – dans le tableau que Joseph Légaré [1795-1855] a peint pour les ursulines – aient sensiblement le même visage asexué. Quant à l'ange à la trompette de la chapelle des ursulines, ses particularités sont bien connues :

> Malgré le cou fort et les jambes musclées, nous dit Jean Trudel, le sculpteur a créé un ange féminin et lui a donné une sensualité soulignée par sa souplesse. Comme pour la couronne de lauriers, les caractères féminins accusés de cet ange sont uniques dans l'iconographie du thème[14].

Dès 1135, transposant le *Cantique des Cantiques*, Bernard de Clairvaux glorifie Marie dans son rôle de bien-aimée et d'épouse. Sainte Catherine d'Alexandrie (307) ou sainte Catherine de Sienne (1380), que l'on estimait aussi vertueuses que savantes, sont des épouses mystiques. Or, dans le mariage mystique, rôles et sexes permutent et se confondent. Saint Augustin, saint Bernard ou Maître Eckhart se mirent dans le rôle de vierges épouses du Père, et Dante réunit les trois fonctions féminines de la Vierge, fille-épouse-mère, en une totalité. Marie de l'Incarnation et Thérèse d'Avila étaient, on le sait, particulièrement attachées au *Cantique des Cantiques*. Dom Oury estime que, comparée à d'autres mystiques, Marie de l'Incarnation a peu parlé de Notre Dame ; sa spiritualité était centrée sur le Verbe incarné[15].

Dans le chapitre « Stabat Mater » d'*Histoires d'amour*, Julia Kristeva note que le christianisme a exhibé en pleine lumière la structure bipolaire de la croyance : d'un côté la difficile aventure du Verbe : une passion ; de l'autre, le rassurant enrobement dans le mirage préverbal de la mère : un amour. Les artistes parviennent, dit-elle, à compenser le vertige de la pauvreté langagière par la sursaturation baroque des systèmes de signes, la surabondance des discours ou la gamme subtile des traces sonores, tactiles, visuelles, plus anciennes que le langage. Des saints, des mystiques, des écrivains arrivent à sortir de la représentation amour-mère en s'identifiant à l'amour même... Alors, au commencement n'est plus le Verbe... François de Sales, dans son *Traité de l'amour de Dieu* (1616), ne donne-t-il pas l'avantage à la dévotion des amants des femmes mystiques sur la doctrine des savants ? L'expérience intime, on l'a vu, qu'elle soit humaine ou mystique, poétique ou créatrice, nous interpelle sur plusieurs plans, dans la mesure où elle ne cesse d'osciller entre les mots et le silence, le sensible et l'intelligible, la matière et l'immatériel, d'exprimer toutes les formes d'amour et leurs contraires.

Mère, missionnaire et mystique, Marie de l'Incarnation, par son rapport particulier à la Vierge et à son fils, à l'Amour et au Verbe, nous invite à une intelligence plus lumineuse de l'autre Marie. Julia Kristeva[16], dans « Le temps des femmes[17] », pense que la mère est un être de carrefour, de croix, à la frontière de la chair (biologique) et du verbe (parlant), de la nature et de la culture, et qu'il faut chercher de son côté « un autre réglage de la différence », nous efforcer d'apporter de nouveaux objets, de nouvelles analyses à l'intérieur des sciences humaines exploratrices du symbolique. Et ce, afin de modifier la langue et les autres codes d'expression par un style plus proche du corps, de l'émotion, de reformuler nos représentations de la force et de la faiblesse, de l'amour et de la haine... Inventer une nouvelle éthique. Il en incombe tout particulièrement, dit Julia Kristeva, aux femmes férues de philosophie, de religion[18], d'art et de littérature.

NOTES

[1] Et, tout particulièrement, ses habitantes. C'est le sujet de l'essai de Christine de Pisan, *La Cité des Dames*, en 1405.

[2] *L'oublié* relate l'histoire des débuts de Montréal, en particulier celle du major Lambert Closse – qui assurait la défense de Montréal et remplaçait Maisonneuve pendant ses séjours en France – et d'Élisabeth Moyen (qu'il avait contribué à délivrer en 1655 des Onontagués qui l'avaient capturée sur l'Île aux Oies l'année précédente, après avoir tué une partie de sa famille) qu'il épousait en

1657. Élisabeth avait 16 ans, Lambert, 39. Il devait mourir en 1662 lors d'une attaque iroquoise.

[3] La première Notre-Dame de la Victoire (aujourd'hui N.-D. du Rosaire) est celle de la bataille de Lépante contre la flotte turque, le 1er octobre 1571.

[4] « La femme "au politique" », dans *L'Histoire des femmes en Occident*, t. 3 : *XVIe-XVIIIe siècles*, chap. 6, p. 176. La loi biblique interdit le travestissement (Deutéronome 22.5) (« Le théâtre : images d'elles », Éric A. Nicholson, *ibid.* : chap. 9, p. 314), mais les femmes travesties, interrogées sur leur déguisement, « répondent en général avec fierté à la police, se réclamant d'une vaste et longue lignée de femmes héroïques dont l'exemple légitime leur audace », rapporte Arlette Farge dans « Évidentes émeutières » (*ibid.* : chap. 16, p. 491). Voir aussi l'article de Diane Gervais et de Serge Lusignan, « De Jeanne d'Arc à Madeleine de Verchères. La femme guerrière dans la société d'ancien régime », *RHAF* (automne 1999), p. 171-205.

[5] Dans *Physionomie spirituelle de Marie de l'Incarnation*, *op. cit.*, p. 30-41.

[6] À lire : « Des "femmes d'état" au XVIe siècle » d'Éliane Viennot, et « L'androgyne au XVIe siècle » de Nicole Pellegrin, dans *Femmes et pouvoirs sous l'Ancien Régime*, Haase-Dubosc, Danielle et Éliane Viennot [dir.], Paris / Marseille, Éditions Rivages (Histoire), 1991.

[7] Dans « La femme "au politique" », *op. cit.*, p. 178-179.

[8] Catherine Barry, *Des femmes parmi les apôtres. 2000 ans d'histoire occultée*, Montréal / Québec, Fides / Musée de la Civilisation, 1997.

[9] Dans *L'Histoire des femmes au Québec depuis quatre siècles*, Le Collectif Clio, Montréal, Quinze, 1982, p. 73.

[10] Estrella Ruiz-Calvez, « Sainte Anne éducatrice : les images de la mère selon l'iconographie [...] XVe-XVIIe siècles », dans *La religion de ma mère. Le rôle des femmes dans la transmission de la foi*, p. 123-155.

[11] Voir, parmi tant d'autres, Marie-Thérèse Isaac, « Les jésuitesses de Valenciennes. Les vicissitudes d'une communauté enseignante au XVIIe siècle », dans *Les jésuites parmi les hommes aux XVIe et XVIIe siècles*, p. 65-79.

[12] Sur les femmes prédicatrices, lire l'article de Nicole Bériou dans *La religion de ma mère. Le rôle des femmes dans la transmission de la foi*, p. 51-70.

[13] Reproduit dans les *Annales de l'Hôtel-Dieu de Québec*, p. 254-255. Voir aussi François-Marc Gagnon, *Premiers peintres de la Nouvelle-France*, t. II, p. 116-118 et 127.

[14] Jean Trudel, *Un chef-d'œuvre de l'art ancien du Québec, la chapelle des Ursulines*, p. 37-39. L'ange a été réalisé vers 1726 par Pierre-Noël Levasseur ou son fils François-Noël.

[15] Guy-Marie Oury, dans *Ce que croyait Marie de l'Incarnation*, chap. X, « La sainte Vierge Marie ».

[16] Mais aussi Nancy Huston, *Journal de la création*, et Chantal Chawaf, *Le corps et le verbe. La langue en sens inverse.*

[17] « Le temps des femmes », dans *Les nouvelles maladies de l'âme*, Paris, Fayard, 1993, p. 297-331.

[18] Incontournables donc, l'excellent livre de Marina Warner, *Seule entre toutes les femmes. Mythes et culte de la Vierge Marie* (Paris, Rivages / Histoire, 1989) et les travaux de théologiennes féministes, telles Rosemary Ruether, Madonna Kolbenschlag, Ilse Barande, Suzanne Tuc, Prudence Allen, Olivette Genest, etc.

CHAPITRE 11

Des vocations d'enseignantes et d'exégètes

Dans la mouvance de la Réforme protestante et de la Contre-Réforme catholique, Marie de l'Incarnation, comme beaucoup de femmes laïques, dévotes ou religieuses de congrégations enseignantes, a été appelée à jouer un rôle déterminant : celui d'éduquer et d'instruire les filles[1]. En ce siècle de querelles et de satires sur le savoir des femmes qu'est le XVII[e2], c'est moins l'histoire de l'éducation donnée en Nouvelle-France que je veux considérer ici[3] que la vocation d'enseignante et d'exégète d'une femme, de femmes préoccupées d'éducation, d'instruction, et manifestement intéressées par le savoir académique, la formation et l'autonomie intellectuelles des femmes[4].

Marie de l'Incarnation, l'une des cinq enfants des Guyart, un garçon et quatre filles, reçut « une éducation profondément chrétienne et une solide instruction[5] ». C'est chez les ursulines[6] qu'elle choisira, un mariage et un enfant plus tard, d'entrer en religion, « l'instruction estant le caractère qui distingue leur monastère et les rend considérables entre les autres dans l'Eglise de Dieu », écrira-t-elle dans les *Constitutions* de Québec de 1647[7].

Femme d'affaires connue pour ses dons de gestionnaire, cultivée et avisée, tenue en grande estime et volontiers consultée par les administrateurs de la colonie, attirée par « la vie mixte », contemplative et apostolique – il faut, dit-elle, arriver « à joindre pendant le jour Marthe avec Marie » (*C&R* 1647 : 223) –, elle considère l'implantation de son monastère d'ursulines à Québec comme la plus grande affaire de sa vie au Canada. On le sait, les batailles qu'elle a dû mener à propos de leurs constitutions ont été épiques. Toute sa vie, elle défendra les constitutions de Tours contre celles de Paris, ayant tenté, à partir de ce qu'elles avaient de meilleur, d'en composer de nouvelles, propres à Québec. Elle avait rédigé les premières dès septembre 1641. Rappelons que, en 1656, alors que le père jésuite Jérôme Lalemant l'aide à rédiger les secondes – communes aux deux congrégations, elles seront approuvées en 1657 –, elle déplore que les constitutions des mères de Paris aient « un très-grand nombre de Règlemens jusques sur les moindres choses, de sorte que dans les grandes, et dans les petites, elles sont aussi réglées dans leur Noviciat que les anciennes » (*C*: 576). Quant aux changements que Mgr de Laval tente d'imposer, en 1661, elle affirme que son abrégé, « qui seroit plus propre pour des Carmélites ou pour des Religieuses du Calvaire, que pour des Ursulines, ruine effectivement » leur constitution (652).

Ce qui nous intéresse ici dans ce différend, ce sont surtout les traces de ce que nous appelons la « culture organisationnelle », les marques d'une femme d'idées et de caractère, supérieure de couvent, diplomate et pédagogue, entre rigueur et souplesse, tradition et modernité[8]. Ces constitutions de 1647, qui s'apparentent d'ailleurs souvent à un traité d'éducation, constituent, d'une part, une véritable mine de renseignements et, d'autre part, un plaisir littéraire, quelques-unes des recommandations, pour n'en être que plus incitatives et suggestives, étant particulièrement imagées :

> On aura plus de soin de bien lire que beaucoup ; ce n'est pas la quantité des viandes, mais la bonne digestion qui fait le bon sang et la bonne nourriture.
> On tâchera tousjours d'avoir quelque chose en réserve en sa mémoire des lectures et prédications afin que, dans les récréations et entretiens, on aye de quoy payer son escot et s'entre édifier les unes les autres. (*C&R 1647* : 48)[9]
> [La Maîtresse des Novices] aura soin de former l'intérieur et extérieur de ses novices, de leur aprendre à bien lire le latin si besoin est, de les préparer et stiler à toutes les sérémonies de chœur. [Elle instruira]

> avec telle méthode et manière que les novices se trouvent capables de les enseigner en son temps à la jeunesse. (*C&R* 1647 : 222-223)

Les conditions de lecture et d'écriture sont prises en compte : « [Les sœurs] auront de plus chacune en sa chambre tout ce qui est nécessaire pour escrire commodément et de plus un petit chandelier de fer blanc ou de cuivre. » (123) Marie de l'Incarnation précise que la supérieure du monastère doit avoir « un grand soin des livres de la maison » et les avoir lus (196). L'inventaire des livres que possédaient les ursulines[10] et les hospitalières[11] de la Nouvelle-France nous permet de mieux apprécier les sources et l'étendue de la culture des femmes missionnaires. Il n'y avait pas d'imprimerie au Canada sous le Régime français, aussi la Nouvelle-France était-elle tributaire de l'Ancienne. En octobre 1669, Marie remercie son fils Claude de l'envoi de beaux et d'excellents livres, d'un, tout particulièrement, dont l'auteure est une femme, Jacqueline de Blémur, mère Saint-Benoît, prieure de l'abbaye royale de la Trinité de Caen :

> Si vous ne m'aviez assuré que c'est l'ouvrage d'une fille, je ne l'aurois jamais cru, ni mes Sœurs [...]. Cette brave Mère est très éclairée, et avec sa science l'esprit de Dieu y a travaillé. J'admire cet ouvrage [...]. Les Sœurs sont affamées de cette lecture, et c'est à qui aura le livre pour le lire en particulier [...]. Encore une fois, que j'aime cette généreuse fille, et que je lui veux de bien ! Si elle est de votre connoissance et qu'elle soit à Paris, je vous prie de la visiter de ma part, et de l'assurer de l'estime que j'ay pour elle ; car en vérité on la peut mettre au rang des personnes illustres de notre sexe. (*C* : 868)

Qu'une femme écrive des livres paraît d'abord étonner Marie de l'Incarnation[12] et ses religieuses, mais elles se montrent ensuite admiratives et fières, solidaires et sororales, au point de vouloir expressément témoigner à l'auteure leur reconnaissance et la mettre « au rang des personnes illustres de [leur] sexe ». Il n'est pas impossible que ce soit le fait que ces livres soient effectivement jugés sérieux et estimés par des bénédictins qui les étonne le plus... La collaboration des femmes – discrète et effacée – n'est pas toujours connue ou reconnue : « En 1662-1663, sur la demande du P. Ducreux, indique dom Oury, [Marie de l'Incarnation] lui envoie des mémoires pour la composition de son *Historia Canadensis* qui parut en 1664[13]. » Aucun document en propre non plus sur les activités de Catherine Jérémie-Lepailleur (Québec, 1664 - Montréal, 1744), sage-femme et herborisatrice, botaniste[14] amateure ; l'intendant Gilles Hocquart notait, en 1740, qu'elle s'attachait « depuis longtemps à connaître les secrets de la médecine des sauvages » (*DBC* III : 338-339). Malgré mes recherches, aucune trace de ses envois et de ses notes... que l'on disait se trouver à la Bibliothèque du Muséum national d'histoire naturelle de Paris. À poursuivre...

Ian Noël n'a pas manqué de souligner, comme on l'a vu, non seulement les talents de leaders et de gestionnaires des femmes de la Nouvelle-France, mais aussi leur rôle d'enseignantes en gestion : « Moreover, the Ursulines taught the daughters of the elite the requisite skills for administering a house and a fortune – skills which [...] many were to exercise[15]. » Ian Noël insiste sur l'éducation supérieure des Canadiennes : à Montréal, en 1663, il n'y avait pas d'école pour les garçons ; le travail des sœurs de la Congrégation était tel que Louis Franquet, dans le rapport qui suit son voyage au Canada en 1752-1753, recommande la suppression des écoles de filles, craignant que ces dernières, à présent imbues d'elles-mêmes, ne finissent par préférer la ville à la campagne, les marchands aux paysans, etc.; les Filles du roi, urbanisées, surtout parisiennes, plus scolarisées, possédant de multiples aptitudes et une dot non négligeable, ont contribué à façonner le profil et le statut particulier des Canadiennes.

Marie de l'Incarnation valorisait l'apprentissage du latin, la langue de l'élite intellectuelle. Port-Royal innove vers 1650 en enseignant la lecture à partir d'ouvrages en français et non plus en latin, mais réserve la connaissance du latin aux élèves les plus doués. Martine Sonnet[16] estime que, « [p]armi les établissements qui se spécialisent dans l'éducation, ceux des ursulines peuvent être considérés comme "pilotes", tant par leur expansion géographique que par leur précocité[17]» (124) ; elle note que, « très soucieuse de pédagogie », cette congrégation « se démarque en accordant encore la priorité à la lecture en latin ; il faut voir là, dit-elle, non pas un archaïsme, mais un reflet de l'intérêt de ces religieuses pour la culture classique, celle du collège » (135). Si l'on compare, poursuit-elle, « rythme et durée de scolarité en internats féminins et masculins à la fin de l'Ancien Régime [...] les Ursulines, seules, se rapprochent du rythme collégien » (131). À la fin du siècle, le latin sera considéré, sauf pour une élite, comme une marque de pédantisme... et les latinistes seront de plus en plus rares, même chez les ursulines. Nous trouvons, en 1750, sous la plume de la Montréalaise Élisabeth Bégon, ces lignes concernant l'éducation de sa petite-fille Marie-Catherine, âgée de onze ans :

> Elle n'écrit pas bien, mais c'est la faute du maître peut-être. Elle lit bien et (je) la gâte assez pour lui avoir donné beaucoup de bons livres qu'elle dévore et qui m'ont coûté, à ce que je lui dis, plus qu'elle ne vaut, mais elle n'est dupe de rien. Elle a de la mémoire et si j'avais un maître elle t'écrirait en latin l'année prochaine, mais il n'y a personne ici qui vaille. (*LCF* 1750 : 209)

Élisabeth Bégon nous renseigne quelque peu sur le programme d'études de son élève[18]: « [...] tantôt l'histoire de France, tantôt la romaine, la géographie, le rudiment à lire français et latin, écrire, exemples, vers, histoire, tels qu'elle les veut, pour lui donner de l'inclination à écrire et à apprendre. Mais elle n'aime point l'ouvrage ; je la laisse, aimant mieux qu'elle apprenne que de travailler. » (*LCF* 1749 : 64) L'année suivante, elle apprend toujours à danser, mais elle a aussi « un maître pour l'arithmétique » (212) et elle lit Corneille (249).

Des préférences, relatives aux méthodes éducatives, se retrouvent dans les constitutions des ursulines. Les religieuses doivent, entre autres choses, se souvenir

> que les châtimens sont des remèdes violens aux quels il ne faut venir qu'après avoir expérimenté au préalable les plus doux, et partant elles feront le possible de porter ces petites créatures à leur devoir par toute autre voye, premièrement que d'en venir à la rigueur [...] et il ne faut pas faire un crime esgal d'un mansonge et d'une lettre d'escriture mal formée, ou d'un point d'esguille mal formé. (*C & R* 1647 : 228-229)

Quant à Marguerite Bourgeoys, son travail d'assistante sociale avant la lettre est bien connu et sa pédagogie a été jugée avant-gardiste : par son insistance sur la formation savante de ses maîtresses d'école, l'éducation et la formation professionnelle des filles, la gratuité de l'instruction, la lecture en français plutôt qu'en latin, et le souci de n'utiliser la correction que « très rarement, toujours avec prudence et extrême modération, se souvenant qu'on est en la présence de Dieu » (Hélène Bernier, *DBC* I : 121)[19].

Marie de l'Incarnation n'a pas hésité à faire le compte – fort mince – des résultats de l'évangélisation comme de la francisation des Amérindiennes[20]. Les extraits suivants de sa correspondance sont révélateurs de son ouverture d'esprit, de sa sensibilité et de son lyrisme :

> C'est pourtant une chose très difficile, pour ne pas dire impossible de les franciser ou civiliser. Nous en avons l'expérience plus que tout autre, et nous avons remarqué de cent de celles qui nous ont passé par nos mains à peine en avons-nous civilisé une. Nous y trouvons de la docilité et de l'esprit, mais lors qu'on y pense le moins elles montent par dessus notre clôture et s'en vont courir dans les bois avec leurs parens, où elles trouvent plus de plaisir que dans tous les agréemens de nos maisons Françoises. L'humeur Sauvage est faite de la sorte : elles ne peuvent être contraintes, si elles le sont, elles deviennent mélancholiques, et la mélancholie les fait malades. D'ailleurs les Sauvages aiment extraordinairement leurs enfans, et quand ils sçavent qu'ils sont tristes ils passent par dessus toute considération pour les r'avoir, et il faut les rendre. (*C* 1668 : 809)
> [D'autres filles Sauvages] n'y sont que comme des oyseaux passagers, et n'y demeurent que jusqu'à ce qu'elles soient tristes, ce que l'humeur sauvage ne peut souffrir : dès qu'elles sont tristes les parens les retirent de crainte qu'elles ne meurent. Nous les laissons libres en ce point, car on les gagne plutôt par ce moyen, que de les retenir par contrainte ou par prières. Il y en a d'autres qui s'en vont par fantaisie et par caprice ; elles grimpent comme des écurieux notre palissade, qui est haute comme une muraille, et vont courir dans les bois. (*C* 1668 : 802)

Missionnaire au Canada auprès des Amérindiennes, Marie de l'Incarnation a exprimé à maintes reprises respect et compréhension, parfois même son admiration, à l'égard de la culture autochtone. Cécile de Sainte-Croix « ne trouve rien d'agréable comme d'ouyr chanter les Sauvages, tant ils chantent doucement et s'accordent bien» (Appendice *C* 1639 : 956) et Anne de Sainte-Claire nous a laissé un beau portrait de religieuse :

> La Mère de St Joseph est de fort bonne humeur; au temps de la récréation elle nous fait souvent pleurer à force de rire ; il seroit bien difficile d'engendrer mélancholie avec elle ; c'est une fille qui a beaucoup de belles parties : elle est Maîtresse de nos petites Séminaristes [...] elle leur aprend à chanter et toucher sur la viole des Cantiques spirituels ; parfois elle les fait danser à la mode des Sauvages et ces petites sont si inocentes que, quand Madame de la Pelletrie nostre fondatrice s'y rencontre, elles la prient de danser avec elles, ce qu'elle fait, mais de si bonne grâce qu'il y a bien du plaisir à la voir. (Appendice *C* 1640 : 968-969)

S'il y a, certes, crédit et reconnaissance escomptés de la part des religieuses pour services rendus à l'évangélisation des Amérindiennes, il y a bien aussi, d'autre part, affirmation de la qualité de leur enseignement et valorisation de l'apprentissage, des connaissances et du rôle des filles.

Entre maints exemples, Marie de l'Incarnation présente une petite Amérindienne de cinq ans, qui savait réciter « des prières sauvages par cœur », « chanter des Psaumes entiers » et répondre « parfaitement au catéchisme » (*C* 1646 : 286-287) ; elle précise, témoin à l'appui, que le père Chaumonot raconte « que la Capitainesse dont j'ay parlé, sçait déjà chanter à la Messe, comme le font nos Chrétiennes Huronnes, et qu'elle est si zélée, qu'elle va convoquer les autres pour venir à la prière » (*C* 1655 : 566) ; elle note que Marie Ursule Gamitiens « chante des cantiques en sa langue sauvage », souligne les progrès d'Agnès Chabdikuchich dans « la connoissance des mystères », « la science des ouvrages » (*C* 1640 : 96) et rapporte que les ambassadeurs iroquois ont, pendant leur séjour à Québec, « pris un singulier plaisir à voir et à entendre [...] une petite Huronne de dix à onze ans [qui] sçait lire, écrire et chanter en trois langues, sçavoir en Latin, en François et en Huron » (*C* 1655 : 565). Bien des séminaristes compétentes seront ensuite perçues, on l'a vu, comme des disciples hors clôture des religieuses.

Si ces discours, à cause de l'entreprise de colonisation et d'acculturation qui les sous-tend, peuvent, à juste titre, nous déranger, il n'empêche que, mettant en scène le pouvoir d'une parole et d'une voix féminines déployées publiquement – et que l'on dit écoutées sinon respectées –, ils ont des accents revendicatifs et subversifs. La prise de parole représente bien, pour Marie de l'Incarnation, un gage de liberté et, même si l'expression de « démocratie citoyenne » peut paraître anachronique, elle vante, voire envie, les capitaines-ses iroquoises « qui ont voix délibérative dans les Conseils, et qui en tirent des conclusions comme les hommes » (*C* 1654 : 546), inscrit la dissidence de femmes amérindiennes contestataires, défend contre son évêque ses jeunes professes pour qu'elles puissent avoir voix au chapitre (sans attendre qu'elles aient accompli quatre ans de profession), et ses religieuses, pour qu'elles puissent chanter à leur façon dans les messes publiques (*C* 1661 : 653)[21]. Le principe de « démocratie participative » auquel Marie de l'Incarnation paraît sensible peut s'apparenter au célèbre talent des harangueurs – et des harangueuses – autochtones, à l'exercice du pouvoir politique amérindien décrit par Norman Clermont :

> [Les femmes iroquoiennes], en disposant du pouvoir de choisir les représentants politiques, d'approuver leurs décisions et de les déposer, au besoin, [...] acquéraient indéniablement un pouvoir de représentation politique. De plus, les affaires politiques chez les Iroquoiens étaient basées beaucoup plus sur la confiance que sur la méfiance et toutes les conclusions les plus importantes devaient se prendre à l'unanimité et non à la majorité. Comme l'exercice politique n'apportait pas la richesse et était surtout lié à un prestige qui était acquis en révélant un indéniable pouvoir de convaincre et en devenant un exemple de responsabilité et de générosité ; comme ces normes correspondaient à la fois à des valeurs et à des contraintes culturelles, il ne devenait plus important de contrôler chaque action politique d'autant plus que l'action politique *n'était pas coercitive* dans un système où la valeur première était l'autonomie responsable des individus[22].

Saint Paul – ou ses exégètes –, qui aurait défendu aux femmes de prendre la parole et d'enseigner, est battu en brèche ; les interdits des maîtres censeurs sont maintes fois pourfendus, comme l'indique ici la riposte de la petite-fille d'Élisabeth Bégon à un moine récollet, au sujet de la lecture de *Don Quichotte*: « Je le crois bien que vous ne me le défendez pas et vous faites aussi bien, puisque je n'ai besoin de permission que de maman qui, je crois, est capable de juger si je puis lire un livre ou non et je n'ai point à faire que personne se mêle qu'elle de ce que je dois faire. » (*LCF* 1748 : 59)

L'instruction religieuse a contraint les ursulines à l'apprentissage des langues amérindiennes et, si le père Le Jeune a bien été leur professeur ès langues, Marie de l'Incarnation souligne la contribution d'une truchement (un « truchement » est un traducteur, en général de sexe masculin), Marie Amiskvian, qui, parce qu'elle parlait bien français, les a beaucoup aidées dans l'étude de la langue (*C* 1640 : 95). Le rôle de truchement des femmes et les femmes traductrices-médiatrices culturelles mériteraient d'être étudiés plus systématiquement[23]. Même si elle minimise ses talents, les aptitudes linguistiques de Marie de l'Incarnation sont indéniables et son travail considérable :

> [...] nous étudions la langue Algonquine par préceptes et par méthode, ce qui est très difficile. Notre Seigneur néanmoins me fait la grâce d'y trouver de la facilité. (*C* 1640 : 112)
> Je vous avoue qu'il y a bien des épines à apprendre un langage si contraire au nôtre ; Et pourtant on se rit de moy quand je dis qu'il y a de la peine : car on me représente que si la peine étoit si grande, je n'y aurois pas tant de facilité. Mais croyez moy, le désir de parler fait beaucoup ; je voudrois faire sortir mon cœur par ma langue. (*C* 1641 : 125)
> « Mon joug est dous et mon fardeau léger. » Je n'ay pas perdu mes peines dans le soin espineux d'une langue estrangère qui m'et maintenant si facille que je n'ay point de peines d'anseigner nos saints mistères à nos Néophites dont nous avons eu un grand nombre cette année : plus de 50 séminaristes, plus de 700 visites de sauvages et sauvagesses que nous avons tous assistés spirituellement et temporellement. [...] (*C* 1641 : 132)

A-t-on besoin de dictionnaires ou de manuels en amérindien, l'enseignante, linguiste et traductrice se met à la tâche :

> [...] je me suis résolue avant ma mort de laisser le plus d'écrits qu'il me sera possible. Depuis le commencement du Carême dernier jusqu'à l'Ascension j'ay écrit un gros livre Algonquin de l'histoire sacrée [...] un Dictionaire et un Catéchisme Hiroquois, qui est un trésor.

> L'année dernière j'écrivis un gros Dictionnaire Algonquin à l'alphabet François ; j'en ai un autre à l'alphabet Sauvage. (*C* 1668 : 801)

On ne peut malheureusement plus les consulter : plusieurs de ces ouvrages manuscrits ont brûlé dans l'incendie d'octobre 1686, et les autres, prêtés au début du XIXe siècle à des religieux oblats de Marie-Immaculée en mission dans le Grand Nord, ont été perdus. Des ursulines m'ont dit qu'elles ne désespéraient pas de les retrouver... Isabelle Landy-Houillon estime que si – à l'inverse de plusieurs confrères, Paul Le Jeune ou Jean de Brébeuf, par exemple –, « Marie de l'Incarnation polyglotte se montre étonnamment discrète sur la description de ces langues et les surprises qu'elles réservent aux téméraires apprenants occidentaux [...] », elle est manifestement très douée et a

> particulièrement retenu deux caractéristiques grammaticales d'importance : d'une part en algonquin ancien l'existence du « vocatif » [...] et d'autre part en montagnais la priorité absolue donnée à la deuxième personne, la hiérarchie des participants plaçant nécessairement tout interlocuteur au sommet de l'échelle, devant même le locuteur [...]. [F]ace au « bel égocentrisme » des langues indo-européennes [...] l'imaginaire linguistique propre aux langues sauvages [privilégie] une vision du monde tout entière dominée par la relation avec la deuxième personne [...][24].

L'aptitude au dialogue et les talents de pédagogue de Marie de l'Incarnation sous-tendaient sa vocation d'enseignante et d'exégète, clairement exprimée dans ses *Écrits spirituels*:

> J'avais beaucoup de lumières [sur les mystères de notre sainte foi]. Je portais en mon âme une grâce de sapience qui me faisait quelquefois dire ce que je n'eusse pas voulu ni osé dire sans cette abondance d'esprit. [...] [les novices] me pressaient de plus en plus de poursuivre. Dieu voulait aussi cela de moi, et j'expérimentais au dedans que c'était le Saint-Esprit qui m'avait donné la clé des trésors du sacré Verbe Incarné et me les avait ouverts dans l'intelligence de l'Ecriture Sainte [...].
>
> Mon corps était dans notre monastère, mais mon esprit ne pouvait être enfermé. [...] Je voyais la justice de mon côté ; l'Esprit qui me possédait me la donnait à connaître, qui me faisait dire [...] je suis assez

> savante pour l'enseigner à toutes les nations ; donnez-moi une voix assez puissante pour être entendue des extrémités de la terre. (*R 1654* : 194-195)

Si l'on s'en tient au seul commentaire du *Cantique des Cantiques*, il est manifeste qu'il s'agissait pour Marie de l'Incarnation et Thérèse d'Avila d'un texte-clé, catalyseur dans leur expérience et leur cheminement personnels, qu'elles ont eu à cœur d'en effectuer une lecture personnelle et de faire profiter leurs consœurs de leur expérience comme de leur commentaire critique[25]. Cet exercice, a priori strictement limité à leur communauté, était peu goûté par les autorités... Le manuscrit original des *Pensées sur l'amour de Dieu*, le commentaire du *Cantique des Cantiques* de Thérèse d'Avila, a été détruit sur l'ordre de son confesseur, le père Diego de Yanguas, éminent théologien, qui jugeait peu convenable qu'une femme écrive sur le *Cantique*. Des copies ont heureusement été sauvées par les secrétaires carmélites et des traductions ont paru en France en 1616 puis en 1630. Le monastère des carmélites de Tours, adjacent à celui des ursulines, a été fondé par l'une des secrétaires de Thérèse d'Avila et l'on sait que Marie de l'Incarnation a lu Thérèse d'Avila, qu'elle estime. Tactique, la fondatrice des carmélites justifie son entreprise de façon aussi astucieuse qu'instructive :

> Beaucoup de livres, il est vrai, traitent ce sujet bien mieux que je ne saurais le faire ; mais comme vous êtes pauvres, il peut arriver que vous n'ayez pas de quoi acheter ces livres, ou que personne ne vous les donne en aumône, tandis que cela restera au couvent, et vous y trouverez tout réuni. (*PAD* : 915)
> Ces paroles renferment, sans nul doute, des choses élevées et de profonds mystères, oui des choses bien précieuses, car ayant demandé à des théologiens de m'expliquer ce que le Saint-Esprit avait voulu dire et quel était le véritable sens de ces paroles, j'ai reçu cette réponse : les docteurs en ont composé de longs traités, mais n'ont pu le déclarer. (*PAD* : 908)

Rompue sans aucun doute à l'art de l'analyse, à l'analyse des discours, aux jeux polysémiques et aux jeux de pouvoir, Thérèse d'Avila ne se démonte guère et, après avoir conclu philosophiquement : « Il est tant de choses au-dessus de la portée des femmes, et même de celle des hommes ! » (*PAD* : 905), elle prend son parti de tenter l'expérience d'élucidation du sens[26] : « Eh bien ! nous ne devons pas davantage nous autres femmes, restées privées des richesses du Seigneur » (*ibid.* : 909), d'ailleurs, « le Seigneur me découvre [le] sens renfermé dans ces paroles, qui plaisent tant à mon âme » (*ibid.* : 903). Si son travail d'exégète demeure partiel, elle n'en rassure pas moins ses lectrices et les censeurs : « Je n'en est parlé que très imparfaitement, n'ayant fait qu'effleurer le sujet. Mais dans le livre que j'ai déjà mentionné, vous trouverez, mes filles, tout cela très clairement exposé, si le Seigneur permet qu'il voit le jour. » (*PAD* : 940)

À l'instar de l'Épouse du *Cantique*, Marie de l'Incarnation se sent autorisée à « communiquer au dehors », à « regorger sur tous les sujets qui lui sont commandés », à donner des instructions, à « enseigner », à « donner le lait d'une sainte doctrine » (*ESEC* : 402). Son commentaire frappe par sa forme : proche du récit d'une expérience de vie, d'un récit de formation ; et de l'interview, d'un « entretien spirituel » non plus sur mais avec l'Épouse du *Cantique*. Le texte est d'ailleurs à la fois dialogique et didactique, sous-tendu par un jeu de questions et de réponses : « interrogeons-la elle-même », « elle nous dira », « si elle nous parle », « si elle nous annonce », « écoutons-la », etc. Sa contemporaine mexicaine, Juana Inés de la Cruz, sera aussi profondément influencée par les enseignements de François de Sales et son dialogue avec Philotée. Celle qui rêvait de se déguiser en garçon pour assister aux cours de l'université de Mexico écrira une longue lettre autobiographique et revendicatrice – la *Réponse de la poétesse à la très excellente sœur Philotée de la Croix* – envoyée le 1er mars 1691 à la dame qui lui a fait l'honneur de publier l'un de ses écrits :

> [...] je dirai que votre saint conseil de m'appliquer à l'étude des livres sacrés me va droit au cœur : il me vient sous forme d'avis mais il aura pour moi valeur de précepte [...]. Cependant, à ma décharge, je pourrais alléguer cette gêne extrême d'avoir été privée de maître et même de condisciples avec qui discuter et mettre en pratique les choses étudiées : je n'ai eu pour maître qu'un livre muet, pour condisciple qu'un encrier insensible et, au lieu d'explications et d'exercices, beaucoup d'obstacles [...]. [U]ne prieure très sainte et très naïve qui, craignant que l'Inquisition n'y trouvât à redire, me commanda de ne plus étudier. Je lui obéis [trois mois environ].

Son commentaire sur les sentences de saints et de docteurs s'interrogeant sur la permission à donner aux femmes de se consacrer à l'étude des Écritures et à leur interprétation et, en particulier, sur les sentences quant au silence, à la mutitude des femmes, est incisif, magistral, décapant :

> Cela est si juste que non seulement aux femmes – dont on dénonce toujours l'inaptitude – mais aux hommes – qui se croient savants du fait qu'ils sont hommes – on devrait interdire l'interprétation des Saintes Écritures quand ils ne sont pas très instruits, très vertueux et d'un esprit docile et bien disposé. C'est le contraire qui, je crois, a fait surgir tant de sectaires et qui a été à la racine de tant d'hérésies. Beaucoup en effet étudient pour ignorer, particulièrement ceux qui ont le caractère arrogant, inquiet et superbe, qui aiment la nouveauté en matière de Loi [...]. Comme l'a dit un homme sage, l'on ne peut trouver sottise parfaite chez qui ignore le latin, seul celui qui l'a appris atteint à la sottise consommée. [...] à elle seule, la langue maternelle ne peut contenir un grand sot. [...] Tout cela demande plus de connaissances que ne l'imaginent certains qui, avec leur seul latin, ou au plus avec quatre termes des Sumalas, veulent interpréter les Écritures et sont rivés au « *Mulieres in ecclesia taceant* » sans savoir comment on doit le comprendre et aussi cet autre passage : « *Mulier in silencio discat* », texte qui en réalité est beaucoup plus favorable qu'hostile aux femmes puisqu'il leur commande d'apprendre et qu'assurément, pendant qu'elles apprennent, il leur est nécessaire de se taire. [...] En vérité, ce n'est pas aux femmes qu'il s'adressait mais aux hommes, le « *taceant* » n'a pas été prononcé seulement pour elles mais pour tous ceux qui n'auraient pas de grandes capacités[27].

Hélène Pelletier-Baillargeon a montré l'écart qui s'est creusé entre les femmes de la Nouvelle-France et celles chez qui le clergé a, par la suite, tenté d'implanter une spiritualité féminine d'effacement, de mépris pour la curiosité intellectuelle et de méfiance à l'égard de la pensée ; elle cite la lettre du 5 avril 1843 du père Pierre-Adrien Talmon, oblat de Marie-Immaculée, à Mgr Charles-Eugène de Mazenod, qui souligne bien cette tradition culturelle féminine que le clergé tentera, fin XIXe siècle, d'éradiquer :

> Les sœurs de Marseille qui doivent venir s'établir au Canada auront à soutenir avec avantage le parallèle qu'on fera d'elles avec les Sœurs

> du pays. Veuillez donc bien les choisir. Prenez les meilleures, les plus instruites, celles qui réuniront le plus de connaissances et qui connaîtront s'il se peut, la musique et le dessin[28].

En 1673, un an après le décès de notre ursuline, François Poulain de La Barre écrivait, dans *De l'égalité des deux sexes*, cette phrase qui, écho magistral, répond aux aptitudes et aux ambitions de femmes telles que Marie de l'Incarnation, Thérèse d'Avila[29] ou Juana Inés de la Cruz :

> [...] si les femmes avoient étudié dans les Universitez, avec les hommes, ou dans celles qu'on auroit établies pour elles en particulier, elles pourroient entrer dans les degrez, et prendre le titre de Docteur et de Maître en Theologie et en Medecine, en l'un et en l'autre Droit : et leur génie qui les dispose si avantageusement à apprendre, les disposeroit aussi à enseigner avec succez. [...] Elles sont capables des dignitez Ecclesiastiques[30].

NOTES

[1] Le plus souvent, moins pour elles-mêmes qu'en fonction de leur rôle de futures maîtresses de maison, de mères et donc d'éducatrices, et en valorisant la formation morale et religieuse, la formation pratique et les savoir-faire, au détriment du savoir académique. Marie de l'Incarnation précise que – les élèves restant souvent fort peu de temps dans leur séminaire – « les Maîtresses s'appliquent fortement à leur éducation, et qu'elles leur apprennent quelquefois dans un an à lire, à écrire, à jetter [compter], les prières, les mœurs Chrétiennes, et tout ce que doit sçavoir une fille » (*C* 1668 : 802.

[2] Que l'on ne songe ici qu'aux *Précieuses ridicules* (1659) et aux *Femmes savantes* (1672) de Molière. Voir *L'Histoire du féminisme français* de Maïté Albistur et Daniel Armogathe.

[3] Sujet que les historiennes Nadia Fahmy-Eid, Micheline Dumont et Dominique Deslandres ont fort bien traité.

[4] Le gouvernement du Québec a d'ailleurs baptisé l'édifice G de la Colline parlementaire du nom de Marie Guyart, première enseignante de la Nouvelle-France, afin de marquer le 350e anniversaire de son arrivée et le 25e anniversaire de la création des ministères de l'Éducation et de l'Enseignement supérieur et de la Science (Décret 1551-89, 27 septembre 1989).

[5] Marie-Emmanuel Chabot, « Marie de l'Incarnation », *Dictionnaire biographique du Canada*, t. I, p. 361-368.

[6] Les premières ursulines sont fondées par Angele Merici à Brescia, en Italie, en 1535. Françoise de Bermond fonde la première communauté à l'Isle-sur-Sorgue en 1576. Celle d'Avignon le sera en 1594 et celle de Bordeaux, dont Tours sera issue, en 1606. Dès 1620, l'ordre compte 65 monastères. Séculières au début, les ursulines devront se constituer par la suite en ordre régulier, avec vœux solennels et vie monacale. Voir *L'Histoire de l'Ordre de Sainte-Ursule en France* de Marie de Chantal Gueudré.

[7] Constitutions et Règlements des Premières Ursulines de Québec, 1647, ch. VIII, p. 225. Abrégé sous C&R 1647.

[8] « Ainsi seront enseignés l'assiduité au travail, le contrôle de soi, le respect des engagements, l'"honnêteté", qui sont les vertus exigées des commerçants et des artisans », préparation en quelque sorte des mentalités à affronter la modernité, précise Dominique Deslandres dans « La Française et la mission française au XVIIe siècle », p. 114.

[9] On trouve, dans la liste des livres conseillés pour les novices : un missel, un diurnal, un bréviaire, un psautier français, un Nouveau Testament français ou le livre des Épîtres et des Évangiles le long de l'année, un Gerson de l'*Imitation de Jésus-Christ*, un ou deux livres spirituels (*C&R* 1647 : 123) ; et, pour leurs maîtresses : Les conférences d'Arnaya, Le désirant, Le combat spirituel, Le chemin de perfection de sainte Thérèse, La perfection chrétienne du cardinal de Richelieu, La perfection religieuse de Rodriguez, Connaissance et amour de Dieu et l'Homme spirituel du révérend père Saint-Jure, Les conférences ou Entretiens et le Traité de l'Amour de Dieu du bienheureux de Sales, Les œuvres spirituelles de Grenade, Les épîtres d'Avila, Les conférences ou collation de Cassian, Les méditations et Œuvres de Dupont, Le Platus Arias, etc. (224)

[10] Marc Lebel, « Livres et bibliothèque chez les Ursulines de Québec », *Bulletin du Centre de recherches en civilisation canadienne-française*, nº 26, avril 1983, p. 15-20. Voir le chapitre « L'héritage spirituel », dans G.-M. Oury, *Les Ursulines de Québec* (1999), p. 92-96.

[11] Un *Inventaire des documents antérieurs à 1760 conservés aux archives des religieuses hospitalières de Saint-Joseph* a été dressé en 1973 (Archives des RHSJ à Montréal). L'édition française de 1650 des *Œuvres* de Thérèse d'Avila, traduites par le père Cyprien, Carme Déchaussé, en fait partie.

[12] De son côté, mais *post-mortem*, Marie de l'Incarnation n'est plus guère en reste aujourd'hui, puisque sa volumineuse correspondance et, surtout, ses *Écrits spirituels* (les relations de 1633 et 1654) lui ont valu la reconnaissance de l'héroïcité de ses vertus en 1911, d'être béatifiée en 1980 et considérée très tôt comme « la sainte Thérèse du Nouveau Monde » et, plus prosaïquement et concrètement, d'être lue, étudiée et enseignée dans les universités, aussi bien par des théologiennes, des historiennes que des littéraires, croyantes ou pas.

[13] Dans *L'expérience de Dieu. Marie de l'Incarnation* (1999), p. 25.

[14] Les activités de Michel Sarrazin, de F.-X. Charlevoix, de R.-M. Barrin de la Galissonnière nous sont connues.

[15] Dans « New France : les femmes favorisées », *op. cit.*, p. 38.

[16] Martine Sonnet, « Une fille à éduquer », dans *L'Histoire des femmes en Occident*, t. 3, chap. 4, p. 111-139. Voir Claude Dulong, « De la conversation à la création », chap. 12, p. 403-425.

[17] « Les institutions mettent en œuvre des pédagogies de l'écriture variables selon l'usage supposé qu'en feront les filles. À côté des pensionnaires privilégiées des ursulines, qui apprennent individuellement, avec soin, la main tenue par une spécialiste de l'art, les élèves des classes de charité se débrouillent comme elles le peuvent, avec des cartons portant des exemples tracés d'avance. » Martine Sonnet (135). Au milieu du XVIIIe siècle, les ursulines de Québec allongent la durée des études et diversifient les matières : géographie, calligraphie, grammaire, et anglais après la Conquête.

[18] Les fils suivent les traces de leurs pères. Le fils d'Élisabeth, Claude-Michel-Jérôme Bégon, ainsi que son petit-fils, le frère de Marie-Catherine, Honoré-Henri Michel de Villebois, sont envoyés tout jeunes en France. Le premier sera lieutenant, en 1762, puis capitaine de vaisseau, jusqu'en 1777; le second, commissaire de la Marine à Rochefort en 1765, à Bayonne en 1766, à Bordeaux en 1768, à Brest en 1769, sera réformé en 1776. (Inventaire des Archives de la Marine, B, Archives nationales, Paris)

[19] Denise Lemieux note que, « quelques décennies après l'arrêt de publication des *Relations*», les écrits de Lafiteau soutiennent « cette hypothèse d'une

graduelle transformation dans les idées des Jésuites sur l'éducation indienne. L'analyse de Lafiteau résume bien les différences déjà notées entre modèles français et modèles autochtones : l'acceptation ou le refus de séparer des enfants, des manières différentes d'exprimer la tendresse et des moyens bien distincts d'obtenir respect et contrôle social. [...] Observant à son tour que les Indiennes laissent les enfants en bas âge faire tout ce qu'ils veulent et que personne n'oserait s'ingérer de les corriger, il conclut par un jugement appréciatif : "Malgré cela, les enfants sont assez dociles, ils ont assez de déférence pour ceux de leur cabane, et de respect pour les Anciens, à l'égard de qui on ne les voit guère s'émanciper ; ce qui marque que, dans la manière d'élever les enfants, la douceur est souvent plus efficace que les châtiments, et surtout les châtiments outrés." » Dans *Les petits innocents. L'enfance en Nouvelle-France, op. cit.*, p. 153.

[20] Les ursulines cesseront en 1725, faute d'élèves, de faire le vœu de les instruire – ce qui était leur priorité en 1639. Voir, de Claire Gourdeau, *Les délices de nos cœurs*.

[21] La décision de Mgr de Laval devait être maintenue jusqu'à ce que Mgr de Saint-Vallier, quarante ans plus tard, en 1700, accède à la demande de plusieurs religieuses de reprendre le chant grégorien et le plain-chant, dans Oury, *Les Ursulines de Québec* (1999), p. 148-149.

[22] Dans « La place de la femme dans les sociétés iroquoiennes », *op. cit.*, p. 288.

[23] Que l'on songe à Isabelle Couc-Montour au Canada (*DBC* III : 157-158 et Simone Vincens, *Madame Montour et son temps*), à Molly Brant (épouse de William Johnson, surintendant des Affaires indiennes) en Nouvelle-Angleterre (*Canada. Québec. Synthèse historique 1534-2000*, de J. Lacoursière, J. Provencher et D. Vaugeois), ou à la Mexicaine Malinche, interprète de Cortès (Anna Lanyon, *Malinche l'Indienne. L'autre conquête du Mexique*, Paris, Payot, 2001).

[24] *"Les langues étrangères"* dans « Marie de l'Incarnation et les Jésuites : une exception culturelle ? », *op. cit.*, p. 76-85.

[25] Marie de l'Incarnation, *Entretien spirituel sur l'Épouse des* Cantiques, *op. cit.* : sous *ESEC*. Thérèse d'Avila, *Pensées sur l'amour de Dieu, op. cit.* : sous *PAD*.

[26] À l'instar sans doute de sa céleste guide et adjuvante : « [...] la Vierge [...] ne se mit plus en peine de raisonner. Dans sa foi et sa sagesse si grandes, elle comprit aussitôt que [...] il n'y avait plus lieu d'interroger ni de douter. » (*PAD* : 944) Dans le sillage de ses illustres prédécesseures, lire Olivette Genest, « La critique

féministe de la raison théologique », dans *Les bâtisseuses de la Cité*, *op. cit.*, p. 349-358.

[27] *La Respuesta a Sor Filotea*, traduction française par Alberto G. Salceda (*O. C.* IV, 1957), dans Marie-Cécile Bénassy-Berling, *Humanisme et religion chez sor Juana Inés de la Cruz*, Annexe 6, p. 438-471.

[28] Hélène Pelletier-Baillargeon, « Québécoises d'hier et d'aujourd'hui », *Critère*, n° 27, printemps 1980, p. 73-89.

[29] Déclarée « docteur de l'Église » en 1970 par Paul VI.

[30] François Poulain de la Barre, *De l'égalité des deux sexes* (1673), Paris, Fayard, 1984, p. 79.

Chapitre 12

Les rapports mère-fils : Marie Guyart de l'Incarnation et dom Claude Martin

Il était une fois une toute jeune femme, très tôt attirée par la vie religieuse, mariée à 17 ans contre son inclination, mère à 18, veuve à 19. Marie Guyart Martin décide de ne pas se remarier et nourrit peu à peu deux projets : entrer enfin en religion et devenir missionnaire au Canada. Voici donc le récit d'une histoire un peu triste, mais, somme toute, d'une fort belle histoire d'amour entre une mère et son fils.

Impossible de citer ici tous les extraits dans lesquels Claude Martin, enfant puis adolescent, se désespère de perdre sa mère : ses cris qui hantent le monastère, « Rendez-moi ma mère », quand elle y est admise le 25 janvier 1631 – il a bientôt douze ans –, la fugue qu'il a faite précédemment, le renvoi du collège de Rennes qui lui permettra d'assister à la cérémonie de profession de sa mère, en janvier 1633, ou sa rencontre déchirante, *in extremis*, à Orléans ce 24 février 1639, où il fait avouer à sa mère – grâce à la lettre qu'il a reçue de sa tante Claude Buisson – qu'elle s'apprête à s'embarquer définitivement pour le Canada. Il finit par accepter ses arguments, sensibilisé aussi par le réseau – devenu peu à peu commun à la mère et au fils – des religieux impliqués dans cette grande entreprise de l'époque que sont les missions du Canada et impressionné par cette mère exceptionnelle, manifestement transportée par un projet de vie sans précédent. En 1639, Claude va avoir vingt ans : il brûle la lettre de sa tante[1], se résigne à sa condition d'orphelin pauvre, de « fils de la providence », dira-t-il plus tard, consacré à Dieu avant même d'être au monde. La relation de la mère et du fils va être en partie tissée de plaintes mutuelles et de justifications réitérées, mais on ne peut plus, de bonne foi, tirer aujourd'hui profit de l'analyse de la mauvaise mère coupable d'avoir abandonné son enfant[2]... L'essentiel semble désormais ailleurs.

Le 31 juillet 1639, Marie arrive à Québec ; elle y mourra 32 ans plus tard, le 30 avril 1672. En 1677, paraît *La Vie de la vénérable Mère Marie de l'Incarnation*[3] par son fils, Claude Martin, admis en 1640 dans la Congrégation bénédictine de Saint-Maur, et qui sera, à deux reprises, assistant du supérieur général, puis, de 1675 à 1681, grand prieur de Saint-Denis, et enfin prieur à Marmoutier où il meurt le 9 août 1696. Dom Claude Martin est, de l'avis de dom Oury, « le grand spirituel de la Congrégation de Saint-Maur, celui qui a laissé par écrit le plus bel héritage d'enseignement sur la prière et la contemplation, celui aussi qui l'a le mieux vécu. C'est l'une des figures les plus hautes de cette congrégation monastique française qui a laissé son empreinte de tant de manières sur le siècle de Louis XIV[4] ». Le fils eût pu ne pas devenir le biographe, l'éditeur et le commentateur de sa mère. Il a réalisé, nous dit dom Oury, « une œuvre qui n'a pas beaucoup d'analogues dans la littérature spirituelle, à mi-chemin entre l'édition classique de textes, la biographie traditionnelle de caractère hagiographique, et l'ouvrage de théologie mystique » (*DCM* : 180). « Il y a plus d'un Autheur ; il y en a deux, & l'un & l'autre étaient nécessaires pour achever l'ouvrage », note Claude Martin dans sa Préface de *La Vie* (II). Selon dom Jamet, plusieurs des additions ou commentaires des textes de Marie de l'Incarnation par Claude Martin « sont des tranches d'autobiographie autant que des gloses » ; le passage de la 3e personne, « elle écrit à son fils », au « je » de la première déconcerte d'ailleurs quand on en commence la lecture. C'est à travers, mais aussi grâce à Claude Martin que la vie de la mère nous est donc relatée en 1677. Pas d'écho vengeur ou de critique cinglante du fils dans ces 757 pages mais, somme toute, le récit de deux vies croisées, indissociables et remarquablement accomplies. « C'est un fils qui fait l'éloge de sa mère, corporelle &

spirituelle », écrit M. Loisel, chancelier de l'Université de Paris, qui approuve l'ouvrage (XXXIII)[5]; Bossuet estime que le « vénérable et savant religieux, fils de cette sainte veuve », l'est « plus encore selon l'esprit que selon la chair » et Claude Martin présente *La Vie* comme « un Livre de reconnaissance, envers Dieu, & de piété envers une personne à laquelle je dois après Dieu tout ce que je suis selon la nature & selon la grâce » (X).

Claude Martin s'est fait l'éxégète de l'œuvre et l'apologiste de sa mère, exposant et défendant des points et des sujets brûlants touchant les mystiques qui recoupaient ses idées personnelles et sa spiritualité, avec, selon dom Jacques Lonsagne, dans son introduction à la réédition de 1981 de *La Vie*, à la fois assez d'audace, d'intelligence, de finesse et de diplomatie pour arriver à concilier Bossuet, Fénelon, Mme Guyon, Pierre Nicole et M. de Bernières. Mais Claude Martin doit d'abord défendre le genre de l'autobiographie, d'une autobiographie féminine de surcroît : il est rare, dit-il, qu'une personne écrive elle-même sa vie et révèle les grâces que Dieu lui a accordées ; le soupçon d'orgueil est levé et le topos de l'humilité respecté grâce à celui de l'obéissance : « elle n'a rien écrit de son propre mouvement, mais par l'ordre de son Supérieur qui le lui a commandé » (V) et selon « l'Esprit de Dieu » (VI) :

> Mais la bonde étant levée par l'ordre de Dieu et de ses supérieurs, ce torrent sortait ainsi qu'elle vient de dire [...]. Elle avait une facilité naturelle à expliquer ses pensées [...] le zèle de la gloire de Dieu ou du salut des âmes se joignant aux talents que la nature lui avait donné, on n'eût pas dit, que c'était une femme qui parlait Ce qui donnait encore davantage de poids à ses paroles c'était l'autorité de l'Écriture Sainte, dont elle rapportait les passages à la foule, et si à propos, qu'ils semblaient n'avoir été faits que pour le sujet qu'elle traitait. (*V* : 240)

Claude Martin mentionne dans un même souffle les écrits autobiographiques de saintes : Perpétue, Gertrude ou Thérèse. Son entreprise de valorisation maternelle est manifestement appuyée et, si elle est aussi implicitement entreprise de valorisation féminine, la mère apparaît comme un être d'exception :

> On remarquera [...] dans sa simplicité une netteté d'expression qui n'est pas commune, & une facilité si merveilleuse à expliquer les

> choses les plus difficiles [...] qu'il semble qu'elle ait fréquenté toute sa vie les Écoles de la Théologie. [...] on la peut bien appeler une seconde sainte Thérèse, mais [...] il est difficile de trouver quelqu'un qui l'égale. (XIX)
> [...] nous voyons un assez grand nombre de femmes & de filles illustres, mais il s'en trouve si peu où l'on ne remarque quelque faiblesse du sexe que le Sage a eu raison de s'écrier avec quelque sorte d'étonnement : *Qui est-ce qui pourra trouver une femme forte ?* [...] l'on eût pu lui répondre que celle-ci est celle qu'il demandait. (XII)
> Ce fut en ce temps qu'elle était Sous-maîtresse des Novices qu'elle composa son Catéchisme[6] qui est une pièce des plus riches & des plus achevées que nous ayons en ce genre d'écrire. (240)

Le fils ne manque, quant à lui, ni d'audace ni d'ouverture d'esprit, comme en témoignent les propos suivants :

> Je sais qu'il y a des personnes qui sont dans le sentiment qu'on ne doit donner le nom d'épouse qu'aux Vierges ; mais Dieu a des pensées bien différentes de celles des hommes : il n'est pas tant l'Époux des corps comme il l'est des âmes, & comme les âmes n'ont point de sexe non plus que lui, & que lui & elles sont des esprits purs, il est certain qu'il n'est pas seulement l'Époux des Vierges, mais qu'il l'est encore des veuves, des femmes mariées, & des hommes mêmes quand ils s'en rendront dignes. (120)

Claude Martin raconte la vie de sa mère comme « Histoire », c'est-à-dire, à l'époque, comme aventure exceptionnelle, exemplaire, ce qui lui permet de déroger, après le décès de sa mère, à l'impératif de confidentialité[7] qui avait sous-tendu leurs échanges :

> [...] il sera difficile de trouver une vie plus diversifiée en avantures singulières, plus riche en vertus héroïques, plus féconde en saintes instructions, & plus élevée dans l'intelligence des choses mystiques. Mais ce que l'on y trouvera de plus admirable, c'est l'intérieur de cette excellente Mère, & je ne doute pas que ceux qui ont lu la vie de beaucoup de Saints n'avouent qu'ils n'ont encore rien vu de plus touchant ni de plus instructif. [...] les Saints n'ayant peut-être jamais eu d'occasion ni de raison de communiquer leurs grâces secrètes avec autant d'ouverture & de liberté qu'a fait celle dont nous parlons (XI).

Il va sans dire que les termes laudatifs et les superlatifs abondent et que les soupçons de parti pris ne peuvent être épargnés à l'hagiographe qui tente cependant de les prévenir et de devancer la critique, puisqu'il note que « ce n'est pas non plus une chose inouïe & sans exemple, qu'un fils écrive la vie de sa Mère : si Saint Augustin ne l'eût fait, nous n'eussions pas connu l'éminente vertu de Sainte Monique » (VIII), qu'« il est facile d'exagérer les mérites de ceux qu'on aime », qui nous « touche[nt] par les liens du sang ou de l'amitié », mais que les personnes qui ont été des témoins oculaires et qui vivent encore pourront cautionner ce qu'il affirme. Il en profite aussi pour faire appel aux personnes qui possèdent des lettres et des documents concernant Marie de l'Incarnation qui pourraient compléter son ouvrage et souligne qu'il a bien songé à donner le contrat de biographe à une autre personne mais qu'il a estimé que cela pourrait paraître aussi suspect puisqu'il se trouve à fournir la plupart des matériaux nécessaires. Il se présente comme un témoin privilégié, un historien avisé et un maïeuticien attentionné :

> [...] comme j'ai toujours eu dessein d'écrire quelque chose de ses vertus, dans les lettres que je lui écrivais, je lui faisais des questions afin de l'obliger de dire dans ses réponses ce que je croyais pouvoir servir à mon dessein, dérobant par cette innocente industrie les sentiments de son cœur & les lumières de son esprit. » (XV)

Dès 1643, Claude sollicitait expressément sa mère pour qu'elle lui confie tous ses papiers. Il a favorisé et conservé 32 ans d'une correspondance assidue ainsi que la précieuse relation de 1654[8] ; il a retrouvé celle de 1633 et recueilli quantité de lettres, d'écrits[9], de témoignages : « [...] parce qu'il y manque beaucoup d'actions & de rencontres considérables qu'elle a omises, ou par défaut de souvenir, ou par une modeste pudeur, j'y ajouterai ce que j'ai vu moi-même, & ce que j'ai appris des personnes avec lesquelles elle a vécu. » (XIV)

Claude reconnaît que la plus difficile partie du sacrifice de sa mère consistait bien à abandonner son fils[10]. Il recourt à la comparaison avec Abraham qui immola son fils Isaac mais, dans le rôle du fils, Claude précise qu'il « ne se laissa pas lier comme fit Isaac » et qu'il fugua pendant trois jours. Les liens avec le Christ que la Vierge retrouva effectivement après trois jours sont par ailleurs tissés. Claude esquisse un reproche, une forme d'accusation voilée mais, rétrospectivement, dit percevoir les choses autrement et justifie – en se mettant, de façon troublante, à sa place – la décision de sa mère :

> Je ne doute point qu'un abandonnement si nouveau, & si contraire en apparence aux plus étroites obligations de la loi naturelle ne soit condamné de ceux qui ne se gouvernent que par les lumières de la raison, & qu'il ne soit même improuvé de quelques uns de ceux qui ont connaissance des règles de l'Église, puis qu'il se trouve des Conciles qui défendent aux Mères sur peine d'excommunication d'abandonner leurs enfants. Mais il faut avouer que les lumières surnaturelles surtout quand elles éclairent les Saints qui n'agissent que par les mouvements de la grâce, font voir les choses tout d'une autre manière que ne font celles de la seule raison. [...] Elle ne le quittait pas par inconsidération, ni par dureté, ni à dessein de se décharger de lui, qui sont les motifs de l'excommunication du Concile : car elle voyait parfaitement les obligations naturelles qu'elle avait de l'élever, & c'était le moyen dont les hommes, les démons, & même sa propre raison se servaient pour la retenir. (171)

Claude souligne – comme Marie de l'Incarnation elle-même, qui pensait ainsi faciliter leur séparation – qu'il a été fort peu caressé et embrassé enfant, mais la fin de sa réflexion ne laisse pas de nous surprendre : « [...] comme elle ne lui faisait point de caresses, aussi ne lui fit-elle jamais de mauvais traitement ; D'où vient que l'amour naturel étant plus fort & plus enraciné, la séparation en fut plus dure, & plus difficile à faire. » (178) Le fils semble convaincu de l'amour véritable que sa mère lui portait :

> D'ailleurs elle avait pour lui un amour très-sensible, & la seule bonté de son naturel au regard de tout le monde, faisait assez connaître quels pouvaient être les sentiments maternels à l'égard de son propre fils ; de telle sorte que dans tout le temps qu'elle projetait de le quitter, quand elle jetait les yeux sur lui c'était avec une compassion qui lui déchirait les entrailles, mais la force de la grâce l'emportait. (171)

Amour et déchirement que la mère exprimera maintes fois tout au long de sa vie envers celui qui représente ce qu'elle a « de plus cher au monde » : « Je n'eusse jamais cru que la douleur de la perte d'un enfant pût être si sensible à une Mère », écrit-elle après la fugue de Claude, relatant aussi la dureté de comportement et la stoïcité à laquelle la contraignaient ses supérieurs. À la veille de son départ pour Québec, son amour déchiré s'exprime à travers de poignantes métaphores corporelles :

> Et lorsque je m'embarqué pour le Canada, et que je voyois l'abandon actuel que je faisois de ma vie pour son amour, j'avois deux veues dans mon esprit, l'une sur vous, l'autre sur moy. A votre sujet, il me sembloit que mes os se déboitoient et qu'ils quittoient leur lieu, pour la peine que le sentiment naturel avoit de cet abandonnement. (*C* 1664 : 725)
>
> Sçachez donc encore une fois qu'en me séparant actuellement de vous, je me suis fait mourir toute vive [...] en vous quittant, il me sembloit qu'on me separât l'âme du corps avec des douleurs extrêmes. (*C* 1669 : 836-837)

Ce déchirement – et sa lutte contre les spectres de la culpabilité et du remords – se retrouve dans les réponses, du Canada, aux plaintes et demandes filiales :

> Par mes autres lettres je vous donne toute la satisfaction que vous désirez de moy, afin que vous ne me fassiez plus des plaintes d'affection que la tendresse que j'ay pour vous ne peut souffrir. (*C* 1647 : 314)
>
> Quoy, vous me faites des reproches d'affection que je ne puis souffrir sans une répartie qui y corresponde : Car je suis encore en vie, puisque Dieu le veut. En effet vous avez sujet en quelque façon de vous plaindre de moy de ce que je vous ay quitté. Et moy je me plaindrois volontiers [...]. Il est vray qu'encore que vous fussiez la seule chose, qui me restoit au monde où mon cœur fût attaché, [Dieu] vouloit néanmoins nous séparer lorsque vous étiez encore à la mamelle, et pour vous retenir j'ay combatu près de douze ans [...]. Enfin il a fallu céder à la force de l'amour divin et souffrir ce coup de division plus sensible que je ne vous le puis dire ; mais cela n'a pas empêché que je ne me sois estimée une infinité de fois la plus cruelle de toutes les mères. Je vous en demande pardon, mon tres-cher Fils, car je suis cause que vous avez souffert beaucoup d'affliction. (*Ibid.*)

Quant à l'image qu'il garde de son père et à l'entente qui existait entre ses parents, Claude précise que sa mère « aimait [son mari] uniquement, parce qu'il avait toutes les belles qualités de corps et d'esprit que l'on eût pu désirer dans un homme ; mais beaucoup plus parce que la loi de Dieu l'y obligeait » (15). Sur l'énigme relative à ce qui a, bien qu'ils l'innocentent, peut-être entraîné la ruine et la mort du père, ni la mère ni le fils ne nous la dévoilent : « Et pour les choses que vous savez. » (12, 16)

Si Claude perçoit sa mère comme un modèle et la présente fièrement comme sa guide et maître dans la vie spirituelle, il conçoit aussi *La Vie* comme le résultat d'un tandem, d'une équipe mère-fils : « [...] elle n'a pas été seule à la composer, j'ai dit que son fils y a encore travaillé comme un Echo. L'on peut bien certes lui donner ici cette qualité, puisque l'Echo est le fils de la voix, & comme un supplément qui l'étend au delà de sa propre activité, lors même qu'elle n'est plus. J'y ai donc travaillé avec elle. » (VIII) Outre la beauté de l'image, l'écho « fils de la voix », souvenons-nous que la vocation, liée à la voix, est l'action d'appeler. Claude souligne la dimension pédagogique de l'œuvre de sa mère, ouvrage d'instruction et de direction destiné à son enfant : « La fin pour laquelle elle a écrit ses dispositions intérieures, & les grandes grâces qu'il a plu à la divine bonté de lui communiquer, c'a a été ma propre instruction & et pour m'exciter à suivre ses vestiges dans les voies de Dieu, comme une Aigle Mère qui étend les ailes pour voler & pour exciter les aiglons à voler comme elle. » (XX) Claude achève sa préface en citant *in extenso* deux lettres de sa mère, lettres de la fin de l'été 1654[11] qui éclairent la demande majeure de la seconde relation autobiographique que le fils a adressée à sa mère. Ces lettres résument parfaitement bien les justifications qui, dès 1639, sous-tendent la correspondance mère-fils, et les termes du contrat qui les lie dorénavant :

> Ce retardement que vous avez pris pour un refus tacite, ne vous a point rebuté : vous m'avez conjuré de nouveau par les motifs les plus pressans & par les raisons les plus touchantes que vostre esprit vous a pu fournir, me faisant de petits reproches d'affection, & me représentant que je vous avois abandonné si jeune, qu'à peine connoissiez-vous vostre mère : que non contente de ce premier abandonnement, j'étais sortie de France, & vous avais quitté pour jamais : Que lorsque vous étiez enfant vous n'êtiez pas capable des instructions que je vous donnois, & qu'aujourd'hui que vous êtes dans un âge plus éclairé, je ne devois pas vous refuser les lumières que Dieu m'avoit

> communiquées : qu'ayant embrassé une condition semblable à la mienne, nous étions tous deux à Dieu, & ainsi que nos biens spirituels nous devoient être communs : que dans l'état où vous êtes je ne vous pouvois refuser sans quelque sorte d'injustice & de dureté, ce qui vous pouvoit consoler, & vous servir dans la pratique de la perfection que vous aviez professée : et enfin que si je vous donnais cette consolation, vous m'aideriez à bénir celui qui m'a fait une si grande part de ses grâces et de ses faveurs célestes. (XXIV-XXV)

Cette lettre-clé, véritable mise au point, est particulièrement redondante. Elle nous renseigne aussi sur les motivations contradictoires de la mère, prise entre vouloir et devoir, lettres en partie spontanées et relation formelle (celle de 1654) :

> [...] Je vous confesse que ce second coup m'a touchée, & que depuis que mon cœur l'a reçu, je me suis sentie comme forcée de m'entretenir avec vous dans mes lettres de plusieurs points de spiritualité. Mais ce n'était pas ce que vous souhaitiez ; vous avez cru & avec raison, que j'usais de réserve en votre endroit, comme en effet j'en ai usé pour les raisons que je vous ai alléguées : mais enfin pressée par vos raisons, & vaincue par vos prières, j'ai communiqué votre désir à celui qui dirige mon âme, lui représentant que je ne pouvais plus de moi-même user de refus, en votre endroit & que s'il étoit nécessaire de le faire davantage, il me fallait un ordre de sa part. Non seulement il a trouvé bon que je vous donnasse cette consolation, mais il m'a commandé même de le faire, c'est pourquoi je le fais après avoir invoqué le secours du saint Esprit, et reçu la bénédiction de l'obéissance. [...] Vous m'avez quelquefois témoigné qu'il n'y a rien d'où vous tiriez tant de profit pour votre avancement dans la vie spirituelle que de ce peu de lumière que Dieu me donne et qu'il me fait coucher sur le papier, lorsque je suis obligée de vous écrire chaque année : cette pensée ne me fût jamais tombée dans l'esprit, mais si cela est, qu'il soit éternellement béni d'un succés si heureux [...] vous, que j'ai abandonné pour son amour dans un temps, où selon toutes les raisons humaines vous aviez le plus besoin de moi, & sur tout de ce que j'en avais eu le dessein & pris la résolution avant même que vous fussiez au monde. S'il y a d'autres motifs qui aient pu attirer ses miséricordes sur moi, elles me sont inconnues. (XXV-XXVI)

Cette lettre du 9 août 1654 (lettre 155) est à mettre en relation avec celle du 1er septembre 1643 (lettre 68) qui, déjà, mentionnait explicitement les termes du contrat passé entre la mère et le fils[12]. En 1643, la mère[13] s'estime enfin exaucée et soulagée puisque son fils vient de faire profession chez les Bénédictins de Saint-Maur : « [...] mon cœur, lui écrit-elle, a reçu la plus grande consolation que d'aucune nouvelle que j'aye apprise en ma vie. » (*C* : 183) Comme guide de son fils, elle se sent dégagée d'une partie de ses responsabilités, à présent relayée par la communauté bénédictine (à laquelle elle dit désormais s'intéresser au point d'avoir l'impression d'y être « incorporée ») et par Dieu. A posteriori, mère et fils sont amenés à mesurer le bien-fondé et les effets de la confiance mise en Dieu, en Joseph et en Marie.

> [...] si ses miséricordes ont été si magnifiques en notre endroit en tant de manières, c'est un effet de sa pure libéralité. Car si je vous ai abandonné dès votre enfance par le mouvement de sa grâce, sans vous laisser d'autre appui que sa providence toute pure, il vous a pris dans sa protection paternelle, & vous a richement pourvu, vous faisant l'honneur de vous appeler à son service [...], ainsi qu'il m'avait fait l'honneur & la grâce de me le promettre. Vous avez donc beaucoup gagné en me perdant, & mon abandonnement vous a été utile : & moy pareillement ayant quitté en vous ce que j'avais de cher et d'unique dans le monde ; & en un mot, vous ayant volontairement perdu, je me suis trouvée avec vous dans le sein de ce Dieu tout aimable, par la vocation sainte que vous & moi avons suivie, & par laquelle selon la promesse de notre Seigneur nous sommes récompensés au centuple dès cette vie, sans parler des récompenses éternelles que nous espérons dans le Ciel. (XXVII-XXVIII)

Marie de l'Incarnation, recourant au principe d'identification, a le sentiment que mère et fils sont maintenant sur la même longueur d'onde, à égalité, et que leurs parcours présentent des similarités frappantes : « Dieu avoit une grâce à vous faire pour vous appeller au temps et en la manière qu'il m'avoit appellée. » (lettre 68 : 184) Le caractère d'exception de la mère et du fils, « âmes choisies », est d'abord souligné, valorisant Claude, pour mieux insister ensuite, en pédagogue, sur le dépassement du fils qui pourrait « devenir grand saint » s'il le veut et voir plus clair que sa mère dans bien des matières. Le principe du don, de l'échange des « papiers » ici, va pouvoir se pratiquer en alternance : « Vous m'obligeriez de m'envoyer un de vos sermons par écrit. N'ay je pas droit d'exiger cela de vous, puisque vous pouvez juger que j'auray une sensible consolation de voir au moins ce que je ne puis entendre ? » (lettre 68, 187) L'inversion des rôles est telle que la mère exprimera même le regret de ne pouvoir avoir son fils comme directeur spirituel... Le nouveau contrat mère-fils est légitimé par un devoir-écrire réitéré, un pacte épistolaire, l'obligation (prières et instances du fils mandateur), suivie de la soumission maternelle ; il permet de révéler les ressorts du destin qui lie si étroitement mère et fils, de consoler, d'instruire, de se confier et de se soutenir mutuellement. Les pactes de sincérité et de transparence[14] s'y greffent, accompagnés d'une connivence, d'une complicité nouvelles. Ainsi, la lettre 68 présente la mère et le fils comme deux hyperactifs... qui aspirent au repos et tentent de se persuader l'un l'autre des mérites respectifs de la vie contemplative et de la vie active, et de leur nécessaire alternance. Avec franchise, Claude n'hésitera pas, de son côté, à confier à sa mère des choses très intimes, comme ces « tentations » charnelles qui l'assaillent encore...

Partie intégrante du contrat, le pacte testimonial fait du fils l'héritier spirituel. La lettre du 9 août 1654, point d'orgue à la préface de *La Vie*, s'achève par une requête, un appel :

> Lorsque vous lirez ce que sa divine Majesté a fait à mon âme, tremblez pour moi, parce qu'il a mis ses trésors dans un vaisseau de terre le plus fragile qui soit au monde que ce vaisseau peut tomber, & en tombant se briser, & perdre toutes les richesses qu'il contient [...]. C'est pourquoi je vous prie, mon très-cher fils, d'avoir un grand soin de mon salut. (XXX)

Si Marie demande à son fils de prier pour le salut de son âme, le soin de ses papiers, de son œuvre, fait aussi partie de sa requête, d'autant plus incontournable que la mère assure qu'ils vont permettre au fils de mieux comprendre leur destin commun et de cheminer sur le plan spirituel. En fait, chacun se doit de constituer le passeport pour le salut de l'autre. La mère dit avoir conclu un accord avec Dieu et pris sur elle la peine due aux péchés de Claude. Les « croix » s'achèvent avec la profession de Claude mais la dette contractée par le fils est importante : à l'égard de Dieu (« que toute votre vie se consume à luy en rendre de continuelles actions de grâce ») et de sa mère, dont il doit obtenir la grâce, en récompense de ce qu'elle a enduré pour lui. Ce qui apparaît comme un chantage, quelque peu odieux, au fils responsable de certaines des croix et épreuves maternelles, ce fils endetté à l'égard de sa mère, peut se lire aussi comme un renversement des rôles : en mettant la mère à la fois dans le rôle de résistante-délinquante par rapport à un objectif difficile à atteindre (« obtenez-moy la grâce de faire mourir toute vive cette nature »), et dans une situation d'extrême vulnérabilité (« vaisseau de terre le plus fragile qui soit au monde ») ; et le fils, en position d'adjuvant, de sauveteur. Sous l'éclairage thématique, le rapport au corps place au centre de ce chantage celui qui, précisément, « incarne » le plus la mère, son fils, conçu comme le plus beau et le plus grand de ses péchés charnels, le seul capable, en fait, de la sauver, de la « gracier ».

Le fil de la voix, aussi cher à la mère que l'est celui de l'écriture, semble assurer un accord légitime et valorisé entre le corps et l'esprit, les sens et le cœur, la mère et le fils. Cela explique sans doute le choix de la belle image des Matines (la mère imagine qu'elle et son fils se retrouvent ensemble – grâce au décalage horaire France-Canada – à chanter les louanges de Dieu). La séparation, l'espace-temps sont abolis grâce à la communion, la coprésence spirituelle, mère et fils comme deux enfants dans le sein de Dieu. Lorsque Claude demande à sa mère s'ils se reverront, Marie lui répond qu'elle ne le voudrait pas moins que lui mais qu'elle s'en remet à la volonté de Dieu et qu'ils peuvent se voir en lui[15]. Cela n'empêche pas le contact épistolaire, son urgence comme son abondance.

La peau de papier continue en cette vie à unir mère et fils et l'on a bien des raisons de penser que la correspondance favorise justement une meilleure entente, de meilleurs rapports mère-fils, l'écrit médiateur permettant enfin de « correspondre à », c'est-à-dire de s'accorder, de s'harmoniser. Marie de l'Incarnation peut apparaître comme une Mme de Sévigné inversée : alors que Marie de Sévigné – sa presque contemporaine (1626-1696) – se servait de la correspondance comme une corde de rappel, Marie de l'Incarnation déroule le cordon ombilico-épistolaire le plus loin possible (comme Mme de Grignan[16]), pour mieux vivre ses choix de vie.

Mais l'échange épistolaire, ce dialogue au ralenti, par écrit, entre deux interlocuteurs, deux correspondants séparés par le temps et l'espace, ne cesse, en tissant l'absence et la présence, l'écart comme le rapprochement, de mettre en œuvre le principe de la demande et de l'attente, de l'échange, du don alterné. La fonction phatique qui sous-tend la correspondance (insister, maintenir le contact, la relation épistolaire, capter l'attention, promettre et donc différer) indique que la relation affective, comme la relation épistolaire, n'en finiront pas de finir, si ce n'est avec la disparition de l'un ou de l'autre des correspondants, encore que, lecteurs et lectrices sensibles que nous sommes, nous contribuions à leur pérennité.

NOTES

[1] Henri Bremond dira explicitement que, « après l'avoir exploitée, si j'ose dire, pendant si longtemps, ses proches n'étaient pas d'humeur à respecter son repos. Aussi [avaient-ils armé] contre elle le plus redoutable des bourreaux, le petit Claude », dans *Histoire littéraire du sentiment religieux [...], op. cit.*, t. VI, chap. I, « La mère et le fils », p. 59.

[2] Daniel Gagnon, dans *Rendez-moi ma mère !* (Montréal, Leméac, 1994), met les propos suivants dans la bouche du fils : « Mère, qu'avez-vous fait de mon père ? Ne l'avez-vous pas contraint de partir avant l'heure ? Est-il juste qu'il soit mort précipitamment sans qu'il ait eu le temps d'embrasser son fils ? Oh ! comme vous avez été pressée de jouir de votre union avec le Divin Amant ! Or, révérende mère de l'Incarnation, que gagnez-vous à entasser les biens spirituels jour après jour ? Le mal n'est-il pas que vous ayez perdu votre mari et votre fils ? N'avez-vous pas tout ravi sans pudeur, et le fils et le père ? » (p. 93) Jean-Noël Vuarnet, dans *L'aigle-mère* (Paris, Gallimard [Haute enfance], 1995), conçoit les choses avec plus de finesse. On tirera profit de l'analyse du perspicace Henri Bremond, « La mère et le fils », dans son *Histoire littéraire du sentiment religieux [...], op. cit.*, p. 49-71; de l'article de Marie-Florine Bruneau, « Le sacrifice maternel comme alibi à la production de l'écriture chez Marie de l'Incarnation (1599-1672), dans *Études littéraires*, vol. 27, n° 2 (automne 1994), p. 67-76; de l'introduction de *L'expérience de Dieu avec Marie de l'Incarnation* (Montréal, Fides, 1999) de Guy-Marie Oury : « Une mère héroïque ou dénaturée ? » ; comme de l'article de Marie-Dominique Fouqueray, « Un nouveau regard sur

la relation mère-fils chez Marie Guyart », dans *Marie Guyard de l'Incarnation. Un destin transocéanique, op. cit.*, p. 179-193.

[3] L'édition à laquelle je renvoie, en en modernisant la graphie, est la réimpression anastatique de Solesmes (1981), abrégée sous *La Vie* ou *V*.

[4] Dom Guy-Marie Oury (1983), p. 326. Biographie abrégée sous *DCM*.

[5] « Pierre Loisel, curé de Saint-Jean-en-Grève, docteur en Sorbonne, ami de Saint Vincent de Paul [est] l'un des curés qui avaient donné du fil à retordre au gouvernement de Mazarin durant la Fronde », dans G.-M. Oury*, Les Ursulines de Québec*, p. 92.

[6] « *L'École sainte ou explication familière des mystères de la foy* était, selon le père de Charlevoix, l'un des meilleurs catéchismes qui existaient en français. » Marie-Emmanuel Chabot, *DBC* I : 367.

[7] « Afin donc que cet *Index* demeure secret je l'enferme en cette lettre, laquelle par la qualité des matières que j'y traite, vous voyez qu'elle doit être particulière à vous et à moy. » (*C* 1653 : 517) « [...] je ne désire pas que qui que ce soit en ait la communication & la connoissance que vous. Je me confie que vous me garderez la fidélité que je vous demande [...] parce que l'on fait des visites dans les Maisons Religieuses, je vous prie d'écrire sur la couverture, *Papiers de conscience*, afin que personne n'y touche, et n'y jette les yeux sans scrupule [...]. Si vous veniez à tomber malade, et que vous fussiez en danger de mort, faites-les jetter au feu, ou plutost afin que je sois plus assurée, envoïez-les à ma nièce qui aura soin de me les faire tenir si je vous survis. » (*C* 1654 : 548 ; lettre en annexe à la préface de *La Vie*)

[8] « Dans le dessein donc que j'ay commencé pour vous, je parle de toutes mes avantures, c'est à dire, non seulement de ce qui s'est passé dans l'intérieur, mais encore de l'histoire extérieure, sçavoir des états où j'ay passé dans le siècle et dans la Religion, des Providences et conduites de Dieu sur moy, de mes actions, de mes emplois, comme je vous ay élevé, et généralement je fais un sommaire par lequel vous me pourrez entièrement connoître, car je parle des choses simplement et comme elles sont. » (*C* 1653 : 516)

[9] Claude Martin dit avoir très tôt commencé à jouer les archivistes – ou à thésauriser affectivement des effets maternels (ce qui ne l'empêcha pas, sous le coup de la souffrance et de la colère, de brûler des choses) : « [...] les excès dont elle parle ici ne sont point ces affections amoureuses que je vais rapporter & que j'ai heureusement sauvées du feu avec quelques autres pièces que je produirai en d'autres occasions. » (130)

[10] Dans leur *Histoire des mères du Moyen Âge à nos jours* (Paris, Montalba [Pluriel], 1980), Yvonne Knibiehler et Catherine Fouquet précisent que, à cette époque, « [n]ormalement, à l'âge de sept ans, les garçons entraient dans la société des hommes » (p. 103) et « que les jeunes filles, admises à Saint-Cyr entre sept et douze ans, y restaient parfois jusqu'à leur vingtième année et qu'elles ne voyaient leurs parents que quatre fois par an dans un parloir » (p. 111).

[11] *C* 9 août 1654 : 525-530 ; *C* 27 septembre 1654 : 548.

[12] Voir les analyses de cette lettre dans *Marie de l'Incarnation. Entre mère et fils: le dialogue des vocations*, Raymond Brodeur [dir.], Québec, Presses de l'Université Laval (Coll. Religions, Cultures et Sociétés), 2000.

[13] Elle fait, une fois de plus, le récit-résumé de son destin, de sa vocation missionnaire : « dès mon enfance Dieu me disposoit », « j'avois plus l'esprit dans les terres étrangères [...] qu'au lieu où j'habitois », etc.

[14] « Si j'avois votre oreille, il n'y a pas de secret en mon cœur que je ne vous voulusse confier » (*C* 1653 : 517), dit à présent la mère à son fils, encline à la confidence : « Oui, mon cœur ne peut rien vous céler » ; « il ne m'est pas possible de vous rien refuser » ; « Je m'étens beaucoup, mais il faut que je le fasse puisque vous le voulez » (lettre 68).

[15] « Mais consolons-nous en ce que la vie est courte, et que nous aurons [...] une éternité entière pour nous voir et pour nous conjouir en lui. » (*C* 1647 : 316)

[16] Fille de la marquise Marie de Sévigné, Françoise Marguerite, comtesse de Grignan, avait suivi son mari – nommé lieutenant général – en Provence.

Chapitre 13

De Rouen à La Nouvelle-Orléans : la relation de Marie-Madeleine Hachard

La Louisiane faisait partie de la Nouvelle-France. Le 13 septembre 1726, les directeurs de la Compagnie des Indes et des religieuses ursulines de Rouen[1] dressent un contrat d'établissement « à la Louisiane, pour y avoir soin de l'hôpital et conformément à leur institut, y montrer et y tenir les petites écoles ». C'est, expliquera Mgr de Saint-Vallier, évêque de la Nouvelle-France en poste à Québec, faute de pouvoir trouver des Frères de la Charité ou des Sœurs grises pour l'hôpital de La Nouvelle-Orléans que le père jésuite de Beaubois proposa les Ursulines de Rouen[2]. L'archevêque de Rouen n'attendait plus que l'Approbation définitive du Roi pour donner son consentement et son obédience (autorisation de changer de lieu). Avant de pouvoir s'embarquer pour La Nouvelle-Orléans, les religieuses devaient quitter leurs monastères respectifs et se regrouper. Une double correspondance, celle de leur supérieure, Marie Tranchepain, mère de Saint-Augustin, et celle de Marie-Madeleine Hachard, mère de Saint-Stanislas, nous permet de mieux connaître les débuts de cet établissement franco-louisianais. La correspondance administrative de Marie Tranchepain est en grande partie inédite[3], mais celle de Marie-Madeleine Hachard, adressée à son père et publiée dès 1728, a fait l'objet de quelques rééditions[4].

La première édition de ces lettres[5] a manifestement été faite dans le but de contribuer à la gloire de Rouen, des Rouennais et des Ursulines rouennaises, comme nous incitent à le croire le titre de l'édition d'abord, des comparaisons en faveur de Rouen ensuite, et l'héroïsation enfin, à deux reprises, de l'explorateur Cavelier de la Salle, natif de Rouen, et de ses compagnons rouennais. Dans le titre,

> RELATION DU VOYAGE DES DAMES RELIGIEUSES URSULINES DE ROÜEN, A LA NOUVELLE ORLEANS,
> Parties de France le 22. Février 1727. & arrivez à la Louisienne le 23. Juiliet de la meme année.
> Le nom des distes Dames Religieuses sont marquez dans ladite Relation,

le nom de l'unique épistolière à qui l'on doit en fait cette « relation » est gommé au profit d'une communauté, celle « des Dames religieuses ursulines de Rouen », même si les religieuses de ce voyage, douze en tout, et leurs deux servantes ne venaient pas toutes de Rouen, mais aussi d'Elbeuf, du Havre, de Ploërmel, d'Hennebont, de Vannes et de Tours.

Au crédit de Rouen figure aussi le long récit de la dernière expédition et de l'assassinat (en mars 1687) de Robert Cavelier de la Salle. Ce récit idéalise le fondateur de la Louisiane – présenté comme Vice-Roy du Mississippi, brave et compétent Capitaine – et mentionne longuement les noms des habitants de Rouen qui l'accompagnent ou qu'il retrouve en poste. Notre chauvine épistolière, férue d'histoire cependant et soucieuse de s'informer en questionnant son entourage pour faire le point, déplore que « la noble & glorieuse entreprise de Monsieur de la Salle [ait] échoüé » : « [...] sans cette perfidie, ajoute-t-elle, il auroit découvert dès ce temps-là tout le pays du Missisipy, auquel il avoit donné le nom de la Louisienne, & il y auroit eu une infinité de Familles qui seroient venus de France et du Canada s'y établir & y planter la Foy. » (*MMH* : 124) La dernière lettre publiée se termine d'ailleurs sur un point d'orgue à la louange des « conquistadors » normands[6] :

> Votre ville de Roüen ne se glorifie-t'elle point, mon cher Pere, de l'honneur qu'elle a que ç'a été Monsieur de la Salle & sa Compagnie,

> presque tous gens natifs de cette Ville, qui ont fait la premiere découverte du Missisipy, Monsieur de Chefdeville, Prêtre missionnaire, qui y a planté des premiers la Foy, & enfin aujourd'hui des Religieux & des Religieuses Ursulines de la même Ville, qui travaillent de tout leur possible à l'instruction & salut des ames de ses pauvres Sauvages ; voilà dequoy exalter vos Citoyens, & les engager d'aller encore à la découverte des autres Terres inconnües, & d'y porter le Christianisme, je ne sçay si c'est à cette occasion ou autrement que les Sauvages de la Louisienne font tant d'estime des Normands, ils considérent cette Province plus qu'aucune des autres, & les reconnoissent capables de réüssir dans toutes leurs entreprises ; si on leur parloit des Conquêtes des Ducs de Normandie, les bravoures des Normands à la Terre Sainte lors des Croisades, leurs Conquêtes du Royaume d'Angleterre & autres, ils en seroient encore bien autrement convaincus. (*MMH* : 124-125)

La lecture de cette relation de voyage nous apprend qu'il s'agit en fait d'une correspondance – qui tient à la fois du journal de voyage et du journal de bord[7] – composée de cinq longues lettres[8] adressées à son père par une toute jeune fille, Marie-Madeleine Hachard, religieuse ursuline novice et missionnaire à La Nouvelle-Orléans[9]. Ces lettres, qui relatent bien le voyage annoncé dans le titre, mais aussi l'arrivée et l'installation à La Nouvelle-Orléans, sont de la seule main de Marie-Madeleine Hachard[10]. C'est donc, selon toute vraisemblance, son père qui a eu l'initiative et le mérite de les publier, très vite[11], en l'honneur de Rouen, des ursulines de Rouen et, bien sûr, de la famille Hachard, puisque les lettres sont signées.

M. Hachard apparaît, d'après les lettres, comme un notable de Rouen[12], cultivé, à l'aise et père de six ou sept enfants : quatre filles, religieuses ou en voie de l'être[13] (Louison, Élisabeth et Dorothée sont nommées), et deux fils, l'un religieux, qui s'opposait au départ de sa plus jeune sœur[14], et l'autre « dans les sciences », que Marie-Madeleine imagine volontiers missionnaire jésuite[15]. Henry Churchill Semple note que le père était procureur à la Cour des comptes de Rouen et qu'il avait sept enfants[16]. La correspondance apparaît chez les Hachard comme une pratique relationnelle établie entre tous. Notre épistolière se moque d'ailleurs en ces termes de son frère qui ne lui a point écrit : « [...] s'y c'est une plume qui lui manque qu'il me le dise confidament, & je lui en envoyerai une, où si c'est qu'il ait oublié à écrire c'est une autre affaire je le prie de raprendre, & de me donner par la premiere occasion, de ses nouvelles, j'attens aussi la même grace de ma sœur Dorothée que j'embrasse de tout mon cœur. » (*MMH* : 34-35)

Ce qui nous intéresse dans cette relation de 1727-1728, c'est d'abord un récit de voyage au féminin à l'époque de la Nouvelle-France, ce qui est déjà inusité, mais aussi, à travers une correspondance, le portrait d'une toute jeune femme[17], d'un certain milieu et d'une certaine culture, le récit de ses expériences et l'énonciation de sa subjectivité.

Le rapport père-fille – la « chere Mere » n'est mentionnée que trois fois – et le rôle de mandateur du père nous retiennent d'abord. Le père ayant accepté que sa fille devienne religieuse, missionnaire de surcroît, cette dernière, reconnaissante, se doit de lui donner de ses nouvelles pour le rassurer, d'une part, et de raconter son voyage en détail pour l'informer et le renseigner, d'autre part. M. Hachard va voyager, découvrir et se documenter par procuration, par personne interposée, et ses exigences, plusieurs fois mentionnées, sont claires :

> J'ai reçû toutes les Lettres que vous m'avez fait l'honneur de m'écrire, vous me demandez un détail exact de tout ce qui s'est passé dans nôtre route, c'est un effet de vôtre bonté de vous interresser à ce qui nous regarde. Il est juste de contenter vos desirs pour vous satisfaire : Voici un espéce de Journal de nôtre marche depuis Roüen jusqu'à L'Orient, Ville Maritime de Basse Bretagne (*MMH* : 3-4) ;
> [...] ici va commencer notre Journal, si je ne vous dis rien capable de piquer la curiosité, j'aurai du moins le mérite de l'obéissance, vous voulez du détail, je tacherai de ne rien omettre (*ibid.* : 6) ;
> [...] voici une confession généralle de tout ce qui s'est passé depuis mon départ de France, voyez combien je suis fidéle à vous rendre mes comptes (*ibid.* : 49) ;
> [...] vous me recommandez dans toutes [vos lettres] de ne laisser échaper aucune occasion sans vous écrire c'est mon devoir, je vous obéis, j'aurai soin d'y satisfaire exactement (*ibid.* : 97-98).

Dans ce pacte relationnel, les attentes du père nous renseignent implicitement sur les moyens et les compétences de la fille – promue journaliste et reporter à la fois –, jugée assez curieuse et assez qualifiée pour les combler.

Les attentes semblent d'ailleurs réciproques... On a l'impression que la fille et le père se doivent mutuellement quelque chose et que parfois leur rapport se base sur un jeu comptable, « donnant donnant ». Celle qui écrit à son père et signe « vôtre trés-humble & trés-obéissante Fille & servante » note, par exemple, sur un ton faussement anodin : « J'oublie à vous dire, mon cher Pere, que dans le péril où nous avons été [...] je promis aux âmes du Purgatoire six Messes, à condition que vous voudriez bien avoir la bonté de les faire dire, étant persuadé de votre bon cœur, & que vous ne me les refuserez pas. » (*MMH* : 46)[18] Notre épistolière précise bien par ailleurs, malgré sa dette de reconnaissance, la valeur et le prix de ses lettres : « [...] je vous assure que nous sommes toutes occupées depuis le matin jusques au soir, nous n'avons pas un moment à nous, celui de vous écrire, je le prens sur mon repos de la nuit. » (117)

Il n'empêche que les rapports père-fille semblent fort bons et que tous deux ont parfois l'air d'être de connivence : « ceci doit être secret », lui écrit-elle à un moment. M. Hachard apparaît comme un père attentionné et un correspondant assidu[19], un peu à l'image de madame de Sévigné qui suivait sur la carte, lieue à lieue, les déplacements de sa fille bien-aimée.

Ces déplacements, sur terre comme sur mer, dans l'espace et le temps, seront quelque peu compliqués. Marie-Madeleine Hachard quitte Rouen, le 24 octobre 1726, pour Paris, où elle séjourne jusqu'au 8 décembre, se rend ensuite à Hennebont, pour embarquer enfin à Lorient, soit presque quatre mois plus tard, le 22 février 1727.

Le récit du voyage transatlantique, quant à lui, est exceptionnel : par sa longueur inaccoutumée – cinq mois au lieu des trois habituels –, par les péripéties de la navigation, et parce qu'il nous est relaté par une jeune femme du début du XVIIIe siècle, qu'on préjuge sans intérêt, savoir ou expérience... On ne manque pas alors d'être surpris par l'abondance des détails sur l'itinéraire suivi, tant sur terre que sur mer, la localisation et la description des lieux, les précisions temporelles, les repères géographiques, les renseignements sur la vie à bord, sur la manière de dégager un navire ensablé[20] ou la mention de certaines pratiques : par exemple, lorsqu'elle évoque à deux reprises la menace des attaques des corsaires « forbans ou saltins » et précise que « les femmes séculieres s'abillerent en hommes, elles n'étoient que trois » : « c'étoit toûjours pour augmenter le nombre de l'Equipage », conclut-t-elle avec le sens pratique qui lui semble coutumier. (*MMH* : 61)

Elle mettra autant de soin à décrire La Nouvelle-Orléans[21] et la Louisiane puisque son père lui a « demand[é] une explication de l'état du Pays, la situation de [leur] Ville, & enfin tout ce qu'on peut apprendre de ces lieux » (101). La mention du père suivant sa fille sur la carte, à l'instar de Marie de Sévigné, n'était pas si gratuite...

> Vous me marquez, mon cher Pere, avoir acheté deux grandes Cartes de l'état du Missisipi, & que vous n'y trouvez pas la Nouvelle Orleans, il faut aparament que ces Cartes soient anciennes [...] ; je suis fachée qu'il vous aye couté cent-dix sols pour n'y pas trouver le lieu de notre residence ; l'on va je croi faire de nouvelles Cartes où notre établissement sera marqué. (42)

« [L]a Carte de l'état de la Louisienne, dont vous me marquez avoir fait achapt, [...] n'est pas exacte » (102), note plus loin Marie-Madeleine Hachard avant de se lancer dans un cours de géographie physique, hydrographique et économique, d'urbanisme et d'architecture, d'histoire humaine et juridique, visant certes à informer le père, mais aussi à faire la promotion du pays, à en vanter le climat, la faune et la flore, les ressources et le potentiel, à valoriser, selon la formule consacrée de l'époque, sa nouvelle « terre de promission »[22]. Il n'empêche que l'ampleur de l'information, les énumérations et les précisions nous surprennent de la part d'une religieuse très vite soumise à la clôture. Au pacte relationnel s'ajoutent le pacte référentiel, d'exactitude, et celui d'authenticité : « tout ceci, mon cher Pere, est comme je vous le raporte, je ne vous dis rien dont je n'aye fait l'experience » (110).

Digne fille de son père procureur à la Cour des comptes, elle a le sens des réalités et le goût du détail, un indéniable sens des affaires et une expérience comptable, comme l'illustrent, choisies parmi bien d'autres, les précisions suivantes : « il nous en couta quarante livres par chaque personne pour nous porter jusqu'à Rennes, sans compter la nourriture » (11) et « 20 livres par tête pour un voyage en chaise entre Rennes et Hennebon » ; elle décrit et donne les mesures de leur cabine sur le navire[23], précise que leur groupe a dû débourser plus de deux pistoles sous le tropique pour être exempté du baptême à grands coups de seaux d'eau (63), note plus tard le prix de nombreuses denrées à La Nouvelle-Orléans (36-37), de la location (1 500 livres par an) de leur maison temporaire[24] (92) et esquisse un aperçu des plans de leur futur monastère (107)[25].

Notre épistolière, aussi pratique que soucieuse de ses intérêts, se révèle également tacticienne et stratège. Elle dévoile franchement un mensonge du père d'Outreleau [religieuses et religieux seraient contraints à trois heures de silence matin et soir] visant, pendant le voyage en diligence, à dissuader un voyageur bavard ; leur compagnon de route se révélant être le président de la Mayenne, à même de leur faire passer le bureau de la douane sans qu'ils aient à ouvrir caisses, valises et paquets (11), fut tout aussitôt mieux traité, dit-elle, et la prétendue règle du silence (« pieux » mensonge ?), vite oubliée ! En rade à l'île de Madère, elle évalue le rôle des religieuses dans les tractations nécessaires à la bonne marche du navire puisqu'elle précise qu'elles ne jugent pas – ayant obtenu l'eau dont les passagers avaient un urgent besoin – utile de descendre à terre pour rencontrer une communauté de clarisses (60). À la Caille Saint-Louis, port de l'île de Saint-Domingue, estimant que le gouverneur, M. de Brache – « riche comme un Crésu [...] avec cinquante mille livres de rente » –, pourrait assurer l'éducation des jeunes créoles en favorisant un nouvel établissement d'ursulines, Marie-Madeleine Hachard et ses consœurs lui laissent « une courte instruction », conseils et adresses, pour mener à bien son projet et obtenir une permission à la Cour de France (68-69). Rompue sans doute, grâce au milieu paternel, aux pratiques et aux lettres de recommandation, elle vante les mérites et les loyaux services du commandant de la Balise, M. Duverger, et souhaite qu'il obtienne une promotion.

Malgré ses vœux d'humilité et un certain souci de ne pas se prendre au sérieux, ce jeu d'héroïsation et de valorisation concerne aussi mademoiselle Hachard :

> [...] toute la Ville [de Laval] étoit à la porte de nôtre Auberge pour nous voir monter en Carosse, rapporte-t-elle, quoi-qu'il tombât fortement de

> la pluye, cela n'empêcha pas le peuple d'être dans la ruë depuis cinq heures du matin jusqu'à huit à nous attendre, je remarqué en cette occasion que les Habitans de cette Ville, sont aussi curieux qu'on l'est à Roüen pour ne rien voir de rare. (16)
> [...] toute la Ville [de Vitré] étoit encor en mouvement pour nous voir, vous ne croyez peut-être pas que votre fille dut un jour ainsi piquer la curiosité des Villes entières. (*Idem*)[26]

Elle mentionne implicitement qu'elle ne fait pas partie du peuple, peuple dont elle tourne la curiosité en dérision[27]. La curiosité est, de son côté, valorisée à travers l'aventure exotique – qui mérite relation – et le caractère exceptionnel à l'époque de la mission des femmes religieuses en Amérique, quand bien même l'épistolière s'efforce de la banaliser. Mais banaliser, c'est aussi naturaliser. Dire en plaisantant que l'on a tenté de les recruter pour fonder un couvent à Saint-Domingue ou à Pondichéry, c'est tout de même souligner leur nouveau rôle et les présenter comme des professionnelles à part entière[28]. On retrouve d'ailleurs sous sa plume la justification de leur travail – le « nous ne sommes pas inutiles ici » que l'on a pu lire sous celle d'autres missionnaires au Canada, Marie Guyart de l'Incarnation ou les hospitalières des Hôtels-Dieu de Montréal et de Québec, qu'étrangement elle ne mentionne pas[29] – et, soigneusement noté, le jeu d'entraide et d'intérêts réciproques qui fonde et soude une communauté : « [...] les Peres & Meres sont transportez de joye de nous voir ; disant qu'ils ne se soucient plus de retourner en France puisqu'ils ont ici dequoi procurer l'éducation à leurs filles, cette bonne disposition des Habitans les rend attentifs à ne nous laisser manquer de rien. » (93)

Ce nouveau réseau d'alliances et de soutien mutuel que se constitue Marie-Madeleine Hachard en Louisiane, susceptible d'abord de rassurer sa famille, signifie par ailleurs l'indépendance de la fille, à l'égard de cette même famille[30] et de la France[31]. La détermination, l'autonomie et les capacités d'adaptation de la fille s'inscrivent explicitement dans ses lettres :

> [...] si je parus vous quitter, mon cher Pere, ma chere Mere, & toute ma famille, d'un œil sec, & même avec joie, mon cœur n'en souffroit pas moins, je vous avouërai que j'ai éprouvé dans ces derniers

> momens de rudes combats, mais enfin le sacrifice est fait, & je me sçais bon gré d'avoir obéï au souverain maître de notre destinée. (6)
> [...] nous nous accoûtumons à merveilles aux vivre Sauvages de ce Païs. (38)

Après les tribulations éprouvantes du voyage transatlantique sur *La Gironde*, celles des trente lieues de pirogue sur la rivière entre la Balise et La Nouvelle-Orléans[32] ne le sont guère moins. Il faut cabaner toutes les nuits : « des bêtes de toutes couleurs [...] sortes & en grand nombre » les entourant, « Serpans, Couleuvres, Scorpions, Crocodiles, Viperes », les « Matelots fichoient des Canes en terre en forme de berceau autour d'un Matelas, & nous enfermoient à deux dans nos berres où nous couchions tout habilez, puis couvroient le berceau d'une grande toille » (88) contre les moustiques ; « au milieu de la boüe & des eaux », « nos Matelats [...] nageoient presque ». Dans la pirogue,

> nous avions encore l'incommodité [...] de ne pouvoir être assis, debout, ni à genoux & encore sans pouvoir branler, car la Pirogue auroit fait capot & nous aurions servi de nourriture aux Poissons, tout notre Equipage de Matelats & coffres l'emplissoient, il nous falloit être pardessus tout cela en un petit toupin. (89)

Notre épistolière, litotique, minimise ces « petites avantures », « toutes ces petites peines [qui] fatiguent dans le temps », mais elle ajoute : « [...] l'on est surpris quand on considère la force & le courage, que Dieu donne dans ces rencontres [...], [les] graces proportionnées aux épreuves qui nous arrivent. » (90) Ne soyons pas dupes d'une rhétorique connue : les grâces divines[33] et l'impatience de notre auteure désireuse d'atteindre enfin son objectif ne doivent pas nous cacher son courage, sa vitalité et sa résistance.

Cette déterminée – qui ose, par ailleurs, faire état de quelques peurs[34] – , ce jeune esprit apparemment libre, surprend aussi cependant par sa dureté, par des idées peu éclairées et des valeurs étroites. Elle envisage sans sourciller qu'on puisse tirer du canon sur la chaloupe de marins « pour les envoyer boire au fond de la mer » – des « gens de très-mauvaise mine, qui se disoient être Anglois de Nation », qui sont, sous prétexte de leur acheter du vin, montés à leur bord évaluer leurs biens et leurs forces (71) – et se sent plus à l'aise avec la pratique de l'esclavage que son père :

> [...] mon cher Pere, n'en soyez pas scandalisé c'est la mode du païs, nous menons un Morre pour nous servir. (23)
> Le Reverend Père de Beaubois nous aprit qu'il venoit de perdre neuf Negres qui avoient peri d'un seul coup de vent de Nord, c'est une perte de neuf mille livres, la Compagnie des Indes nous en a donné huit [...] deux se sont enfuits [...] nous en avons gardé une belle pour nous servir, & le reste nous les avons envoyiés à notre habitation pour cultiver nos terres. (43)[35]

On retrouve sous sa plume des thèmes et des préjugés malheureusement connus :

> [...] ce qui nous fait plaisir est la docilité des enfans que l'on tourne comme l'on veut, les Naigres sont aussi faciles à instruire, quand une fois ils sçavent parler François, il n'en est pas de même des Sauvages, qu'on ne Bâtise qu'en tremblant à cause du penchant qu'ils ont au peché, sur tout les femmes, qui sous un air modeste cachent des passions de bête. (106)

Son intransigeance contre les femmes, quelle que soit leur race, étonne : lorsqu'elle critique le manque de dévotion et la vanité des femmes de La Nouvelle-Orléans, assure que « la débauche, la mauvaise foy & enfin tous les autres vices régnent ici plus qu'ailleurs, mais encor avec abondance démesurée », nous sommes en discours connu ; mais lorsqu'elle rapporte au sujet des « filles de mauvaise conduite » que « quoi qu'on les observe de prés & qu'on les punisse sévérement en les mettant sur un cheval de bois, & les faisant fouetter de tous les Soldats du Régiment qui fait la garde en notre Ville, il ne laisse pas d'y en avoir plus qu'il n'en faudroit pour remplir un refuge » (113), sa description et sa cruelle rigueur dérangent au plus haut point. Étrangement pourtant, elle note qu'il « ne s'y voit aucunes de ses filles qu'on disoit y avoir été envoyées par force, il n'en est parvenu aucunes jusques ici » (44). Notre auteure si peu philosophe fait ici allusion aux déportations[36] vers le Mississippi qui ont surtout marqué les années 1715-1720 et qu'incarne, en littérature, la célèbre figure de Manon Lescaut de l'abbé Prévost (son roman a paru en 1731). Élisabeth Dufourcq note dans *Les aventurières de Dieu*[37] que Marie-Françoise de Boisrenaud, religieuse de l'Annonciation, avait été chargée, en 1703, d'accompagner vingt-trois déportées en Louisiane (*op. cit.* : 71-72).

Le témoignage d'Honoré Michel de Villebois de la Rouvillière – commissaire en poste à La Nouvelle-Orléans de mai 1749 à décembre 1752 et contemporain de Marie-Madeleine Hachard – nous manque. D'autant que le gendre d'Élisabeth Bégon (le destinataire de sa correspondance) était connu pour ses jugements critiques, son esprit et ses comportements contestataires. Le gouverneur Pierre Rigaud de Vaudreuil et Honoré Michel de Villebois appuient la demande d'achat d'un terrain pour les ursulines et la nécessité d'envoyer de nouvelles religieuses en 1751 (AC, C[13a]35, f°5) et Jane F. Heaney indique que Michel de la Rouvillière, à l'été 1749, veille à leurs intérêts et supervise la construction de leur second couvent[38].

Notre jeune tête se démarque aussi par son sens de l'humour et sa bonne humeur, sa propension à rire, à se moquer, y compris d'elle-même, et son sens du comique de situation :

> [...] malgré la fatigue nous ne laissions pas de rire souvent, il arrivoit de temps en temps de petites avantures qui nous divertissoient, nous étions tous crotez jusqu'aux oreilles, les Voiles de nos deux Meres étoient mouchetez de terre demi blanche, cela faisoit un effet des plus dröles. (15)
> [...] si c'étoit la mode [à La Nouvelle-Orléans] que les Négresses portassent des mouches au visage, il faudroit leur en donner des blanches, ce qui feroit un effet assez drôle. (114)

La franchise de ton, la désinvolture et l'impertinence de ses remarques, si elles révèlent aussi beaucoup d'immaturité, de xénophobie et d'intolérance, d'une part, rendent, d'autre part – parce qu'elles sont rares dans les textes non fictionnels de l'époque –, son témoignage original et nous permettent de voir les choses et les gens sous un jour inusité. Les sérieuses *Relations* des jésuites ne mentionnent guère qu'ils couchaient « sur la dunette, la tête enfermée dans un panier à lessive » contre les intempéries (52), ou qu'ils racontaient à la blague, pour effrayer les religieuses, qu'on allait les monter à bord du navire deux par deux dans une poche à l'aide d'une poulie comme l'on fait des ballots (27). Si l'humour et la bonne humeur ne sont pas ce qui caractérise les textes masculins de l'époque, notre épistolière nous laisse heureusement entendre que nombre de ses confrères les pratiquaient dans la vie courante :

> [...] de temps en temps nous nous disions avec franchise nos véritez, le tout se faisoit gayment, de mon naturel je ne suis pas mélancolique, le bon cher Frere ne l'est pas non plus, de fois à autre on rioit à nos dépens, mais étant les plus jeunes il nous convenoit de défrayer la Compagnie. (21)
> [...] Madame la Supérieure des Ursulines de [Vitré] prit le Pere Doutrelo pour un prêtre de l'Oratoire, nous la laissâmes dans cette pensée, son erreur nous a bien diverti ; en voyage, mon cher Pere, on rit de tout. (16)[39]

Dans la petite histoire de sœur Hachard de Saint-Stanislas, et c'est un des avantages de la littérature personnelle, la critique prend sa place : elle écrit qu'à Madère, « [les écoliers des jésuites] portent tous un chapelet à la main qui leur sert de contenance, mais [...] qu'ils n'en sont pas plus dévots » (58) et laisse entendre que les religieuses y sont « plus libres que les Séculières » : « [...] nous ne vîmes point de femmes elles ne sont pas visibles, on ne les voit qu'à travers les grilles, elles ne sortent que pour aller à la Messe & toutes à la même heure, en sorte qu'elles forment une espèce de Procession, elles marchent couvertes de grands voilles & en silence sy ce n'est qu'elles disent leur chapelet. » (58-59) Elle ironise et relativise aussi, lorsqu'elle note avec un grain de sel que le père d'Outreleau les « exhortoit à la pénitence », quand elles avaient surtout, « dans le fond », « besoin de patience » (14).

La jeunesse, la bonne humeur et la détermination de sœur Hachard expliquent sans doute aussi un certain détachement par rapport aux événements et sa tendance à banaliser les dangers, à mettre les petits et les grands sur le même plan[40], ce qui crée un double effet : de dédramatisation d'abord, et de comique ensuite. Les Sauvages anthropophages évoqués – qui, raconte l'auteure, risquent de vous manger ou, pire, de vous rendre anthropophages en vous forçant à boire votre propre sang (74) – paraissent moins effrayants au regard d'une autre menace, réelle et vécue celle-là, dont elle décrit les affres avec force détails, style et humour :

> [...] & c'est là où nous commencâmes à conoître Messieurs les Maringouins [...] qu'on apelle en France des bibets ou cousins (66) ;
> [...] leurs camarades que l'on apelle des Frapes d'abord, ne sont pas moins redoutables, on les aperçoit plus facilement parce qu'ils sont plus gros, quelquefois ils sont en si grand nombre qu'on les couperoit au couteau (87) ;
> [...] une autre espéce de Mouches [...] avec lesquels je n'ay pas encor fait connoissance, & ne les connois par nom ny par surnom, mais seulement de vue, il y en a dans ce moment plusieurs qui voltigent autour de moy & voudroient m'assasiner. Ces méchans animaux piquent sans misericorde, nous en sommes assaillis les nuits [...] & quelque précaution que nous prenions nous ne pouvons nous exempter de porter leurs marques (106-107).

Ce qui transparaît dans cette guerre des moustiques et des taons[41], c'est aussi le souci de la terminologie, de la comparaison linguistique entre l'Ancienne et la Nouvelle-France, le désir de trouver les mots pour nommer des réalités nouvelles.

À la fin du récit des péripéties de son voyage, apparemment relaté par obligation, notre épistolière a ajouté cette précieuse ligne : « on est bien récompensé dans la suite par le plaisir qu'on trouve à se raconter chacun ses petites aventures » (90). Ce plaisir de raconter, on le retrouve en effet dans ses lettres, dans la vivacité de son ton comme dans son sens du suspense : « mais bon Dieu que ce fut une courte joye, & quelle nous fut chérement venduë » (72). Le plaisir de la lecture a certes dû doubler, chez le destinataire de cette correspondance, la satisfaction du comptant d'informations : « je vous envoie une Relation de tout notre voyage, elle vous fera sans doute plaisir » (47).

Dans *L'aventure américaine au XVIII*e *siècle. Du voyage à l'écriture*, Pierre Berthiaume, dans un magnifique éloge, note que Marie-Madeleine Hachard

> découvre le monde avec un regard tellement neuf, si naïvement marqué par sa personnalité et par le caractère intime de sa relation, que l'univers se met à vibrer et à vivre de façon étonnamment intense. Il

> faudrait citer presque en entier cette *Relation* [...]. L'absence de formalisme, le ton enjoué qui caractérise la narratrice et surtout peut-être le bonheur, teinté d'angoisse, de parcourir le monde, confèrent à ces lettres une saveur et un réalisme saisissant. C'est que, précisément, il faut une sensibilité exacerbée pour faire signifier le monde et pour lui conférer toute la dimension de sa présence[42].

Cette jeune femme, enjouée et curieuse de tout, a cependant été surnommée par ses compagnes « la Règle vivante de la Maison ». Mais son souci de raconter et son plaisir d'écrire[43], Marie-Madeleine Hachard a dû les cultiver sa vie durant : en tant qu'ursuline, elle a enseigné pendant trente-trois ans et, selon Henry Churchill Semple, elle aurait laissé à sa mort, tranquillement survenue dans son sommeil le 9 août 1760, « un journal » ou, note Gabriel Gravier, « un gros volume manuscrit »...

Notes

[1] Les mères Marie Tranchepain et Marie le Boulanger, assistées par Catherine de Brucoly de Saint-Amant, première supérieure des Ursulines de France à Paris. Le contrat, approuvé le 8 septembre par Louis XV, comprenait 28 articles. (AC, C^{13a}10, 1726, f° 84 et 88-99)

[2] Il fut appuyé par l'abbé Raguet et Jean-Baptiste Lemoyne de Bienville, gouverneur de la Louisiane à compter du 25 juillet 1732, dont la mère, Catherine Primot, avait été élève chez les ursulines de Québec.

[3] Cette correspondance, à ma connaissance encore inédite en français, partiellement citée en anglais, par Jane Frances Heaney surtout, se trouve dans les Archives des Colonies, dans la *Correspondance à l'arrivée en provenance de la Louisiane* établie par Étienne Taillemite. Elle sera identifiée ici sous AC, C^{13a} 10 à 37 (1726-1753), selon mes recherches aux Archives nationales de Paris et au Centre des archives d'outre-mer d'Aix-en-Provence, et retranscrite en français moderne. Je tiens sincèrement à remercier les membres du personnel de la Bibliothèque nationale François-Mitterrand, des Archives nationales de Paris et du Centre des archives d'outre-mer d'Aix-en-Provence, pour leur accueil et leur soutien.

[4] Les éditions – souvent épuisées, non critiques ou peu accessibles cependant –, outre celle de 1728, sont les suivantes :
1. réimpression à 50 exemplaires de l'édition originale de 1728, par Paul Baudry, Société des Bibliophiles normands, éd. H. Boissel, 1865 ;
2. réimpression à 100 exemplaires, introduction et notes par Gabriel Gravier, Paris, Maisonneuve & Cie, 1872 ;
3. traduction en anglais, par Myldred Masson Costa, New Orleans, Laborde Printing Company, 1974 ;
4. *De Rouen en Louisiane. Voyage d'une Ursuline en 1727*, avant-propos de Jean-Pierre Chaline, *Cahiers des Études normandes*, n° 2, Rouen, Publications de l'Université de Rouen, n° 139, 1988 (reprise du texte de 1865).

[5] À Rouen, Chez Antoine Le Prevost, ruë Saint Vivien, M. DCC. XXVIII. Avec approbation & permission. Cette première édition est conservée à la bibliothèque publique de Rouen, collection Le Montbret, cote P 544. L'édition comprend 128 pages, paginées de 1 à 100, puis, à partir de la page 100, de 1 à 28 pour la dernière lettre. Pour éviter toute confusion, la dernière lettre sera numérotée de 101 à 128. La référence à cette édition sera abrégée sous *MMH*. Mes plus sincères remerciements vont à M. Pierre Berthiaume, professeur et chercheur à l'Université d'Ottawa, qui, il y a quelques années, avec son sens de la solidarité intellectuelle, a eu l'extrême gentillesse de me faire parvenir la photocopie du texte de l'édition originale de 1728.

[6] En 1992, la Société de l'Histoire de Normandie publiait à Rouen *1492-1992, Des Normands découvrent l'Amérique*. Paris et Rouen publiaient en 1982-1983 le Catalogue de l'exposition du Tricentenaire, *Cavelier de la Salle et la naissance de la Louisiane*.

[7] Élisabeth Bégon, l'épistolière montréalaise qui expédie des lettres à son gendre en poste à La Nouvelle-Orléans, précise que sa correspondance tient aussi du journal. À l'époque, du moins en Nouvelle-France, les rapports au temps et à la poste justifient le procédé et la forme : Élisabeth Bégon enverra ainsi 9 cahiers constitués de lettres reliées par des rubans et enveloppées de toile cirée pour les protéger, et Marie-Madeleine Hachard mentionne à son père qu'il doit avoir reçu « un pacquet de [s]es Lettres ». Au XVIIIe siècle, correspondance, journal et relation peuvent, ensemble, constituer une multiforme.

[8] Ces lettres sont respectivement expédiées de Lorient, en France, le 22 février 1727, la veille du départ ; de La Nouvelle-Orléans, le 27 octobre 1727, tout comme le récit à part de la Relation du voyage ; une lettre perdue a été envoyée le 14 mai 1727 de La Caille Saint-Louis à l'île de Saint-Domingue ; sont perdues aussi, plusieurs lettres que la diariste dit avoir expédiées de La

Nouvelle-Orléans, celles qui figurent dans l'édition sont datées du 1er janvier 1728 et du 24 avril 1728 (postée le 8 mai).

[9] Celle qui signe sa correspondance du nom de « Marie Madelaine Hachard de Saint Stanislas » apparaît (une fois) dans la correspondance administrative de Marie Tranchepain sous le nom de « Marie Anne Achart ». (AC, C^{13a}10, f° 69, 24 décembre 1726)

[10] Nous ne pouvons cependant exclure la possibilité que le père ait pu insérer des passages de son cru dans les lettres de sa fille ou que l'éditeur les ait retouchées… *La relation du voyage* publiée en 1859 et attribuée à mère Saint-Augustin de Tranchepain, supérieure des Ursulines de La Nouvelle-Orléans, résume en fait celle de Marie-Madeleine Hachard.

[11] Approbation : « J'Ai lû par l'Ordre de Monsieur le Lieutenant Général de Police, la Premiere Lettre d'une Dame Ursuline : je n'y ai rien trouvé qui puisse en empêcher l'impression, à Roüen le 10. Juin 1728. Le Gros.
Vû l'Approbation du Sieur le Gros, permis d'imprimer à Roüen, ce 10. Juin 1728. De Houpeville. » *Idem* pour la seconde lettre et la relation du voyage. Le dernier permis d'imprimer date du 2 octobre 1728.

[12] « She belonged to one of the best families of Normandy, distinguished by its social position as well as by its profoundly religious character », note Sister Jane Frances Heaney, O.S.U., dans *A Century of Pioneering. A History of the Ursuline Nuns in New Orleans (1727-1827)*, edited by Mary Ethel Booker Siefken, New Orleans, Louisiana, 1993, p. 48.

[13] L'aînée (peut-être celle nommée Dorothée) et Élisabeth étaient religieuses de Saint François, Louison postulait au Val-de-Grâce (ce couvent de bénédictines allait être réuni au Prieuré des Dames de Belfond avant la fin de la première moitié du XVIIIe siècle). Marie-Madeleine (peut-être prénommée civilement Marie-Anne ou Marianne) voulait d'abord être clarisse. La cérémonie de profession de Marie-Madeleine, qui allait prendre l'habit le 19 janvier 1727 et le nom de Saint-Stanislas dans la chapelle de Hennebont, devait avoir lieu le 15 mars 1729 à La Nouvelle-Orléans.

[14] « […] these generous parents gave their much loved and youngest daughter », précise Jane Heaney, *id.*

[15] Les réseaux familiaux doivent être étudiés afin de faire mieux comprendre les entrées en religion et les missions : parmi les compagnes de M.-M. Hachard, Marie-Anne le Boulanger est la sœur d'un missionnaire jésuite en Illinois et le frère de Thérèse Massy, administrateur et planteur, les accueille

dès leur arrivée en Louisiane. Les Archives précisent que le père Boulanger, dans la mission des Kaskaskias avec le père Tartarin, meurt en avril 1741, et que M. Massy est syndic général de la Compagnie et conseiller.

[16] Dans *The Ursulines in New Orleans 1727-1925*, Étienne Pellerin note que la religieuse d'Elbeuf, Cécile Cavelier, était la fille d'Étienne Cavelier, avocat du Parlement de Rouen : « Si le voyage en Louisiane d'une ursuline de la communauté d'Elbeuf nous était conté... », dans le *Bulletin de la Société d'Histoire d'Elbeuf*, n° 28, décembre 1997.

[17] Elle serait née en 1704 et aurait donc eu 22 ans en 1726.

[18] Marie-Madeleine Hachard soignait encore ses intérêts lorsque, un peu népotiste, elle demandait à son père de faire des recherches généalogiques afin de vérifier si l'un des premiers religieux en Louisiane, François de Chefdeville, était bien de leur parenté : « [...] je souhaiterois bien être allié de ce Saint Missionnaire, étant obligé de faire du bien plûtôt à ses parents qu'à autres, j'espérerois avoir plus de part aux Saintes Prieres qu'il fait au Seigneur dans le Ciel. » (126)

[19] Notre épistolière mentionne, à Lorient, « toutes les Lettres que vous m'avez fait l'honneur de m'écrire » et, à La Nouvelle-Orléans, des lettres datées du 6 avril (rappelons qu'elle est partie le 23 février), du 12 et du 20 août 1727.

[20] Du Périer et La Chaise précisent en effet qu'ils durent remplacer 5 canons jetés à la mer (entre la Caye et la Balise, le long de la côte de Pensacole sur le cap de Blaize), 62 barils d'eau-de-vie (MMH en avait compté 61) et 8 barriques de sucre brun (chacune pesant 300 livres, note MMH) (AC, C[13a] 10, f° 184, 2 nov. 1727).

[21] Fondée en 1718, la ville n'a vraiment commencé à se développer qu'en 1722. Voir Gilles-Antoine Langlois, *Des villes pour la Louisiane française. Théorie et pratique de l'urbanistique coloniale au 18e siècle*, Paris, L'Harmattan, 2003. Voir le site Nouvelle-France : www.culture.fr/culture/nllefce/fr ; le Journal *de Vaugine de Nuisement: un témoignage sur la Louisiane du XVIIIe siècle*, édition critique par Steve Canac-Marquis et Pierre Rézeau, Sainte-Foy, Presses de l'Université Laval, 2005.

[22] Dans les récits de voyages, l'inventaire a pour corollaire l'aventure, comme l'a bien indiqué Sylvie Léoni dans son article « De l'aventure à l'inventaire : *Le Grand Voyage du Pays des Hurons* de Gabriel Sagard », dans *Scritti sulla Nouvelle-France nel seicento*, Bari / Paris, Adriatica / Nizet, 1984, p. 219-239.

[23] « [...] notre chambre, c'étoit une clouaison que l'on avoit faite pour nous dans l'entrepont de dix-huit pieds de long & de sept ou huit de large, nous étions de notre bande dans cet endroit, six lits de chaque côté, trois l'un sur l'autre de sorte que nous n'avions pas la commodité d'être assises sur nos lits sans sentir le plancher [...] j'étois une de celles qui couchoient en haut, parce qu'on y avoit mis les plus legeres, une de nos sœurs qui faisoit la treizième couchoit en bas au passage. » (51)

[24] Celle de M. de Kolly, loyer impayé que le roi acceptera de régler en 1735.

[25] Elles comptaient l'habiter à Pâques 1729 mais la première pierre sera posée en 1730 et elles n'y entreront que le 17 juillet 1734 ! (AC, C^{13a}19, f°32, f°71)

[26] À son père, qui lui écrit que l'on raconte à Rouen qu'elle n'en est pas partie, elle répond avec malice et à propos : « [...] cela m'est glorieux d'être en même tems dans deux Villes si éloignées l'une de l'autre, je me souviens d'avoir lû dans la Vie de Saint François Xavier, que ce grand Apôtre des Indes & du Japon, se trouvoit souvent tout à la fois en divers lieux, ce qui est regardé comme un très-grand prodige, je ne suis pas mon cher Pere, une assez grande Sainte pour opérer de pareils miracles. » (24)

[27] Les religieuses, ayant d'abord dû régler leurs affaires à Paris, sont invitées au « magnifique Palais du Roi » à Versailles. Troublée par le luxe, notre jeune religieuse – refusant peut-être de se laisser impressionner – note, très litotique : « [...] il y a de quoi satisfaire la curiosité. J'eus souvent la pensée de fermer les yeux pour me mortifier. » (11)

[28] Elle est fière de dire qu'elles représentent quatre communautés en une : Ursulines, Hospitalières, Sœurs de Saint-Joseph et du Refuge. (100)

[29] Il est vrai que plusieurs décennies les séparent... Elle mentionne pourtant le fleuve Saint-Laurent qu'elle compare au Mississippi, les gens venus du Canada pour s'établir en Louisiane, les villes de Montréal et de Québec. Pour mémoire, l'ursuline Cécile de Sainte-Croix, qui accompagnait Marie de l'Incarnation en 1639, venait de Rouen et sa lettre bien connue relatant la traversée a été envoyée à sa supérieure de Dieppe (*C* 1639 : 951-960) ; les premières hospitalières de l'Hôtel-Dieu de Québec venaient aussi de Dieppe ; Madeleine de la Peltrie, Normande d'Alençon, écrit juste avant son départ à la supérieure des ursulines de Caen, sœur de M. de Bernières ; Paul Le Jeune a étudié ou enseigné à Rouen, Caen et Dieppe ; Jacob Bontemps, capitaine à Dieppe, qui a transporté sur le *Saint-Joseph* les premières missionnaires de Québec en 1639, était originaire de Rouen ; l'ursuline Thérèse le Massy, qui partit aussi en 1727 pour La Nouvelle-Orléans, venait de Tours.

[30] Elle note que son frère religieux boude : « [...] serait-il faché contre moi, ou me croit-il fachée contre lui, il est vrai que pour me détourner de mon dessein, il me dit avant mon départ bien des choses qui ne devoient pas me faire plaisir [...] mon cher Pere, quand on est assuré de faire la volonté de Dieu, on compte pour rien le discours des hommes, bien des gens ont traité nôtre entreprise de folie [...] s'y ce cher frere est encore faché contre moi de ce que je n'ai pas déféré aveuglement à ses avis, je vous suplie de faire ma paix avec lui. » (35)

[31] Les relations missionnaires, qui comparent spontanément l'Ancien avec le Nouveau Monde, ont vite tendance – et c'est l'un des paramètres au fait de bâtir un pays selon ses aspirations et de « prendre pays » – à valoriser le nouveau au détriment de l'ancien et à souhaiter, dans une certaine mesure, son autonomie. Notre épistolière évoque bien des avantages et de nouvelles possibilités offertes à La Nouvelle-Orléans. À propos du chant des religieuses, par exemple : des motets à quatre parties, des *Miserere* quotidiens accompagnés d'instruments de musique, la messe de Pâques entièrement en musique : « [...] les Convens de France, avec tout leur brillant, n'en font pas autant. » (112)

[32] « [...] il faut avoüer que toutes les fatigues de *la Gironde* n'avoient rien de comparable à celles que nous eumes dans cette petite traverse, qui n'est que de trente lieues de Rivière. » (86) Sa description du périple se prêterait tout à fait à un film documentaire. Arrivées le 23 juillet à la Balise, elles parviennent à La Nouvelle-Orléans le 7 août.

[33] « [...] je ne doute nullement qu'un grand nombre de saintes Filles Religieuses ne suivissent notre exemple [...] que la longueur & les fatigues du voyage ne dégoute personne, si l'on scavoit combien le Seigneur récompense magnifiquement ce que l'on fait pour lui, l'on conteroit tout cela pour rien ou pour très-peu de chose, je scai par ma propre experience que le Seigneur se plaît à faire éclater la force de son bras dans les sujets les plus foibles. » (94-95)

[34] « [...] les chemins étoient si mauvais que nous fûmes contraints de faire plus de deux lieuës de nuit, je vous avouërai que j'eus grande peur de marcher si long-tems au milieu des plus épaisses ténébres. » (7)

[35] Les articles 5 et 12 du Contrat des Ursulines mentionnaient les nègres et négresses octroyés par la Compagnie pour l'hôpital et leur habitation (40 en 5 ans pour cette dernière, à payer cette fois-ci par les ursulines aux mêmes conditions que pour les habitants).

[36] Les révoltes des déporté-e-s et des esclaves, les désertions d'esclaves et de Français qui passaient chez les Natchez ou les Espagnols, ont pu justifier en Louisiane des pratiques punitives exceptionnelles : « [...] l'on fait le Procez à un

voleur en deux jours, écrit M.-M. Hachard, il est pendu ou roué, soit Blanc, Sauvage ou Nègre il n'y a point de distinction, ni de misericorde. » (113) Voir dans l'édition critique, par Pierre Berthiaume, du *Journal d'un voyage [...]* de François-Xavier de Charlevoix, t. II, les notes 25 (p. 850) et 8 (p. 907) sur les déportations et les désertions. Ces mesures peuvent être aussi le fait d'hommes, tel Jean-Baptiste Lemoyne de Bienville, adepte, au sens propre du terme, du « casse tête » des Floridiens.

[37] Élisabeth Dufourcq précise que les Ursulines de Saint-Denis s'implantent aux Antilles, à Fort-de-France, en 1682, et les Filles de Saint-Paul de Chartres, en Guyane, en 1727. Dès 1668, Marie de l'Incarnation écrit dans sa correspondance qu'on les invite à participer à la fondation de Fort-Royal, qui deviendra Fort-de-France.

[38] Jane Frances Heaney (Sister, O.S.U.), *A Century of Pioneering. A History of the Ursuline Nuns in New Orleans (1727-1827)*, ed. by Mary Ethel Booker Siefken, New Orleans, Ursuline Sisters of New Orleans, Louisiana, 1993, p. 134-135 ; lettre de Michel de Villebois : AC C[13a] 34, f°218.

[39] Note après un repas trop frugal : « [...] si nous ne dépensâmes pas beaucoup, nous rîmes bien en récompense, nous avons toujours été de trés-bonne humeur. » (17)

[40] Après la mention du Morre... « [...] nous menons aussi un fort joli petit chat, qui a voulu être de notre Communauté, supposant apparemment qu'il y a à la Louisienne comme en France, des souris, & des rats. » (23)

[41] Les termes « frappe-à-bord » et « maringouin » sont toujours utilisés au Québec... et la réalité de leurs possesseurs, toujours sensible...

[42] Pierre Berthiaume, *L'aventure américaine au XVIIIe siècle. Du voyage à l'écriture*, Ottawa, Presses de l'Université d'Ottawa, 1990, p. 201-202.

[43] Plaisirs gourmands aussi... Après nous avoir mis l'eau à la bouche en énumérant longuement les différentes sortes de poissons, de légumes, de fruits, etc. – noms, descriptions, précisions et saveurs à l'appui –, l'épistolière ajoute cependant, à propos du gibier : « nous n'en achetons guère car nous ne voulons pas nous délicater » (110).

Chapitre 14

Marie Tranchepain de Saint-Augustin, ou l'art de la réplique

Une réédition critique de la *Relation* de Marie-Madeleine Hachard et la publication de la correspondance administrative de Marie Tranchepain devraient contribuer à une meilleure connaissance de l'histoire des pionnières de la Nouvelle-France.

De famille huguenote, Marie Tranchepain entre chez les ursulines de Rouen en 1699 avec la ferme intention de devenir missionnaire. Elle est l'âme et la supérieure de la future communauté de La Nouvelle-Orléans. Le contrat enfin signé, elle attend à Hennebont que toutes les religieuses la rejoignent et s'impatiente de la lenteur des démarches. Elle écrit à l'abbé Raguet, directeur ecclésiastique de la Compagnie des Indes, le 31 octobre : « [...] ce qui nous fâche est qu'on nous menace d'être encore ici longtemps. N'y aurait-il pas moyen, Monsieur, d'avancer cet heureux jour ? Il y a vingt-six ans que je le souhaite, n'est-ce pas assez ? » ($C^{13a}10$, f° 67) Elle demande, dans le vaisseau, une chambre où elles puissent être en liberté et une provision de café : « Ces sortes de petites douceurs ne sont pas dit-on inutiles en pareilles occasions. » Le 24 décembre, elle annonce qu'elles sont enfin réunies, au nombre de douze, et que, outre les frais du voyage, leur pension se monte à 300 livres. La lettre se termine par une liste – incomplète – des noms des religieuses, postulantes et servantes. Le navire lèvera enfin l'ancre de Lorient le 22 février 1727 et elles parviendront à La Nouvelle-Orléans le 7 août.

Dans sa lettre du 25 octobre, elle annonce à l'abbé Raguet leur heureuse arrivée, expose rapidement les malencontreuses péripéties de leur longue traversée et ose se plaindre – dans l'espoir, dit-elle, d'obtenir plus de respect et d'attentions pour les religieuses qui les suivront – du traitement à leur égard du premier capitaine, M. de Vauberci, son second, M. Gueret, ayant au contraire tout fait pour leur rendre service. Marie Tranchepain ajoute aussi qu'elle a la douleur de renvoyer en France deux religieuses qui n'avaient « point été assez éprouvées dans leur vocation[1] ». Mgr de Saint-Vallier, parlant – toujours sans les nommer – de trois religieuses, laisse entendre que des mésententes liées à leurs différentes communautés d'origine en sont la cause ; le père de Beaubois imputera ce retour à « l'esprit dangereux » de mademoiselle de la Chaise, relayée par l'effronterie et les intrigues de son frère – les enfants du commissaire-ordonnateur Jacques de la Chaise qui traversaient aussi sur *La Gironde*. Nicolas Ignace de Beaubois allait, quant à lui, se retrouver dans un conflit important et faire l'objet d'une ample correspondance.

Dès le 26 décembre 1726, l'évêque de Mornay, coadjuteur de Québec, piqué, d'une part, que la Compagnie des Indes, les ursulines et l'archevêque de Rouen aient pris, sans le consulter, des décisions relatives à l'établissement louisianais et, d'autre part, que Marie Tranchepain lui ait annoncé que le père de Beaubois serait leur supérieur, écrit à l'abbé Raguet que M. de Beaubois n'est vicaire général que pour les Missions Sauvages, que sa qualité de supérieur ne comprend pas celle de confesseur, statut qu'il ne pourra obtenir que sur l'ordre de l'évêque de Québec et avec le consentement du père capucin Raphaël de Luxembourg. De son côté, Mgr de Saint-Vallier, mentionnant en ses termes « l'aversion étonnante dont les religieuses paraissent frappées contre les Capucins » et la « reconnaissance outrée » qu'elles ont à l'égard du père de Beaubois, ajoute qu'« elles pourront se calmer parce qu'il leur sera toujours libre d'élire pour leur Supérieur et directeur le successeur du Père de Beaubois » (AC, C^{13a}10, f°296).

Le calme ne reviendra qu'en... 1734. L'abbé Raguet répond à mère Tranchepain que leur voyage « s'est passé comme se passe communément la vie humaine : vous y avez ressenti plus d'afflictions que de consolations » et achève sa lettre par ces mots : « Il ne vous est pas libre de vous soustraire » à la juridiction du père Raphaël. « Prenez donc, Madame, sagement vos mesures et sacrifiez généreusement à l'amour du bon ordre, un goût qui serait même fondé sur la reconnaissance. » (C13a11, f°232, 3 avril 1728) Marie Tranchepain avait trouvé bon de lui décharger son cœur avec toute la confiance qu'il méritait dans une lettre datée du 28 avril, qui avait dû croiser la sienne, en précisant que les rapports entre le père de Beaubois et son « ennemi mortel », M. de la Chaise, ne s'arrangeaient guère et qu'il ne tenait qu'à elles, à eux donc, faisant clairement équipe, d'accepter l'offre avantageuse d'un établissement au Cap français. Trouvant cependant fâcheux d'en être réduites à cette extrémité, elle conclut ainsi : « En attendant la décision de tout ceci, nous nous regarderons toutes comme l'oiseau sur la branche. » (AC, C13a11, f°277) Au père de Beaubois, l'abbé Raguet écrira le 27 octobre qu'il ne s'en prendra qu'à lui « si ces bonnes religieuses abandonnent lâchement le champ de Bataille. Ne les entretenez donc plus de ce prétendu riche Établissement du Cap ; dites leur au contraire que dans la religion chrétienne tous les commencements sont semés de Croix ; et que malheur à quiconque ne porte pas les siennes » (AC, C13a11, f°241).

Les réponses de Marie Tranchepain et de ses religieuses, en août 1728 puis en mars 1729, pour leur détermination, leur ton et leur style, méritent d'être citées *in extenso*: elles figurent, en guise de conclusion, en annexe de ce livre[2]. Marie Tranchepain organisait le 25 septembre 1728 de nouvelles élections et le choix des religieuses se porta sur le père de Beaubois. Jane Frances Heaney mentionne que les Archives des Ursulines précisent que ce dernier eut 6 voix, le père Raphaël aucune, et que les jésuites demeurèrent – malgré l'évêque de Mornay qui succédait à l'évêque de Saint-Vallier décédé en décembre 1727 et faisait du père Raphaël le seul vicaire général pour la colonie et les missions indiennes[3] – les supérieurs et confesseurs des ursulines, excepté lorsqu'ils furent, entre mars 1733 et février 1734, frappés d'interdiction. Après les élections, l'abbé Raguet, dans une lettre du 28 mai 1729, tente de mettre des alliées de son côté : « Je pense qu'il serait inutile de vous parler du sentiment des

Ursulines de France sur l'article de votre constitution que vous avez tant de soin de citer », dit-il à la supérieure de La Nouvelle-Orléans ; mais il semble aussi reconnaître la force et la victoire de son adversaire, non sans, à mots couverts et sur un ton aigre-doux, la prévenir de rester sur ses gardes et dans les limites autorisées :

> Vous voilà donc, Madame, dans une grande paix, du moins de l'extérieur. Je m'en réjouis d'autant plus, qu'un contentement extérieur, fondé sur d'heureuses circonstances de pareille nature, peut durer, étant ménagé avec grande circonspection, et une prudence toujours éveillée, et toujours accompagnée de beaucoup de modération et de politesse. C'est à quoi il me serait encore inutile de vous exhorter, ayant autant d'esprit et d'expérience que vous en avez. (C^{13a}12, f° 269)

Début novembre 1733, le père Raphaël accordait au père de Beaubois la faveur d'administrer les saints sacrements et de donner l'extrême-onction à la supérieure Marie Tranchepain de Saint-Augustin. Jane Frances Heaney, ursuline de La Nouvelle-Orléans et digne successeure de la première supérieure de sa communauté, dans sa thèse de doctorat soutenue à l'Université de Saint-Louis en 1949, osait écrire les lignes suivantes qui disent explicitement et sans ambages son parti pris :

> Father Raphaël had at last attained one of his goals – becoming confessor and director of the Ursulines. A septuagenarian, infirm, and of an age to rest rather than work, he nevertheless had to supervise the religious functions of the parish, the hospital, and the Ursuline community. For nearly a year he continued in his capacity, but in February, 1734, just a few days before his death Father Raphaël gave back "the powers to the Jesuits", and the Ursulines again came under the direction of the Jesuits. Mother St. Augustin did not live to see the ending of the controversy which had almost resulted in the withdrawal of the Ursulines from Louisiana. (*op. cit.* : 90-91)[4]

NOTES

[1] L'article 26 de leur contrat se lisait comme suit : « Si quelque Religieuse, ne pouvant s'accommoder au pays ou pour quelqu'autre raison particulière étant obligée de repasser en France, elle aura son passage gratis pour elle et une Servante. » Jane F. Heaney nous apprend qu'il s'agissait de Jeanne Marion, dite de Saint Michel, de Ploërmel, et de Marie-Anne Dain, dite de Sainte Marthe, d'Hennebont, reparties en France le 25 novembre 1727. La liste complète des premières ursulines de La Nouvelle-Orléans, telle que je suis parvenue à l'établir, figure en annexe.

[2] Les supérieures qui suivront auront aussi leurs démêlés. En 1752, les ursulines écrivent à l'abbé de Lisle-Dieu pour se plaindre du manque de considération des chirurgiens, de vols de meubles et d'ustensiles, de la rareté de la viande de boucherie, de l'exiguïté de la salle des malades, et déplorent que certains des termes de l'entente passée en 1744 avec le commissaire-ordonnateur Lenormant de Mésy n'aient pas été respectés (AC, C[13a]36, f°330). En 1753, le gouverneur Kerlerec et le commissaire-ordonnateur d'Auberville écrivent au ministre : ils notent que leurs plaintes ont été reçues et proposent qu'une gratification de 700 à 800 livres leur soit versée pour les années 1751-1753 (AC, C[13a]37, f° 41).

[3] « Le capucin Louis-François Duplessis de Mornay [évêque de 1728 à 1733], craignant la traversée transatlantique ne vient même pas une seule fois rendre visite à son diocèse. Il en retire quand même les revenus ! » précisent J. Lacoursière, J. Provencher et D. Vaugeois, dans *Canada. Québec, 1534-2000, op. cit.*, p. 146-147.

[4] Notre traduction : « Le père Raphaël avait fini par réaliser l'un de ses objectifs : devenir confesseur et directeur des Ursulines. Bien que septuagénaire, infirme, et d'un âge à se reposer plutôt qu'à travailler, il devait superviser les activités religieuses de la paroisse, de l'hôpital et de la communauté des Ursulines. Il joua ce rôle pendant presque un an, mais en février 1734, quelques jours seulement avant sa mort, le père Raphaël redonnait "les pouvoirs aux Jésuites", et les Ursulines se retrouvaient sous leur direction. Mère Saint-Augustin n'a pas vécu assez longtemps pour voir la fin de la controverse qui avait presque entraîné le départ des Ursulines de la Louisiane. »

Annexes

Annexe 1 : Réponse de mère Marie Tranchepain de Saint-Augustin à l'abbé Raguet

17 août 1728

Monsieur

Nous avons eu hier la nouvelle de l'arrivée de la *Baleine* et j'ai reçu en même temps l'honneur de la vôtre. Je ne tarde pas comme vous voyez à y répondre : je vous assure Monsieur qu'elle m'a fort étonnée par les propositions que vous me faites à l'égard des Pères Capucins. Voici ce que vous me dites en parlant d'eux : « Ce sont néanmoins les pères qui doivent vous gouverner selon l'ordre de l'Eglise et de la Compagnie. Le R. P. Raphaël votre pasteur et seul grand vicaire de Monseigneur de Québec dans les postes français dont le principal est la Nouvelle Orléans est d'ailleurs un Homme d'un très grand mérite et il ne vous est pas libre de vous soustraire à sa juridiction. »

Je vous avoue Monsieur que je ne comprends rien dans les expressions « selon l'ordre de l'Eglise et de la Compagnie » et « il ne vous est pas libre de vous soustraire à sa juridiction ».

1er Je n'ai jamais jugé que l'intention de la Compagnie fût que nous dépendrions de ses ordres pour notre conduite en sorte qu'elle se croit la maîtresse de nous soumettre à qui bon il lui plairait, et je suis même persuadée monsieur que cette pensée ne peut vous avoir entré dans l'esprit : vous êtes trop éclairé pour cela et il faudrait que je fusse folle si j'acceptais une pareille condition.

2e Il nous importe peu que le P. Raphaël soit grand vicaire ou non, cela ne lui donne pas plus de droit sur nous ; partout nous sommes libres de nous choisir tel supérieur qu'il nous plaît pourvu qu'il soit approuvé de l'Evêque, voilà ce qui s'appelle pour nous l'ordre de l'Eglise ; nous ne renoncerons pas à nos droits et personne ne nous forcera de recevoir un supérieur malgré nous, c'est à quoi nous sommes toutes très déterminées.

Vous avez dû monsieur recevoir une lettre de moi par le Duc de Noailles qui vous marque assez notre résolution sur ce sujet, la manière dont les choses tournent nous y confirme de plus en plus, et la mer ne nous fait pas assez de peur pour nous empêcher de passer au Cap français plutôt que de rester ici comme on veut que nous y soyons, nous y ferons le même bien qu'ici.

Vous me paraissez surpris monsieur de ce que je n'avais été qu'une fois à l'hôpital quand je vous écrivis. La Compagnie nous a promis de nous faire bâtir proche, quand elle se sera acquittée de sa parole nous songerons à exécuter la nôtre car il ne nous convient pas que nous allions tous les jours nous promener d'un bout de la ville à l'autre. Notre devoir ne nous y oblige point et l'incertitude où nous sommes à présent si nous resterons dans ce pays nous empêche de presser pour notre bâtiment.

Je reviens à la prétendue union qu'il y a entre M. Périer et M. de la Chaise ; ou on vous a soustrait une partie des lettres qui vous ont été adressées ou quelque raison que je ne sais pas vous engage à dissimuler la vérité. Tout ce que je vous en puis dire pour ne me point trop étendre est que je serai toujours unie à monsieur Périer et au R. P. de Beaubois, parce que ce sont des esprits droits et judicieux et qui ne savent ce que c'est qu'artifices et que mensonges, qui cherchent véritablement le bien de la colonie et qui ne craignent que Dieu ; il n'en est pas de même de celui que vous me nommez, il y a peu d'honnêtes gens de son parti et il n'y a point d'occasion où il ne prouve par des faits qu'il est indigne de la confiance que la Compagnie lui marque, mais le temps vérifiera tout et peut-être alors il n'y aura plus de remède pour nous. Nous nous en mettons peu en peine parce que notre parti est pris.

Vous paraissez par la vôtre être tout disposé à l'éloignement du R. P. de Beaubois mais il ne partira pas seul et comme c'est lui qui nous a emmenées dans ce pays ce sera aussi lui seul qui nous déterminera de quel côté nous tournerons. Nous n'avons point d'assez grandes obligations à la Compagnie pour nous abandonner à ses desseins. Le peu d'attention qu'on a de nous embarquer le reste de ce qui nous appartient et qui est resté à Lorient depuis 18 mois que nous en sommes parties, et le refus qu'on a fait au Cap tout nouvellement de nous faire tenir quelques présents qu'on voulait nous envoyer et au père de Beaubois montre assez ce que nous devons attendre dans la suite car bien loin que M. de la Chaise nous protège comme vous le dites monsieur il nous a refusé plusieurs choses même nécessaires sous prétexte qu'il n'y en avait point au magasin et peu d'heures après il en a trouvé beaucoup davantage que nous n'en avions demandé, pour ses amis. Vous êtes trop judicieux monsieur pour vouloir après cela que nous comptions sur la faveur de M. de la Chaise. Ce n'est pas pour les honnêtes gens et je ne l'ambitionne pas.

Je vous parle comme vous voyez Monsieur bien ouvertement je ne puis faire autrement avec vous. A qui me déchargerais-je de mes peines qu'à celui qui s'est engagé de nous protéger et quelle protection serait-ce si on nous retirait celui qui nous a fait subsister depuis que nous sommes ici et dans lequel seul nous avons toutes nos confiances.

Ce serait en vain qu'on voudrait nous captiver. Nous n'avons point quitté la liberté de confiance dont nous jouissions en France pour venir nous mettre en esclavage. Toutes les tentatives que l'on fera pour cela seront inutiles.

J'ai l'honneur d'être avec une parfaite estime et bien du Respect Monsieur

Votre très humble et très obéissante servante

Sr M. de St Augustin Supérieure des Ursulines de la Nouvelle-Orléans ce 17e août 1728.

(AC, C13a11, fo279-281, 6 p. Ma transcription.)

ANNEXE 2 : Lettre de mère Marie Tranchepain et des religieuses ursulines à l'abbé Raguet

9 mars 1729

Monsieur

Soyez persuadé je vous prie que l'éloignement que nous avons pour les R. P. Capucins ne vient point d'aucun attachement personnel, et comme ce ne sont point des vues humaines qui nous ont emmenées ici nous espérons aussi qu'avec la grâce du seigneur rien d'humain ne sera l'âme de notre conduite. Ce n'est point à l'étourdie et par une légèreté d'esprit de fille que je vous ai écrit monsieur comme j'ai eu l'honneur de le faire, et nous ne persistons à ne nous jamais mettre entre les mains des Capucins que parce que nous ne croyons pas le pouvoir faire en conscience ; je m'étais flattée monsieur que vous auriez pensé que nous ne pouvions en venir là et vous faire une pareille déclaration sans en avoir des raisons très fortes, je crois devoir me dispenser encore aujourd'hui de vous les dire.

Il faut cependant en venir aux explications. Nous y viendrons à la honte et à la confusion de qui il appartiendra et ce ne sera pas sans preuves. N'en est-ce pas assez monsieur que nos constitutions nous laissent la liberté de choisir nous-mêmes un supérieur et que par notre traité, article 15e, la Compagnie s'oblige à nous laisser vivre dans l'intérieur de notre maison selon nos règles et l'esprit de notre institut pour que l'on ne nous contraigne pas malgré nous à prendre des gens qui n'ont ni notre estime ni notre confiance ? En vérité monsieur il est bien dur d'être dans un pays comme celui ci et de n'avoir pas du moins la liberté de conscience mais quoi qu'il arrive rien ne nous fera cependant changer de sentiment, toute autre personne qui serait ici nous nous y soumettrons puisqu'il le faut mais jamais les pères Capucins tels surtout que sont ceux qui sont ici sans en excepter aucun ne seront ni nos directeurs ni nos supérieurs.

Je suis très mortifiée monsieur que ces dispositions vous paraissent si mondaines et que vous vous en scandalisiez : elles ne me sont point particulières, ce sont celles de toute la communauté qui veut vous écrire cette lettre ; je les crois bonnes parce que nous n'agissons en cela que par devoir et pour prévenir bien du mal que nous aurions à craindre. Du reste nous rendrons toujours comme nous l'avons fait jusqu'à présent au R. Père Raphaël tout ce qui lui est dû en qualité de grand vicaire et nous respectons dans lui la personne de l'Evêque mais nous nous en tiendrons exactement là.

Vous me reprochez monsieur que je marque du mépris pour la Compagnie, je ne sais ce qui a pu donner lieu à ce reproche si ce n'est peut-être ce peu que je vous ai mandé que nous n'avons pas assez d'obligation à la Compagnie & C. J'ai parlé trop généralement. J'aurais dû dire nous n'avons pas assez d'obligation à l'agent de la Compagnie j'aurais parlé plus juste. Il ne s'en faut prendre qu'à mon peu d'application ; perdez donc monsieur je vous en prie cette idée. Nous mesurerons toujours notre reconnaissance aux bienfaits et jamais l'ingratitude n'a eu de place dans mon cœur.

J'ai l'honneur d'être avec un respect très sincère Monsieur

Votre très humble et très obéissante servante

Sr M. de St Augustin Sp
Sr M. de St Jean L.
Sr R. de Ste Marie
Sr le Boullenger
Sr de Ste Thérèse
Sr de St Joseph

(AC, C^{13a}12, f°283, 4 p. Ma transcription.)

ANNEXE 3
Les premières religieuses ursulines de La Nouvelle-Orléans

DE ROUEN
Marie Tranchepain, de Saint Augustin († novembre 1733)
Marguerite Jude, de Saint Jean l'Évangéliste († 14 août 1731)
Marie Anne le Boulanger, de Sainte Angélique († 1766)
Marie Madeleine Hachard, de Saint Stanislas († 9 août 1760)
Anne Le François (non admise à la profession : 20 juin 1728)

DU HAVRE
Madeleine Mahieu, de Saint François Xavier († 6 juillet 1728)

D'ELBEUF
Cécile Cavelier, de Saint Joseph

DE VANNES
Renée Yuiquel (ou Guignel de Saint Goustan), de Sainte Marie

DE PLOËRMEL
Marguerite Salaon, de Sainte Thérèse († 5 septembre 1733)
Jeanne Marion, de Saint-Michel (retour en France le 25 novembre 1727)

D'HENNEBONT
Marie Anne Dain, de Sainte Marthe (retour en France le 25 novembre 1727)

DE TOURS
Claude Thérèse Massy (non admise à la profession : 20 juin 1728)

Noms des religieuses arrivées le 16 mars 1732 en compagnie du père de Beaubois sur La Somme

DE CAEN
Françoise Marguerite Bernard, de Saint-Martin dite de Saint Pierre Jeanne Melotte, de Saint André (seconde supérieure du couvent en novembre 1733)

DE BAYEUX
Charlotte Hébert, de Sainte Marie, renommée de Saint François Xavier (elle est considérée comme la première pharmacienne... « in the United States »).

Noms des religieuses arrivées le 12 février 1742

DE LISIEUX
Catherine Paul Eulalie Louchard de Lavardière, de Saint Louis de Gonzague

DE LANDERNEAU
Marguerite Antoinette Bigeaud de Belair, de Sainte Madeleine (seconde pharmacienne)
Jérôme Perrine Élisabeth Bigeaud, de Belair de Sainte Thérèse

Articles publiés

« Un jésuite et un récollet parmi les femmes : Paul Le Jeune et Gabriel Sagard chez les Sauvages du Canada », dans *Les jésuites parmi les hommes aux XVIe-XVIIe siècles. Actes du colloque de Clermont-Ferrand (avril 1985)*, Geneviève et Guy Demerson, Bernard Dompnier et Annie Regond [dir.], Clermont-Ferrand, Faculté des lettres et des sciences humaines de Clermont-Ferrand II, nouvelle série, fascicule 25, 1987, p. 105-113.

« Jésuites et Amazones du Grand Dieu en terre amérindienne », dans le Bulletin n° 2, Groupe de recherche *L'Indien imaginaire*, Montréal, Département d'études littéraires, UQÀM, 1986, p. 29-37.

« Femmes missionnaires en Nouvelle-France : dans la balançoire de la rhétorique jésuite », dans *Rhétorique et conquête missionnaire: le jésuite Paul Lejeune*, Réal Ouellet [dir.], Sillery, Septentrion / CÉLAT (Les nouveaux cahiers du Célat, n° 5), 1993, p. 89-99.

« Nécromancie et parole alternative dans les écrits des religieuses de la Nouvelle-France », dans *Les productions symboliques du pouvoir*, Laurier Turgeon [dir.], Sillery, Septentrion / CÉLAT (Les nouveaux cahiers du Célat, n° 2), 1990, p. 125-135.

« Histoire de (se) dire des femmes en Nouvelle-France », dans *Entre l'Histoire et le roman: la littérature personnelle, Actes du séminaire de Bruxelles* (16-17 mai 1991), Madeleine Frédéric [dir.], Bruxelles, Université libre de Bruxelles, Centre d'études canadiennes, 1992, p. 157-176.
Article repris et remanié : « Marie Morin : vivante mémoire des amazones de Ville-Marie », dans *Les bâtisseuses de la cité, Actes du colloque de l'ACFAS*, Évelyne Tardy, Francine Descarries, Lorraine Archambault, Lyne Kurtzman et Lucie Piché [dir.], Montréal, Les Cahiers scientifiques, n° 79, 1993, p. 293-306.

« Les écrivaines de la Nouvelle-France : entre le mal du pays et prendre pays », dans *Québec Studies : Focus on Refiguring History / Rewriting the Past*, 12, Spring / Summer 1991, p. 11-19.

Article réédité dans *L'autre lecture. La critique au féminin et les textes québécois*, t. I, Lori Saint-Martin [dir.], Montréal, XYZ éditeur, 1992, p. 19-29.

« Entre humilité et héroïsation. Des femmes de plume et de tête en Nouvelle-France », dans *Critique et littérature québécoise*, Annette Hayward et Agnès Whitfield [dir.], Montréal, Éditions Triptyque, 1992, p. 183-198.

« Marie de l'Incarnation, intimée et intime, à travers sa Correspondance et ses Écrits spirituels », dans *Discours et pratiques de l'Intime*, Manon Brunet et Serge Gagnon [dir.], Québec, I.Q.R.C., 1993, p. 107-118.
Article traduit en chinois, dans une anthologie sur les écrivaines canadiennes-françaises et québécoises, Guirong Sun [dir.], Beijing, Université des langues étrangères, Études françaises.

« Nouvelle-France (Femmes de lettres de la) Canada français / XVIIe-XVIIIe S. », article, dans le *Dictionnaire universel des littératures*, vol. 2, Béatrice Didier [dir.], Paris, P.U.F., 1994, p. 2602.

« L'amazone céleste, héroïne de la Nouvelle-France », dans *Les Cahiers du Grif*, Françoise Collin [dir.], Paris, Descartes & Cie, 2 : *Âmes fortes, esprits libres* (1996), p. 77-90.

« Chemins de traverse et stratégies discursives chez Marie de l'Incarnation », dans *Laval théologique et philosophique*, 53, 2 : *Regards pluriels sur Marie de l'Incarnation* (juin 1997), p. 301-315.

« 1727-1728. De Rouen à La Nouvelle-Orléans. Correspondance et journal de bord de Marie-Madeleine Hachard de Saint-Stanislas », dans *Femmes en toutes lettres. Les épistolières du XVIIIe siècle*, Marie-France Silver et Marie-Laure Girou Swiderski [dir.], Oxford, Voltaire Foundation, 2000, p. 109-117.

« L'écho est le fils de la voix. Les rapports mère-fils », dans *Femme, mystique et missionnaire. Marie Guyart de l'Incarnation*, Raymond Brodeur [dir.], Québec, Presses de l'Université Laval, 2001, p. 253-263.

Bibliographie

I . PRINCIPALES SOURCES

BLÉMUR, Jacqueline de, mère Saint-Benoît. *L'Année bénédictine ou les Vies des saints de l'Ordre de saint Benoît pour tous les jours de l'année*, Paris, 1667-1673, 7 vol. in-4.

CHARLEVOIX, François-Xavier de. *Histoire et description générale de la Nouvelle-France*, édité par Gilles Marcotte, Montréal, Bibliothèque québécoise, t. 1, 1996 [1744].

-------, *La Vie de la Mère de l'Incarnation. Institutrice et Première supérieure des Ursulines de la Nouvelle-France*, Paris, Briasson, 1724.

-------, *Journal d'un voyage fait par ordre du roi dans l'Amérique septentrionale*, édition critique par Pierre Berthiaume, Montréal, Presses de l'Université de Montréal, 1994, 2 vol.

CRUZ, Juana Inés de la (1648-1695). *A Woman of Genius. The Intellectual Autobiography of Sor Juana Inés de la Cruz*, Translation and Introduction by Margaret Sayers Peden, Salisbury, Connecticut, Lime Rock Press, 1987.

-------, *Le divin Narcisse*, F. Magne, F. Dolay et J. Rouaud (éd. et trad.), préface d'Octavio Paz, Paris, Gallimard, 1987.

DOLLIER DE CASSON. *Histoire du Montréal 1640-1672*, édité par Aurélien Boisvert, Montréal, les Éditions 101, 1992.

DU CREUX, François. *Historia canadensis seu Novæ Franciæ Libri Decem*, introduction by Percy J. Robinson, James B. Conacher (ed.), New York, Greenwood Press, 1969 [Paris, 1664].

JOURNAL DES JÉSUITES, édité par les abbés Laverdière et Casgrain, Montréal, François-Xavier, 1973 [Québec, 1871].

JOUTEL, Henri. *Journal Historique du dernier voyage que feu de M. de la Sale fit dans le Golfe de Mexique, pour trouver embouchure, & le cours de la Rivière Missicipi nommée à présent Rivière de Saint Louis, qui traverse la Louisiane*, Paris, Chez Estienne Robinot, 1713.

LAFITAU, Joseph. *Mœurs des Sauvages américains, comparées aux mœurs des premiers temps*, Paris, Saugrain, 1724, 2 vol.

POULAIN DE LA BARRE, François. *De l'égalité des deux sexes (1673)*, Paris, Fayard, 1984.

RAGUENEAU, Paul. *La vie de la mère Catherine de Saint-Augustin*, Québec, Imprimerie de l'Action sociale, 1923 [Paris, Florentin Lambert, 1671].

SALES, François de. *Œuvres*, Paris, Gallimard (Pléiade), 1969.

TWAITES, Reuben Gold. *The Jesuit Relations and Allied Documents*, Cleveland, Burrows Brothers, 1896-1901, 73 vol.

VAUGINE de NUISEMENT. *Journal de Vaugine de Nuisement: un témoignage sur la Louisiane du XVIIIe siècle*, édition critique par Steve Canac-Marquis et Pierre Rézeau, Sainte-Foy, Presses de l'Université Laval, 2005.

II. OUVRAGES GÉNÉRAUX ET ÉTUDES SUR LA NOUVELLE-FRANCE ET LA NOUVELLE-ESPAGNE

ALLARD, Michel, Michel LAHAISE, *et al. L'Hôtel-Dieu de Montréal 1642-1973*, Montréal, Cahiers du Québec / Hurtubise HMH, 1973.

ANDERSON, Karen. « As gentle as little lambs : images of Huron and Montagnais-Naskapi women in the writings of the 17th century Jesuits », dans *Revue canadienne Société & Anthropologie*, 24, 4 (1988), p. 560-575.

BEAUDIN, François, Julienne BOISVERT, Lucienne CHOQUET, *et al. Inventaire des documents antérieurs à 1760, conservés aux archives des religieuses hospitalières de Saint-Joseph*, Montréal, 1973.

BERNIER, Hélène. *Marguerite Bourgeoys*, Montréal, Fides (Classiques canadiens, 3), 1974.

-------, « Marie Morin », *Dictionnaire biographique du Canada*, t. II, p. 511-513.

-------, « Bourgeoys, Marguerite, dite du Saint-Sacrement », *Dictionnaire biographique du Canada*, t. I, p. 118-122.

BERTHIAUME, Pierre. *L'aventure américaine au XVIIIe siècle. Du voyage à l'écriture,* Ottawa, Presses de l'Université d'Ottawa, 1990.

BLONDEAU, Catherine. « Le Mississipy est en cet endroit plus large que ne l'est la Rivière de Seine à Roüen. A propos de la Relation du voyage des dames religieuses Ursulines de Roüen à la Nouvelle Orléans », dans *Études normandes,* n° 1 (1997), p. 48-68.

BREMOND, Henri. *Histoire littéraire du sentiment religieux en France,* vol. VI, « La conquête mystique. Marie de l'Incarnation », Paris, Bloud & Gay, 1926, p. 3-226.

BRODEUR, Raymond [dir.]. *Marie de l'Incarnation. Entre mère et fils: le dialogue des vocations,* Québec, Presses de l'Université Laval (Religions, culture et sociétés), 2000.
-------, *Femme, mystique et missionnaire. Marie Guyart de l'Incarnation,* Actes du colloque : 400e anniversaire (1599-1999), Québec, Presses de l'Université Laval, 2001.

BRUNEAU, Marie-Florine. « Marie de l'Incarnation : anthropologie mystique », *Voyages, récits et imaginaire,* Paris-Seattle-Tubingen, Biblio. 17 (1984), p. 181-198.
-------, « Le sacrifice maternel comme alibi à la production de l'écriture chez Marie de l'Incarnation (1599-1672) », dans *Écrits de femmes à la Renaissance, Études littéraires,* vol. 27, n° 2 (automne 1994), p. 67-76.
-------, *Women Mystics Confront the Modern World, Marie de l'Incarnation and Madame Guyon,* State University of New York Press, 1998.

CAMPEAU, Lucien. « Mgr de Laval et les Hospitalières de Montréal (1659-1684) », dans *L'Hôtel-Dieu de Montréal 1642-1973,* Montréal, Cahiers du Québec / Hurtubise HMH, 1973, p. 103-123.

CARPIN, Gervais. *Histoire d'un mot : l'ethnonyme Canadien de 1535 à 1691,* Québec, Septentrion (Les Cahiers du Septentrion, 5), 1995.

CHABOT, Marie-Emmanuel. *Marie de l'Incarnation,* Montréal, Fides (Classiques canadiens, 25), 1962.
-------, « Guyart, Marie, dite de l'Incarnation », *Dictionnaire biographique du Canada,* t. I, p. 361-368.
-------, « Chauvigny de la Peltrie, Marie-Madeleine », *Dictionnaire biographique du Canada,* t. I, p. 212-213.

CHALINE, Jean-Pierre. *De Rouen en Louisiane. Voyage d'une ursuline en 1727,* Avant-propos de Jean-Pierre Chaline, *Cahiers des Études normandes,* n° 2, Rouen, Publications de l'Université de Rouen, n° 139, 1988.

CHURCHILL SEMPLE, Henry (SJ, Loyola University New Orleans). *The Ursulines in New Orleans 1727-1925 and Our Lady of Prompt Succor. A Record of Two Centuries*, New York, P. J. Kennedy & Sons, 1925.

CLERMONT, Norman. « La place de la femme dans les sociétés iroquoiennes de la période du contact », *Recherches amérindiennes au Québec*, vol. XIII, n° 4 (1983), p. 286-290.

COMBY, Jean [dir.]. *L'itinéraire mystique d'une femme. Marie de l'Incarnation, ursuline*, Paris / Montréal, Cerf / Bellarmin, 1993.

CÔTÉ, Louise, Louis TARDIVEL et Denis VAUGEOIS. *L'Indien généreux. Ce que le monde doit aux Amériques*, Montréal, Boréal, 1992.

COUILLARD, Marie. « Le discours mystique de Marie de l'Incarnation. Paroles de femme et / ou érotomanie ?», dans *La femme, son corps, la religion*, Élisabeth Lacelle [dir.], Montréal, Bellarmin, 1983, p. 163-173.

D'ALLAIRE, Micheline. *L'Hôpital-général de Québec 1692-1764*, Montréal, Fides, 1971.
-------, « Jeanne Mance à Montréal en 1642 », dans *Forces* (1973), p. 38-46.

DAVELUY, Marie-Claire. *Jeanne Mance*, Montréal, Fides, 1962.
-------, « Mance, Jeanne », *Dictionnaire biographique du Canada*, t. I, p. 494-498.

DEFFAIN, Dominique Régis. « La place des femmes dans les relations du Révérend Père Paul Le Jeune », dans *Études canadiennes*, vol. 17, n° 30 (1991), p. 57-72.

DEMOS, John. *Une captive heureuse chez les Iroquois. Histoire d'une famille de Nouvelle-Angleterre au début du XVIIIe siècle*, Sillery, Septentrion, 1999.

DEROY-PINEAU, Françoise. *Marie de l'Incarnation. Marie Guyart, femme d'affaires, mystique, mère de la Nouvelle-France, 1599-1672*, Montréal, Bellarmin, 1999 [Laffont, 1989].
-------, *Madeleine de la Peltrie. Amazone du Nouveau Monde*, Montréal, Bellarmin, 1992.
-------, *Réseaux sociaux et mobilisation de ressources. Analyse sociologique du dessein de Marie de l'Incarnation*, thèse de doctorat, Université de Montréal, 1996.
-------, *Jeanne Mance. De Langres à Montréal, la passion de soigner*, Montréal, Bellarmin, 1995.
------- [dir.], *Marie Guyard de l'Incarnation. Un destin transocéanique (Tours, 1599 - Québec, 1672)*, Paris, L'Harmattan, 2000.

DESLANDRES, Dominique. *Attitude de Marie de l'Incarnation à l'égard des Amérindiens*, mémoire de maîtrise, Montréal, Département d'histoire, Université McGill, 1985.

-------, « Un projet éducatif au XVIIe siècle : Marie de l'Incarnation et la femme amérindienne », dans *Recherches amérindiennes au Québec*, vol. XIII : *Femmes par qui la parole voyage*, n° 4 (1983), p. 277-285.

-------, « La Française et la mission française au XVIIe siècle », dans *Cahiers d'histoire*, vol. VI, n° I (automne 1985), p. 105-133.

-------, « Femmes missionnaires en Nouvelle-France. Les débuts des Ursulines et des Hospitalières à Québec », dans *La religion de ma mère*, Jean Delumeau [dir.], p. 209-223.

-------, « Le rayonnement des Ursulines en Nouvelle-France », dans *Les religieuses dans le cloître et dans le monde*, Presses universitaires de Saint-Étienne (CERCOR), 1994, p. 887-899.

-------, « Qu'est-ce qui faisait courir Marie Guyart ? Essai d'ethnohistoire d'une mystique d'après sa correspondance », dans *Laval théologique et philosophique*, vol. 53, n° 2 (juin 1997), p. 285-300.

-------, *Croire et faire croire: les missions françaises au XVIIe siècle (1600-1650)*, Paris, Fayard, 2003.

DESROSIERS, Léo-Paul. *Iroquoisie 1534-1652*, Sillery, Septentrion, 1998.

Dictionnaire biographique du Canada, Toronto / Québec, Université de Toronto / Presses de l'Université Laval, t. I, 1000-1700 (1966) ; t. II, 1701-1740 (1969) ; t. III, 1741-1770 (1974). Abrégé sous *DBC*.

DUBOIS, Paul-André. *De l'oreille au cœur. Naissance du chant religieux en langues amérindiennes dans les missions de Nouvelle-France, 1600-1650*, Sillery, Septentrion, 1997.

DUMAIS, Monique. « Femmes faites chair », dans *La femme, son corps, la religion*, Élisabeth J. Lacelle [dir.], Montréal, Bellarmin, 1983, p. 52-70.

DUMONT, Micheline. *L'instruction des filles au Québec (1639-1960)*, Ottawa, Société historique du Canada (Brochure historique du Canada, 49), 1990.

DUPRÉ, Céline. *Élisabeth Bégon*, Montréal, Fides (Classiques canadiens, 19), 1960.

GAGNON, François-Marc. *La conversion par l'image: un aspect de la mission des jésuites auprès des Indiens du Canada au XVIIe siècle*, Montréal, Bellarmin, 1975.

-------, *Premiers peintres de la Nouvelle-France*, t. II, Éditeur officiel du Québec, ministère des Affaires culturelles, 1976.

GERVAIS, Diane et Serge LUSIGNAN. « De Jeanne d'Arc à Madeleine de Verchères. La femme guerrière dans la société d'ancien régime », dans *Revue d'histoire de l'Amérique française* (automne 1999), p. 171-205.

GIES, Mary Loretto. *Mère Duplessis de Sainte-Hélène, annaliste et épistolière*, thèse de doctorat, Québec, Université Laval, 1949.

GIRARD-DUCASSE, Francine. *Les jeux de la nature et le travail de la grâce. La présence des femmes dans les écrits des jésuites de 1610 à 1660*, mémoire de maîtrise, Université de Montréal, Département d'anthropologie, 1981.

GIRAUD, Marcel. *Histoire de la Louisiane française*, Paris, Presses Universitaires de France, 1953-1974, 4 vol.

GOURDEAU, Claire. *Les délices de nos cœurs. Marie de l'Incarnation et ses pensionnaires amérindiennes, 1639-1672*, Sillery, Septentrion / CÉLAT (Les Nouveaux Cahiers du Célat, n° 6), 1994.

GROULX, Lionel. *La grande dame de notre histoire*, Montréal, Fides, 1966.

HARRISON, Jane E. *Adieu pour cette année. La correspondance au Canada 1640-1830*, Montréal, Musée canadien de la poste et XYZ éditeur, 1997.

HEANY, Jane Frances (Sister, O.S.U.). *A Century of Pioneering. A History of the Ursuline Nuns in New Orleans (1727-1827)*, edited by Mary Ethel Booker Siefken, New Orleans, Ursuline Sisters of New Orleans, Louisiana, 1993.

HUDON, Léo. « Monseigneur de Laval et les communautés de femmes », dans *Société canadienne d'histoire de l'Église catholique*, 25 (1957), p. 35-57.

JEAN, Marguerite. *Évolution des communautés religieuses de femmes au Canada de 1639 à nos jours*, Montréal, Fides, 1977.

JULIEN, Fabienne. *Agathe de Repentigny. Une manufacturière au XVII*e *siècle*, Montréal, XYZ éditeur (Les grandes figures), 1996.

LACELLE, Élisabeth. *La femme et la religieuse au Canada français. Un fait socioculturel*, Montréal, Bellarmin (Femmes et religion, n° 1), 1979.
------- [dir.], *La femme, son corps, la religion*, Montréal, Bellarmin, 1983.

LACOURSIÈRE, Jacques, Jean PROVENCHER et Denis VAUGEOIS. *Canada. Québec. Synthèse historique 1534-2000*, Québec, Septentrion, 2001.

LACOURSIÈRE, Jacques, *Histoire populaire du Québec. Des origines à 1791*, t. 1, Québec, Septentrion, 1995.
-------, « Le triple destin de Marie-Josephte Corriveau (1733-1763) », *Les Cahiers des Dix*, 33 (1969), p. 213-242.
-------, « Le destin posthume de la Corriveau », *Les Cahiers des Dix*, 34 (1969), p. 239-271.

LA CROIX RIOUX, Jean de. « Sagard, Gabriel », *Dictionnaire biographique du Canada*, t. I, p. 604-605.

LAFLÈCHE, Guy. « Le missionnaire, l'apostat, le sorcier », *Introduction à la Relation de 1634 de Paul Lejeune*, Montréal, Presses de l'Université de Montréal, 1973, p. XI-XLI.

LAHAISE, Robert. « L'Hôtel-Dieu du Vieux-Montréal (1642-1681) », dans *L'Hôtel-Dieu de Montréal 1642-1973*, Montréal, Cahiers du Québec / Hurtubise HMH, 1973, p. 11-56.

LANDELS, Isabel. *La correspondance de madame Bégon*, thèse de doctorat, Québec, Université Laval, 1947.

LANDRY, Yves. *Les Filles du roi au XVIIe siècle. Orphelines en France, pionnières au Canada, suivi d'un répertoire biographique des Filles du roi*, Montréal, Leméac, 1992.
------- [dir.], *Pour le Christ et le Roi. La vie au temps des premiers Montréalais*, Montréal, Libre Expression / Art global, 1992.

LANDY, Isabelle. « Les lettres de Marie de l'Incarnation : exils et jouissances », *Expériences limites de l'épistolaire*, André Magnan [dir.], Paris, Champion, 1993.

LANDY-HOUILLON, Isabelle. « Marie de l'Incarnation et les jésuites : une exception culturelle ?», dans *Femme, mystique et missionnaire. Marie Guyart de l'Incarnation*, Raymond Brodeur [dir.], p. 69-97.

LANGLOIS, Gilles-Antoine. *Des villes pour la Louisiane française. Théorie et pratique de l'urbanistique coloniale au 18e siècle*, Paris, L'Harmattan, 2003.

LAPORTE, Yolaine. *Marie de l'Incarnation. Mystique et femme d'action*, Montréal, XYZ éditeur, 1997.

LANYON, Anna. *Malinche l'Indienne. L'autre conquête du Mexique*, Paris, Payot, 2001.

Laval théologique et philosophique, 53, 2 : Regards pluriels sur Marie de l'Incarnation (juin 1997).

LEACOCK, Eleanor. *Women and Colonization : Anthropological Perspectives*, New York, Bergin, 1980.
-------, « Montagnais women and the Jesuit program for colonization », *RE-Thinking Canada. The Promise of Women's History*, Veronica Strong-Boag and Anita Clair Fellman (ed.), Toronto, Copp Clark Pitman Ltd., 1991, p. 11-27.

LEBEL, Marc. « Livres et bibliothèque chez les Ursulines de Québec », dans *Bulletin du Centre de recherches en civilisation canadienne-française*, n° 26 (avril 1983), p. 15-20.

LEFEBVRE, Esther. *Marie Morin. Premier historien canadien de Villemarie*, Montréal, Fides, 1959.

LEMIEUX, Denise. *Les petits innocents. Enfance en Nouvelle-France*, Québec, I.Q.R.C., 1985.

LESSARD, Rénald. *Se soigner au Canada aux XVIIe et XVIIIe siècles*, Ottawa, Musée canadien des civilisations (Mercure / Histoire, n° 43), 1989.

MAILLET, Marguerite. *Bibliographie des publications de l'Acadie des provinces maritimes: livres et brochures 1609-1995*, Moncton, Éditions d'Acadie, 1997.

MARTÈNE, Edmond (dom). *La Vie du vénérable Père Dom Claude Martin, religieux bénédictin de la Congrégation de S. Maur, écrit par un de ses disciples*, Tours, Philbert Masson, 1967.

MICHAUD, Ginette. « De la "Primitive Ville" à la Place Ville-Marie : lectures de quelques récits de fondation de Montréal », dans *Montréal imaginaire. Ville et littérature*, Pierre Nepveu et Gilles Marcotte [dir.], Montréal, Fides, 1992, p. 13-95.

MONDOUX, Maria. *L'Hôtel-Dieu, premier hôpital de Montréal, 1642-1763*, Montréal, 1942.

MOTSCH, Andreas. *Lafitau et l'émergence du discours ethnographique*, Québec / Paris, Septentrion (Les Nouveaux Cahiers du Célat) / Presses de l'Université de Paris-Sorbonne (Imago Mundi), 2001.

NEPVEU, Pierre. *Intérieurs du Nouveau Monde*, Montréal, Boréal (Papiers collés), 1998.

NOËL, Gabrielle. *Marie de l'Incarnation. Transparence d'évangile*, Sainte-Foy, Québec, Anne Sigier, 1989.

NOËL, Jan. « New France : les femmes favorisées », dans *Atlantis*, 2 (printemps 1981), p. 80-98.

-------, *Les femmes de la Nouvelle-France*, Ottawa, Société historique du Canada (Brochure historique, 59), 1998.

OUELLET, Réal [dir.]. *Rhétorique et conquête missionnaire: le jésuite Paul Lejeune*, Sillery, Septentrion / Célat (Les nouveaux cahiers du Célat, n° 5), 1993.

-------, « Une bataille, trois récits [...] », dans *Quaderni del seicento francese*, 10 : *Les mentalités*, Bari / Paris, Adriatica / Nizet, 1991, p. 329-346.

OURY, Guy-Marie (dom). *Ce que croyait Marie de l'Incarnation*, Paris, Mame, 1972.
-------, *Madame de la Peltrie et ses fondations canadiennes*, Québec, Presses de l'Université Laval, 1974.
-------, *Dom Claude Martin. Le fils de Marie de l'Incarnation*, Sablé-sur-Sarthe, Solesmes, 1983.
-------, *Jeanne Mance et le rêve de M. de la Dauversière*, Chambray-les-Tours, C.L.D., 1983.
-------, *Les Ursulines de Québec, 1639-1953*, Sillery, Septentrion, 1999.

PAZ, Octavio. *Sor Juana*, Cambridge / Massachusetts, Belknap Press / Harvard University Press, 1988.
-------, *Sor Juana Ines de la Cruz ou les pièges de la foi*, Paris, Gallimard, 1987.

PELLERIN, Étienne. « Si le voyage en Louisiane d'une ursuline de la communauté d'Elbeuf nous était conté... », *Bulletin de la Société d'Histoire d'Elbeuf*, n° 28 (décembre 1997).

PELLETIER-BAILLARGEON, Hélène. « Marie de l'Incarnation : entre l'héroïsme et la grâce », dans *Communauté chrétienne*, 166 (automne 1989), p. 303-305.

PERRAULT, Isabelle. « On débarque en Nouvelle-France », dans *Recherches amérindiennes au Québec*, vol. XI, n° 2 (1981), p. 103-107.

PINCHARD, Bruno. « Traversées océaniques : Océan physique et Océan intérieur chez Marie de l'Incarnation », dans *Marie Guyard de l'Incarnation. Un destin transocéanique* (Tours, 1599 - Québec, 1672), Paris, L'Harmattan, 2000, p. 323-338.

PLAMONDON, Lilianne. « Une femme d'affaires en Nouvelle-France : Marie-Anne Barbel, veuve Fournel », dans *Revue d'Histoire de l'Amérique française*, vol. 31, n° 2 (septembre 1977), p. 165-186.

POULIOT, Léon. « Le Jeune, Paul », *Dictionnaire biographique du Canada*, t. I, p. 464-469.

Recherches amérindiennes au Québec, vol. XIII : *Femmes par qui la parole voyage*, n° 4 (1983).

ROBITAILLE, Martin. « Du rapport à l'image dans les lettres d'Élisabeth Bégon », dans *Femmes en toutes lettres. Les épistolières du XVIIIe siècle*, Marie-France Silver et Marie-Laure Girou-Swiderski [dir.], Oxford, Voltaire Foundation, 2000, p. 41-57.

ROUSSEAU, François. *La croix et le scalpel. Histoire des Augustines et de l'Hôtel-Dieu de Québec I: 1639-1892*, Sillery, Septentrion, 1989.

RUETHER, Rosemary. « The Colonial and Revolutionary Periods », dans *Women and Religion in America*, vol. II, San Francisco, 1983, p. 79-86.

SIOUI, Georges E. *Pour une autohistoire amérindienne*, Québec, Presses de l'Université Laval, 1990.

TIFFANY, Sharon W., Kathleen ADAMS J. *The Wild Woman. An Inquiry Into the Anthropology of an Idea*, Schenkman Publishing Company Inc., Cambridge, USA, 1987.

TRIGGER, Bruce. *Les enfants d'Aataentsic. L'histoire du peuple huron*, Montréal, Libre Expression, 1991.
-------, Toby MORANTZ et Louise DECHÊNE, *Le castor fait tout*, Société historique du lac Saint-Louis, 1987.

TRUDEL, Jean. *Un chef-d'œuvre de l'art ancien du Québec, la chapelle des Ursulines*, Québec, Presses de l'Université Laval, 1972.

TRUDEL, Marcel. « Les communautés de femmes sous le régime militaire 1759-1764 », dans *Société canadienne d'histoire de l'Église catholique*, Rapport 1955-1956, p. 32-52.
-------, *Dictionnaire des esclaves et de leurs propriétaires au Canada français*, LaSalle, Hurtubise HMH, 1990.
-------, *Les écolières des Ursulines de Québec, 1639-1686: Amérindiennes et Canadiennes*, LaSalle, Hurtubise HMH (Les Cahiers du Québec-Histoire), 1999.

VAN KIRK, Sylvia. *Many Tenders Ties. Women in Fur-Trade Society in Western Canada, 1670-1870*, Winnipeg, Waston and Dwyer Publishing Ltd., 1980.

VIAU, Roland. *Femmes de personne. Sexes, genres et pouvoirs en Iroquoisie ancienne*, Montréal, Boréal, 2000.

VIOLA, Herman J. and Carolyn MARGOLIS. *Seeds of Change*, Washington, Smithsonian Books, 1991.

ZEMON DAVIS, Natalie. *Juive, catholique, protestante, trois femmes en marge au XVIIe siècle*, Paris, Seuil, 1997.
-------, « Iroquois women, European women », dans *Women, 'race' and writing in the Early Modern Period*, Margo Hendricks and Patricia Parker (ed.), London and New York, Routledge, 1994, p. 243-258.

III. OUVRAGES GÉNÉRAUX

BARRY, Catherine. *Des femmes parmi les apôtres. 2000 ans d'histoire occultée*, Montréal / Québec, Fides / Musée de la civilisation (Les grandes conférences), 1997.

BEAUSOLEIL, Claude. *La poésie mexicaine. Anthologie*, Montréal, Écrits des Forges / Le Castor Astral, 1989.

CERTEAU, Michel de. *L'écriture et l'histoire*, Paris, Gallimard, 1975.
-------, *La fable mystique XVIe-XVIIe siècles*, Paris, Gallimard (Tel), 1982.
-------, *La culture au pluriel*, Paris, Seuil (Points, Essais, 267), 1993.

CLIO (Collectif : Micheline DUMONT, Michèle JEAN, Marie LAVIGNE et Jennifer STODDART). *L'histoire des femmes au Québec depuis quatre siècles*, Montréal, Quinze (Idéelles), 1992 [1982].

DANYLEWYCZ, Marta. *Profession: religieuse. Un choix pour les Québécoises 1840-1920*, Montréal, Boréal, 1988.

DARSIGNY, Maryse, Francine DESCARRIES, Lyne KURTZMAN et Évelyne TARDY [dir.]. *Ces femmes qui ont bâti Montréal*, Montréal, Éditions du remue-ménage, 1994.

DELUMEAU, Jean [dir.]. *La religion de ma mère. Le rôle des femmes dans la transmission de la foi*, Paris, Cerf, 1992.

DUCHÊNE, Roger. *Écrire au temps de Mme de Sévigné: lettres et textes littéraires*, Paris, Vrin, 1981.
-------, *Madame de Sévigné ou la chance d'être femme*, Paris, Fayard, 1982.

DUFOURCQ, Élisabeth. *Les aventurières de Dieu. Trois siècles d'histoire missionnaire française*, Paris, Lattès, 1993.

DULONG, Claude. *La vie quotidienne des femmes au grand siècle*, Paris, Hachette, 1984.

DUMONT, Micheline et Nadia FAHMY-EID. *Maîtresses de maison et maîtresses d'école. Femmes, famille et éducation dans l'histoire du Québec*, Montréal, Boréal-Express, 1983.

GLOWCZEWSKI, Barbara, *et al. Côté femmes. Approches ethnologiques*, Paris, L'Harmattan, 1986.

HAASE-DUBOSC, Danielle et Éliane VIENNOT [dir.]. *Femmes et pouvoirs sous l'ancien régime*, Paris / Marseille, Éditions Rivages (Histoire), 1991.

ISAAC, Marie-Thérèse. « Les jésuitesses de Valenciennes. Les vicissitudes d'une communauté enseignante au XVIIe siècle », dans *Les jésuites parmi les hommes aux XVIe et XVIIe siècles*, Université de Clermont-Ferrand II, 1987, p. 65-79.

KNIBIEHLER, Yvonne et Catherine FOUQUET. *L'histoire des mères du Moyen Âge à nos jours*, Paris, Montalba (Pluriel), 1980.

KRISTEVA, Julia. « Le temps des femmes », dans *Les nouvelles maladies de l'âme*, Paris, Fayard, 1993, p. 297-331.

LE BRUN, Jacques. « Rêves de religieuses / Le désir, la mort et le temps », dans *Rêver en France au 17e siècle*, Lille III, Revue des Sciences Humaines, t. LXXXII, n° 211 (juillet-septembre 1988), p. 27-47.

RAPLEY, Elizabeth. *The Devotes. Women and Church in Seventeenth-Century France*, Montreal / Kingston, McGill / Queen's University, 1990.

RENOUX, Christian. « Les expériences et les phénomènes mystiques dans les éloges de Mère de Blémur », dans *Revue d'histoire de l'Église de France*, vol. 79, n° 202 (1993), p. 13-46.

REYNE, Geneviève. *Couvents de femmes. La vie des religieuses cloîtrées dans la France des XVIIe et XVIIIe siècles*, Paris, Fayard, 1987.

ROY, Marie-Andrée et Agathe LAFORTUNE. *Mémoires d'elles: fragments de vies et spiritualités de femmes*, Montréal, Médiaspaul, 1999.

SALLENAVE, Danièle. *L'amazone du Grand Dieu*, récit, Paris, Bayard Éditions (Rencontre), 1997.

SCHULTE VAN KESSEL, Elisja. « Vierges et mères entre ciel et terre », dans *L'histoire des femmes en Occident*, t. 3 : XVIe-XVIIIe siècles, Paris, Plon, 1991, chapitre V, p. 141-174.

SONNET, Martine. *L'éducation des filles au temps des Lumières*, Paris, Cerf, 1987.
-------, « Une fille à éduquer », dans *L'histoire des femmes en Occident*, t. 3 : XVIe-XVIIIe siècles, Paris, Plon, 1991, chapitre IV, p. 111-139.

TIMMERMANS, Linda. *L'accès des femmes au savoir*, Paris, Champion, 1995.

TRÉPANIER, Hélène. « L'incompétence de Thérèse d'Avila. Analyse de la rhétorique mystique du Château intérieur (1577) », dans *Études littéraires*, vol. 27, n° 2 : *Écrits de femmes à la Renaissance* (automne 1994), p. 53-66.

TUNC, Suzanne. *Les femmes au pouvoir. Deux abbesses de Fontevraud au XIIe et au XVIIe siècles*, Paris, Cerf, 1993.

VINCENS, Simone. *Madame Montour et son temps*, Montréal, Québec / Amérique, 1979.

VUARNET, Jean-Noël. *L'Aigle-Mère*, Paris, Gallimard (Haute Enfance), 1995.

WARNER, Marina. *Seule entre toutes les femmes. Mythes et culte de la Vierge Marie*, Paris, Rivages / Histoire, 1989.

ZEMON DAVIS, Natalie et Arlette FARGE [dir.]. *L'histoire des femmes en Occident*, t. 3 : XVIe-XVIIIe siècles, Paris, Plon, 1991.

Table des matières

Introduction...11

Chapitre 1 : Amazones du grand Dieu en Nouvelle-France :
dans la balançoire de la rhétorique jésuite.......................................19

Chapitre 2 : Un jésuite et un récollet parmi les femmes :
Paul Le Jeune et Gabriel Sagard chez les Sauvages du Canada........35

Chapitre 3 : Entre le mal du pays et prendre pays..........................53

Chapitre 4 : Humbles et héroïques..81

Chapitre 5 : La « vie de rêve » de Marie de l'Incarnation,
pleine d'audace...95

Chapitre 6 : Femmes, pouvoir et imaginaire..................................109

Chapitre 7 : Des femmes de plume et de tête.................................121

Chapitre 8 : Marie Morin : vivante mémoire de Ville-Marie.........135

Chapitre 9 : Marie de l'Incarnation, intime et intimée..................153

Chapitre 10 : L'Amazone céleste..169

Chapitre 11 : Des vocations d'enseignantes et d'exégètes............179

Chapitre 12 : Les rapports mère-fils :
Marie Guyart de l'Incarnation et dom Claude Martin..................197

Chapitre 13 : De Rouen à La Nouvelle-Orléans :
la relation de Marie-Madeleine Hachard..213

Chapitre 14 : Marie Tranchepain de Saint-Augustin,
ou l'art de la réplique...233

Annexes
Annexe 1 : Réponse de mère Marie Tranchepain
de Saint-Augustin à l'abbé Raguet...239

Annexe 2 : Lettre de mère Marie Tranchepain
et des religieuses ursulines à l'abbé Raguet..................................241

Annexe 3 : Les premières religieuses ursulines
de La Nouvelle-Orléans...243

Articles publiés...245

Bibliographie..247

MEMBRE DU GROUPE SCABRINI

Québec, Canada
2006